201 LATIN VERBS
FULLY CONJUGATED IN ALL THE TENSES
Alphabetically arranged

Joseph Wohlberg
Department of Classical Languages
The City College of the City University of New York
New York, New York

BARRON'S EDUCATIONAL SERIES,
GREAT NECK, NEW YORK

343 Great Neck Road
Great Neck, New York

Library of Congress Catalog Card No. 63–23374

PRINTED IN THE UNITED STATES OF AMERICA

CONTENTS

INTRODUCTION

A DICTIONARY OF Latin verbs with a full inflection of all the verb forms presents a problem different from the compiling of other Latin dictionaries, and from the preparation of similar works in modern languages. When in Latin we conjugate a verb fully, we have to ask ourselves the question whether a particular form is bound to be encountered in reading. This problem is particularly acute in the Passive voice, for we can never be certain that the specific form ever existed in actual usage. We know, for example, that *veniō*, though a transitive verb, appears in the Passive Third Person Singular forms in an impersonal sense, but how can we know that *exstinguō* (quench) would ever be used in the first or second person of the Passive voice?

Since this book is intended primarily for students in the early stages of their Latin studies, all the forms have been omitted which they are not likely to meet in their readings because of their forced meanings. Likewise, rare forms, such as the Future Imperatives and the Future Passive Infinitives are left out to save the student from unnecessary confusion.

The two hundred and one Latin verbs contained in this volume are essentially the most frequent verbs encountered in the New York State Regents examinations and the various College Board tests. The Latin verbs are listed and conjugated in their simplest form, although compound forms are listed in the vocabularies. Thus, while *subsequor* is listed as a separate verb with its own meaning in the Latin-English and the English-Latin vocabulary, for its conjugation the student is referred to its simple form, *sequor*. In case the stem of a simple verb is modified in its compound form, both the simple and the compound form of the verb are conjugated, as *teneō* and *abstineō*. In case several compound forms exist, the first one listed alphabetically is conjugated, and all other compounds have a cross-reference to the first form. Thus, *abstineō* is fully conjugated, while *contineō* has merely a cross-reference to *abstineō*.

The Latin verb is listed according to its traditional principal parts;

the first person singular of the Present Indicative (or the third person singular in the case of Impersonal Verbs); the Present Infinitive; the first person singular of the Perfect Indicative, and the Accusative form of the Supine. If the latter form does not exist, whenever possible, the Future Active Participle is substituted.

When there is a variation in the verb form, both forms are listed, with the less frequent form in parentheses. For example, the second person singular of the Future Indicative Passive of *portō* appears as *portāberis(-re)*; i. e. *portāberis* and its alternate form *portābere*. The third person plural of the Perfect Active Indicative is treated in the same manner. *Portāvērunt(-re)* indicates that *portāvērunt* and *portāvēre* occur as alternate forms. In forms compounded from the Perfect Passive or the Future Active Participles, variations according to gender and number are indicated within the parentheses. *Portātus(-a, -um) sum, es, est* means that the form may be *portātus sum* or *portāta sum* or *portātum sum*, as well as *portātus es*, *portāta es*, *portātum es* etc. and the plural forms are treated the same way. Finally, the Gerund is listed in the Genitive Case, with the endings of the other cases appearing after dashes. Thus, portandī, -ō, -um, -ō, shows that the Genetive case of the Gerund is *portandī*, Dative *portandō*, Accusative *portandum*, Ablative *portandō*.

The meaning and the translation of any particular verb varies according to Voice, Mood, Tense, Person, and Number. The Active Voice, indicates by its very nature that the subject participates in the idea expressed by the verb without any intermediary, while the Passive Voice shows the subject as a participant only to the extent that some outside agency acts upon it. Thus, *portābam* (Active) may be translated as *I was carrying*, indicating that the subject, *I*, was engaged by itself in the concept of carrying, whereas *portābar* (*I was being carried*) shows that some outside agency involved the subject in the carrying process. However in the Latin language several verbs (deponents) have Passive forms but their meaning is Active. Thus, *sequor* means *I follow*, and not *I am followed*. Occasionally, a verb may appear in the Passive Voice in the third person singular with an impersonal or general subject. *Ventum est* (literally, it was come) means *one came*, or *people* (in general) *came*.

The Mood of the verb denotes the several shades of meaning with which a single idea of a verb may be colored. The Indicative Mood is a direct, straightforward expression of the meaning of the verb. *Portābō* (I shall carry) or *portātī sumus* (we have been carried) are simple statements of fact without any overtones. On the other hand, the Imperative Mood always bears the additional meaning of a command; e. g. *portāte* (*carry!*)

The Subjunctive Mood colors the meaning of the verb by some overtone of wish, obligation, or possibility, or it subordinates the meaning to some other idea. Thus, *portent* may mean *may they carry*! (wish), or *they should carry* (obligation), or *they may carry* (possibility), or as a subordinate thought; e. g. *so as to carry*, *if they should carry*, *that they may carry*.

The Infinitive Mood, on the other hand, removes all coloration from the meaning of the verb, and merely expresses the idea of the verb without any reference to number and person. In English this is expressed by *to* and the verb. As an example in Latin, *portārī* means *to be carried; portātūrus esse to be about to carry* etc. Often the Infinitive is also used as the Nominative case of a verbal noun. Thus, *portāre* may mean *carrying*, as well as *to carry*.

A Participle is essentially a verbal adjective modifying a noun or a pronoun, and it is expressed in English by the ending *-ing*, or, in the Passive, by *-ed*. The Present Participle, *portāns* (Genitive case *portantis*) means *carrying* (as modifying a noun or pronoun), and *portātus*, *portāta*, or *portātum* (The Perfect Passive Participle) means *carried*. The Future Active Participle, (e. g. *portātūrus*, *-a*, *-um*) may be translated as *about to carry*, while the Future Passive Participle, (more often called the Gerundive), *portandus*, *portanda*, *portandum* is best translated as *to be carried*.

The Gerund is a verbal noun used in the oblique cases, of which the Present Infinitive may be considered the Nominative Case. It conveys an abstract, substantive idea of the verb, and it is translated by the *-ing* from of the English verb. Thus, *portandī* means *of carrying; portandō for carrying* etc. The Supine is a specialized verbal noun, limited to the Accusative and Ablative cases. Neither Active nor Passive in meaning, it merely contains a general idea of the Verb. the Accustive form is limited to an occasional expression to denote a goal or purpose, e. g. vēnērunt portātum (they came to carry). The Ablative case is limited to a few expressions dependent on adjectives; e. g. *difficile portātū*, (*difficult to carry*).

The translation of the various tenses of the Latin verb may vary considerably in English. The Latin Present Tense can be translated by a simple Present, a progressive Present, or an emphatic Present. Thus, *portat* can be translated as *he* or *she* or *it carries*, *he* or *she* or *it is carrying*, or *he* or *she* or *it does carry*. The Imperfect denotes usually continuous action in Past Time. For example, *portābātis* can be translated *you were carrying*. The Future Tense is translated usually in English by the use of *shall* or *will*; For example *portābō* can be translated as *I shall carry* or *I shall be carrying*. The Perfect Tense in Latin has two meanings; the simple past without reference to any particular time, or the true Perfect, where the action was started in the past, and is terminated at the present moment. Thus *portāvisti* may mean *you carried*, (simple past), or *you have carried*, or *you have been carrying* (true Perfect). The Pluperfect is a past view of a completed action, started at some time in the past, and completed at a later time, also in the past. Thus, *portāveram* (*I had carried*) means that I started to carry some time ago in the past, and I completed the carrying process later, but likewise in the past. On the other hand, in the Future Perfect Tense, the action started at some time, but its completion will take place in the Future. Thus *portāverint* (*they will have carried*) means that the carrying process, already started, or about to start, will be completed some time later in the future.

Person and Number require little comment. Thus, the first person singular, *portō* means *I carry*; the first person plural, *portāmus*, *we carry*; the second person singular and plural, *portās* and *portātis* both mean *you carry*, since the English language does not distinguish between the second person singular and plural. Finally, the third person singular, *portat*, means *he* or *she* or *it carries*, while the plural *portant* means *they carry*.

As a summary of the above, for the convenience of the reader there follows a complete translation of the conjugation of *portō* (*carry*).

SAMPLE ENGLISH VERB CONJUGATION

ACTIVE

portō

portāre, portāvī, portātum *car*

INDICATIVE

		Singular		Plural
Pres.	I	carry (am carrying) (do carry)	we	carry (are carrying) (do carry)
	you	carry (are carrying) (do carry)	you	carry (are carrying) (do carry)
	he (she, it)	carries (is carrying) (does carry)	they	carry (are carrying) (do carry)
Impf.	I	was carrying	we	were carrying
	you	were carrying	you	were carrying
	he (she, it)	was carrying	they	were carrying
Fut.	I	shall (carry, be carrying)	we	shall (carry, be carrying)
	you	will (carry, be carrying)	you	will (carry, be carrying)
	he (she, it)	will (carry, be carrying)	they	will (carry, be carrying)
Perf.	I	carried, have carried	we	carried, have carried
	you	carried, have carried	you	carried, have carried
	he (she, it)	carried, has carried	they	carried, have carried
Plup.	I	had carried	we	had carried
	you	had carried	you	had carried
	he (she, it)	had carried	they	had carried
Fut. Perf.	I	shall have carried	we	shall have carried
	you	will have carried	you	will have carried
	he (she, it)	will have carried	they	will have carried

SUBJUNCTIVE

		Singular		Plural
Pres.	I	may carry	we	may carry
	you	may carry	you	may carry
	he (she, it)	may carry	they	may carry
Impf.	I	might carry	we	might carry
	you	might carry	you	might carry
	he (she, it)	might carry	they	might carry
Perf.	I	may have carried	we	may have carried
	you	may have carried	you	may have carried
	he (she, it)	may have carried	they	may have carried
Plup.	I	might have carried	we	might have carried
	you	might have carried	you	might have carried
	he (she, it)	might have carried	they	might have carried

IMPERATIVE

Pres. carry! carry!

INFINITIVE

Pres. to carry
Perf. to have carried
Fut. to be about to carry

PARTICIPLE

Pres. carrying
Perf. ———
Fut. about to carry

GERUND of carrying, for carrying, carrying, by carrying SUPINE to carry, to carry

SAMPLE ENGLISH VERB CONJUGATION

PASSIVE

INDICATIVE

Pres.	I	am (am being) carried	we	are (are being) carried
	you	are (are being) carried	you	are (are being) carried
	he (she, it)	is (is being) carried	they	are (are being) carried
Impf.	I	was being carried	we	were being carried
	you	were being carried	you	were being carried
	he (she, it)	was being carried	they	were being carried
Fut.	I	shall be carried	we	shall be carried
	you	will be carried	you	will be carried
	he (she, it)	will be carried	they	will be carried
Perf.	I	was (have been) carried	we	were (have been) carried
	you	were (have been) carried	you	were (have been) carried
	he (she, it)	was (has been) carried	they	were (have been) carried
Plup.	I	had been carried	we	had been carried
	you	had been carried	you	had been carried
	he (she, it)	had been carried	they	had been carried
Fut. Perf.	I	shall have been carried	we	shall have been carried
	you	will have been carried	you	will have been carried
	he (she, it)	will have been carried	they	will have been carried

SUBJUNCTIVE

Pres.	I	may be carried	we	may be carried
	you	may be carried	you	may be carried
	he (she, it)	may be carried	they	may be carried
Impf.	I	might be carried	we	might be carried
	you	might be carried	you	might be carried
	he (she, it)	might be carried	they	might be carried
Perf.	I	may have been carried	we	may have been carried
	you	may have been carried	you	may have been carried
	he (she, it)	may have been carried	they	may have been carried
Plup.	I	might have been carried	we	might have been carried
	you	might have been carried	you	might have been carried
	he (she, it)	might have been carried	they	might have been carried

IMPERATIVE

Pres. ———

INFINITIVE

Pres. to be carried
Perf. to have been carried
Fut. ———

PARTICIPLE

Pres. ———
Perf. carried, having been carried
Fut. to be carried (GERUNDIVE)

VERB TENSE ABBREVIATIONS

Fut.	Future
Fut. Perf.	Future Perfect
Impers.	Impersonal
Impf.	Imperfect
Perf.	Perfect
Plup.	Pluperfect
Pres.	Present

abstineō, abstinēre, abstinuī, abstentum *keep back, refrain*

INDICATIVE

	ACTIVE		PASSIVE	
Pres.	abstineō	abstinēmus	abstineor	abstinēmur
	abstinēs	abstinētis	abstinēris(-re)	abstinēminī
	abstinet	abstinent	abstinētur	abstinentur
Impf.	abstinēbam	abstinēbāmus	abstinēbar	abstinēbāmur
	abstinēbās	abstinēbātis	abstinēbāris(-re)	abstinēbāminī
	abstinēbat	abstinēbant	abstinēbātur	abstinēbantur
Fut.	abstinēbō	abstinēbimus	abstinēbor	abstinēbimur
	abstinēbis	abstinēbitis	abstinēberis(-re)	abstinēbiminī
	abstinēbit	abstinēbunt	abstinēbitur	abstinēbuntur
Perf.	abstinuī	abstinuimus	abstentus sum	abstentī sumus
	abstinuistī	abstinuistis	(-a, -um) es	(-ae, -a) estis
	abstinuit	abstinuērunt(-re)	est	sunt
Plup.	abstinueram	abstinuerāmus	abstentus eram	abstentī erāmus
	abstinuerās	abstinuerātis	(-a, -um) erās	(-ae, -a) erātis
	abstinuerat	abstinuerant	erat	erant
Fut. Perf.	abstinuerō	abstinuerimus	abstentus erō	abstentī erimus
	abstinueris	abstinueritis	(-a, -um) eris	(-ae, -a) eritis
	abstinuerit	abstinuerint	erit	erunt

SUBJUNCTIVE

	ACTIVE		PASSIVE	
Pres.	abstineām	abstineāmus	abstinear	abstineāmur
	abstineās	abstineātis	abstineāris(-re)	abstineāminī
	abstineat	abstineant	abstineātur	abstineāntur
Impf.	abstinērem	abstinērēmus	abstinērer	abstinērēmur
	abstinērēs	abstinērētis	abstinērēris(-re)	abstinērēminī
	abstinēret	abstinērent	abstinērētur	abstinērentur
Perf.	abstinuerim	abstinuerimus	abstentus sim	abstentī sīmus
	abstinueris	abstinueritis	(-a, -um) sīs	(-ae, -a) sītis
	abstinuerit	abstinuerint	sit	sint
Plup.	abstinuissem	abstinuissēmus	abstentus essem	abstentī essēmus
	abstinuissēs	abstinuissētis	(-a, -um) essēs	(-ae, -a) essētis
	abstinuisset	abstinuissent	esset	essent

IMPERATIVE

	ACTIVE	
Pres.	abstinē	abstinēte

INFINITIVE

	ACTIVE	PASSIVE
Pres.	abstinēre	abstinērī
Perf.	abstinuisse	abstentus(-a, -um) esse
Fut.	abstentūrus(-a, -um) esse	

PARTICIPLE

	ACTIVE	PASSIVE
Pres.	abstinēns(-tis)	
Perf.		abstentus(-a, -um)
Fut.	abstentūrus(-a, -um)	abstinendus(-a, -um) (GERUNDIVE)

GERUND abstinendī, -ō, -um, -ō SUPINE abstentum, -ū

accidō, accidere, accidī, ——— *happen*

ACTIVE

INDICATIVE

Pres.	accidō	accidimus
	accidis	acciditis
	accidit	accidunt
Impf.	accidēbam	accidēbāmus
	accidēbās	accidēbātis
	accidēbat	accidēbant
Fut.	accidam	accidēmus
	accidēs	accidētis
	accidet	accident
Perf.	accidī	accidimus
	accidistī	accidistis
	accidit	accidērunt(-re)
Plup.	accideram	acciderāmus
	acciderās	acciderātis
	acciderat	acciderant
Fut. Perf.	acciderō	acciderimus
	accideris	accideritis
	acciderit	acciderint

SUBJUNCTIVE

Pres.	accidam	accidāmus
	accidās	accidātis
	accidat	accidant
Impf.	acciderem	acciderēmus
	acciderēs	acciderētis
	accideret	acciderent
Perf.	acciderim	acciderimus
	accideris	accideritis
	acciderit	acciderint
Plup.	accidissem	accidissēmus
	accidissēs	accidissētis
	accidisset	accidissent

IMPERATIVE

Pres.	accide	accidite

INFINITIVE

Pres. accidere
Perf. accidisse

PARTICIPLE

Pres. accidēns(-tis)

GERUND accidendī, -ō, -um, -ō

accipiō, accipere, accēpī, acceptum *accept, receive*

	ACTIVE		PASSIVE	
		INDICATIVE		
Pres.	accipiō	accipimus	accipior	accipimur
	accipis	accipitis	acciperis(-re)	accipiminī
	accipit	accipiunt	accipitur	accipiuntur
Impf.	accipiēbam	accipiēbāmus	accipiēbar	accipiēbāmur
	accipiēbās	accipiēbātis	accipiēbāris(-re)	accipiēbāminī
	accipiēbat	accipiēbant	accipiēbātur	accipiēbantur
Fut.	accipiam	accipiēmus	accipiar	accipiēmur
	accipiēs	accipiētis	accipiēris(-re)	accipiēminī
	accipiet	accipient	accipiētur	accipientur
Perf.	accēpī	accēpimus	acceptus sum	acceptī sumus
	accēpistī	accēpistis	(-a, -um) es	(-ae, -a) estis
	accēpit	accēpērunt(-re)	est	sunt
Plup.	accēperam	accēperāmus	acceptus eram	acceptī erāmus
	accēperās	accēperātis	(-a, -um) erās	(-ae, -a) erātis
	accēperat	accēperant	erat	erant
Fut. Perf.	accēperō	accēperimus	acceptus erō	acceptī erimus
	accēperis	accēperitis	(-a, -um) eris	(-ae, -a) eritis
	accēperit	accēperint	erit	erunt
		SUBJUNCTIVE		
Pres.	accipiam	accipiāmus	accipiar	accipiāmur
	accipiās	accipiātis	accipiāris(-re)	accipiāminī
	accipiat	accipiant	accipiātur	accipiantur
Impf.	acciperem	acciperēmus	acciperer	acciperēmur
	acciperēs	acciperētis	acciperēris(-re)	acciperēminī
	acciperet	acciperent	acciperētur	acciperentur
Perf.	accēperim	accēperimus	acceptus sim	acceptī sīmus
	accēperis	accēperitis	(-a, -um) sīs	(-ae, -a) sītis
	accēperit	accēperint	sit	sint
Plup.	accēpissem	accēpissēmus	acceptus essem	acceptī essēmus
	accēpissēs	accēpissētis	(-a, -um) essēs	(-ae, -a) essētis
	accēpisset	accēpissent	esset	essent
		IMPERATIVE		
Pres.	accipe	accipite		
		INFINITIVE		
Pres.	accipere		accipī	
Perf.	accēpisse		acceptus(-a, -um) esse	
Fut.	acceptūrus(-a, -um) esse			
		PARTICIPLE		
Pres.	accipiēns(-tis)			
Perf.			acceptus(-a, -um)	
Fut.	acceptūrus(-a, -um)		accipiendus(-a, -um) (GERUNDIVE)	

GERUND accipiendī, -ō, -um, -ō SUPINE acceptum, -ū

accūsō, accūsāre, accūsāvī, accūsātum *charge, accuse*

	ACTIVE		PASSIVE	
		INDICATIVE		
Pres.	accūsō	accūsāmus	accūsor	accūsāmur
	accūsās	accūsātis	accūsāris(-re)	accūsāminī
	accūsat	accūsant	accūsātur	accūsantur
Impf.	accūsābam	accūsābāmus	accūsābar	accūsābāmur
	accūsābās	accūsābātis	accūsābāris(-re)	accūsābāminī
	accūsābat	accūsābant	accūsābātur	accūsābantur
Fut.	accūsābō	accūsābimus	accūsābor	accūsābimur
	accūsābis	accūsābitis	accūsāberis(-re)	accūsābiminī
	accūsābit	accūsābunt	accūsābitur	accūsābuntur
Perf.	accūsāvī	accūsāvimus	accūsātus sum	accūsātī sumus
	accūsāvistī	accūsāvistis	(-a, -um) es	(-ae, -a) estis
	accūsāvit	accūsāvērunt(-re)	est	sunt
Plup.	accūsāveram	accūsāverāmus	accūsātus eram	accūsātī erāmus
	accūsāverās	accūsāverātis	(-a, -um) erās	(-ae, -a) erātis
	accūsāverat	accūsāverant	erat	erant
Fut. Perf.	accūsāverō	accūsāverimus	accūsātus erō	accūsātī erimus
	accūsāveris	accūsāveritis	(-a, -um) eris	(-ae, -a) eritis
	accūsāverit	accūsāverint	erit	erunt
		SUBJUNCTIVE		
Pres.	accūsem	accūsēmus	accūser	accūsēmur
	accūsēs	accūsētis	accūsēris(-re)	accūsēminī
	accūset	accūsent	accūsētur	accūsentur
Impf.	accūsārem	accūsārēmus	accūsārer	accūsārēmur
	accūsārēs	accūsārētis	accūsārēris(-re)	accūsārēminī
	accūsāret	accūsārent	accūsārētur	accūsārentur
Perf.	accūsāverim	accūsāverimus	accūsātus sim	accūsātī sīmus
	accūsāveris	accūsāveritis	(-a, -um) sīs	(-ae, -a) sītis
	accūsāverit	accūsāverint	sit	sint
Plup.	accūsāvissem	accūsāvissēmus	accūsātus essem	accūsātī essēmus
	accūsāvissēs	accūsāvissētis	(-a, -um) essēs	(-ae, -a) essētis
	accūsāvisset	accūsāvissent	esset	essent
		IMPERATIVE		
Pres.	accūsā	accūsāte		
		INFINITIVE		
Pres.	accūsāre		accūsārī	
Perf.	accūsāvisse		accūsātus(-a, -um) esse	
Fut.	accūsātūrus(-a, -um) esse			
		PARTICIPLE		
Pres.	accūsāns(-tis)			
Perf.			accūsātus(-a, -um)	
Fut.	accūsātūrus(-a, -um)		accūsandus(-a, -um) (GERUNDIVE)	

GERUND accūsandī, -ō, -um, -ō SUPINE accūsātum, -ū

addō, addere, addidī, additum *add*

	ACTIVE		PASSIVE			
			INDICATIVE			
Pres.	addō	addimus	addor		addimur	
	addis	additis	adderis(-re)		addiminī	
	addit	addunt	additur		adduntur	
Impf.	addēbam	addēbāmus	addēbar		addēbāmur	
	addēbās	addēbātis	addēbāris(-re)		addēbāminī	
	addēbat	addēbant	addēbātur		addēbantur	
Fut.	addam	addēmus	addar		addēmur	
	addēs	addētis	addēris(-re)		addēminī	
	addet	addent	addētur		addentur	
Perf.	addidī	addidimus	additus	sum	additī	sumus
	addidistī	addidistis	(-a, -um)	es	(-ae, -a)	estis
	addidit	addidērunt(-re)		est		sunt
Plup.	addideram	addiderāmus	additus	eram	additī	erāmus
	addiderās	addiderātis	(-a, -um)	erās	(-ae, -a)	erātis
	addiderat	addiderant		erat		erant
Fut. Perf.	addiderō	addiderimus	additus	erō	additī	erimus
	addideris	addideritis	(-a, -um)	eris	(-ae, -a)	eritis
	addiderit	addiderint		erit		erunt
			SUBJUNCTIVE			
Pres.	addam	addāmus	addar		addāmur	
	addās	addātis	addāris(-re)		addāminī	
	addat	addant	addātur		addantur	
Impf.	adderem	adderēmus	adderer		adderēmur	
	adderēs	adderētis	adderēris(-re)		adderēminī	
	adderet	adderent	adderētur		adderentur	
Perf.	addiderim	addiderimus	additus	sim	additī	sīmus
	addideris	addideritis	(-a, -um)	sīs	(-ae, -a)	sītis
	addiderit	addiderint		sit		sint
Plup.	addidissem	addidissēmus	additus	essem	additī	essēmus
	addidissēs	addidissētis	(-a, -um)	essēs	(-ae, -a)	essētis
	addidisset	addidissent		esset		essent
			IMPERATIVE			
Pres.	adde	addite				
			INFINITIVE			
Pres.	addere		addī			
Perf.	addidisse		additus(-a, -um) esse			
Fut.	additūrus(-a, -um) esse					
			PARTICIPLE			
Pres.	addēns(-tis)					
Perf.			additus(-a, -um)			
Fut.	additūrus(-a, -um)		addendus(-a, -um) (GERUNDIVE)			

GERUND addendī, -ō, -um, -ō SUPINE additum, -ū

adhibeō, adhibēre, adhibuī, adhibitum *summon, furnish*

	ACTIVE		PASSIVE	
	INDICATIVE			
Pres.	adhibeō	adhibēmus	adhibeor	adhibēmur
	adhibēs	adhibētis	adhibēris(-re)	adhibēminī
	adhibet	adhibent	adhibētur	adhibentur
Impf.	adhibēbam	adhibēbāmus	adhibēbar	adhibēbāmur
	adhibēbās	adhibēbātis	adhibēbāris(-re)	adhibēbāminī
	adhibēbat	adhibēbant	adhibēbātur	adhibēbantur
Fut.	adhibēbō	adhibēbimus	adhibēbor	adhibēbimur
	adhibēbis	adhibēbitis	adhibēberis(-re)	adhibēbiminī
	adhibēbit	adhibēbunt	adhibēbitur	adhibēbuntur
Perf.	adhibuī	adhibuimus	adhibitus sum	adhibitī sumus
	adhibuistī	adhibuistis	(-a, -um) es	(-ae, -a) estis
	adhibuit	adhibuērunt(-re)	est	sunt
Plup.	adhibueram	adhibuerāmus	adhibitus eram	adhibitī erāmus
	adhibuerās	adhibuerātis	(-a, -um) erās	(-ae, -a) erātis
	adhibuerat	adhibuerant	erat	erant
Fut. Perf.	adhibuerō	adhibuerimus	adhibitus erō	adhibitī erimus
	adhibueris	adhibueritis	(-a, -um) eris	(-ae, -a) eritis
	adhibuerit	adhibuerint	erit	erunt
	SUBJUNCTIVE			
Pres.	adhibeam	adhibeāmus	adhibear	adhibeāmur
	adhibeās	adhibeātis	adhibeāris(-re)	adhibeāminī
	adhibeat	adhibeant	adhibeātur	adhibeantur
Impf.	adhibērem	adhibērēmus	adhibērer	adhibērēmur
	adhibērēs	adhibērētis	adhibērēris(-re)	adhibērēminī
	adhibēret	adhibērent	adhibērētur	adhibērentur
Perf.	adhibuerim	adhibuerimus	adhibitus sim	adhibitī sīmus
	adhibueris	adhibueritis	(-a, -um) sīs	(-ae, -a) sītis
	adhibuerit	adhibuerint	sit	sint
Plup.	adhibuissem	adhibuissēmus	adhibitus essem	adhibitī essēmus
	adhibuissēs	adhibuissētis	(-a, -um) essēs	(-ae, -a) essētis
	adhibuisset	adhibuissent	esset	essent
	IMPERATIVE			
Pres.	adhibē	adhibēte		
	INFINITIVE			
Pres.	adhibēre		adhibērī	
Perf.	adhibuisse		adhibitus(-a, -um) esse	
Fut.	adhibitūrus(-a, -um) esse			
	PARTICIPLE			
Pres.	adhibēns(-tis)			
Perf.			adhibitus(-a, -um)	
Fut.	adhibitūrus(-a, -um)		adhibendus(-a, -um) (GERUNDIVE)	

GERUND adhibendī, -ō, -um, -ō SUPINE adhibitum, -ū

adimō, adimere adēmī, adēmptum *take away, deprive*

	ACTIVE		PASSIVE	
	INDICATIVE			
Pres.	adimō	adimimus	adimor	adimimur
	adimis	adimitis	adimeris(-re)	adimiminī
	adimit	adimunt	adimitur	adimuntur
Impf.	adimēbam	adimēbāmus	adimēbar	adimēbāmur
	adimēbās	adimēbātis	adimēbāris(-re)	adimēbāminī
	adimēbat	adimēbant	adimēbātur	adimēbantur
Fut.	adimam	adimēmus	adimar	adimēmur
	adimēs	adimētis	adimēris(-re)	adimēminī
	adimet	adiment	adimētur	adimentur
Perf.	adēmī	adēmimus	adēmptus sum	adēmptī sumus
	adēmistī	adēmistis	(-a, -um) es	(-ae, -a) estis
	adēmit	adēmērunt(-re)	est	sunt
Plup.	adēmeram	ademerāmus	adēmptus eram	adēmptī erāmus
	adēmerās	adēmerātis	(-a, -um) erās	(-ae, -a) erātis
	adēmerat	adēmerant	erat	erant
Fut. Perf.	adēmerō	adēmerimus	adēmptus erō	adēmptī erimus
	adēmeris	adēmeritis	(-a, -um) eris	(-ae, -a) eritis
	adēmerit	adēmerint	erit	erunt
	SUBJUNCTIVE			
Pres.	adimam	adimāmus	adimar	adimāmur
	adimās	adimātis	adimāris(-re)	adimāminī
	adimat	adimant	adimātur	adimantur
Impf.	adimerem	adimerēmus	adimerer	adimerēmur
	adimerēs	adimerētis	adimerēris(-re)	adimerēminī
	adimeret	adimerent	adimerētur	adimerentur
Perf.	adēmerim	adēmerimus	adēmptus sim	adēmptī sīmus
	adēmeris	adēmeritis	(-a, -um) sīs	(-ae, -a) sītis
	adēmerit	adēmerint	sit	sint
Plup.	adēmissem	adēmissēmus	adēmptus essem	adēmptī essemus
	adēmissēs	adēmissētis	(-a, -um) essēs	(-ae, -a) essētis
	adēmisset	adēmissent	esset	essent
	IMPERATIVE			
Pres.	adime	adimite		
	INFINITIVE			
Pres.	adimere		adimī	
Perf.	adēmisse		adēmptus(-a, -um) esse	
Fut.	adēmptūrus(-a, -um) esse			
	PARTICIPLE			
Pres.	adimēns(-tis)			
Perf.			adēmptus(-a, -um)	
Fut.	adēmptūrus(-a, -um)		adimendus(-a, -um) (GERUNDIVE)	

GERUND adimendī, -ō, -um, -ō SUPINE adēmptum, -ū

adipīscor, adipīscī, adeptus sum *attain, obtain*

ACTIVE

INDICATIVE

Pres.	adipīscor	adipīscimur
	adipīsceris(-re)	adipīsciminī
	adipīscitur	adipīscuntur
Impf.	adipīscēbar	adipīscēbāmur
	adipīscēbāris(-re)	adipīscēbāminī
	adipīscēbātur	adipīscēbantur
Fut.	adipīscar	adipīscēmur
	adipīscēris(-re)	adipīscēminī
	adipīscētur	adipīscentur
Perf.	adeptus sum	adeptī sumus
	(-a, -um) es	(-ae, -a) estis
	est	sunt
Plup.	adeptus eram	adeptī erāmus
	(-a, -um) erās	(-ae, -a) erātis
	erat	erant
Fut. Perf.	adeptus erō	adeptī erimus
	(-a, -um) eris	(-ae, -a) eritis
	erit	erunt

SUBJUNCTIVE

Pres.	adipīscar	adipīscāmur
	adipīscāris(-re)	adipīscāminī
	adipīscātur	adipīscantur
Impf.	adipīscerer	adipīscerēmur
	adipīscerēris(-re)	adipīscerēminī
	adipīscerētur	adipīscerentur
Perf.	adeptus sum	adeptī sīmus
	(-a, -um) sīs	(-ae, -a) sītis
	sit	sint
Plup.	adeptus essem	adeptī essēmus
	(-a, -um) essēs	(-ae, -a) essētis
	esset	essent

IMPERATIVE

Pres.	adipīscere	adipīsciminī

INFINITIVE

Pres. adipīscī
Perf. adeptus(-a, -um) esse
Fut. adeptūrus(-a, -um) esse

PARTICIPLE

	Active	Passive
Pres.	adipīscēns(-tis)	
Perf.	adeptus(-a, -um)	
Fut.	adeptūrus(-a, -um)	adipiscendus(-a, -um) (GERUNDIVE)

GERUND adipīscendī, -ō, -um, -ō SUPINE adeptum, -ū

aggredior, aggredī, aggressus sum *attack*

ACTIVE

INDICATIVE

Pres.	aggredior	aggredimur
	aggrederis(-re)	aggrediminī
	aggreditur	aggrediuntur
Impf.	aggrediēbar	aggrediēbāmur
	aggrediēbāris(-re)	aggrediēbāminī
	aggrediēbātur	aggrediēbantur
Fut.	aggrediar	aggrediēmur
	aggrediēris(-re)	aggrediēminī
	aggrediētur	aggredientur
Perf.	aggressus sum	aggressī sumus
	(-a, -um) es	(-ae, -a) estis
	est	sunt
Plup.	aggressus eram	aggressī erāmus
	(-a, -um) erās	(-ae, -a) erātis
	erat	erant
Fut. Perf.	aggressus erō	aggressī erimus
	(-a, -um) eris	(-ae, -a) eritis
	erit	erunt

SUBJUNCTIVE

Pres.	aggrediar	aggrediāmur
	aggrediāris(-re)	aggrediāminī
	aggrediātur	aggrediantur
Impf.	aggrederer	aggrederēmur
	aggrederēris(-re)	aggrederēminī
	aggrederētur	aggrederentur
Perf.	aggressus sim	aggressī sīmus
	(-a, -um) sīs	(-ae, -a) sītis
	sit	sint
Plup.	aggressus essem	aggressī essēmus
	(-a, -um) essēs	(-ae, -a) essētis
	esset	essent

IMPERATIVE

Pres.	aggredere	aggrediminī

INFINITIVE

Pres.	aggredī
Perf.	aggressus(-a, -um) esse
Fut.	aggressūrus(-a, -um) esse

PARTICIPLE

	Active	Passive
Pres.	aggrediēns(-tis)	
Perf.	aggressus(-a, -um)	
Fut.	aggressūrus(-a, -um)	aggrediendus(-a, -um) (GERUNDIVE)

GERUND aggrediendī, -ō, -um, -ō SUPINE aggressum, -ū

agō

agō, agere, ēgī, āctum *do, drive*

	ACTIVE		PASSIVE			
			INDICATIVE			
Pres.	agō	agimus	agor		agimur	
	agis	agitis	ageris(-re)		agiminī	
	agit	agunt	agitur		aguntur	
Impf.	agēbam	agēbāmus	agēbar		agēbāmur	
	agēbās	agēbātis	agēbāris(-re)		agēbāminī	
	agēbat	agēbant	agēbātur		agēbantur	
Fut.	agam	agēmus	agar		agēmur	
	agēs	agētis	agēris		agemīnī	
	aget	agent	agētur		agentur	
Perf.	ēgī	ēgimus	āctus	sum	āctī	sumus
	ēgistī	ēgistis	(-a, -um)	es	(-ae, -a)	estis
	ēgit	ēgērunt(-re)		est		sunt
Plup.	ēgeram	ēgerāmus	āctus	eram	āctī	erāmus
	ēgerās	ēgerātis	(-a, -um)	erās	(-ae, -a)	erātis
	egerat	ēgerant		erat		erant
Fut. Perf.	ēgerō	ēgerimus	āctus	erō	āctī	erimus
	ēgeris	ēgeritis	(-a, -um)	eris	(-ae, -a)	eritis
	ēgerit	ēgerint		erit		erunt
			SUBJUNCTIVE			
Pres.	agam	agāmus	agar		agāmur	
	agās	agātis	agāris(-re)		agāminī	
	agat	agant	agātur		agantur	
Impf.	agerem	agerēmus	agerer		agerēmur	
	agerēs	agerētis	agerēris(-re)		agerēminī	
	ageret	agerent	agerētur		agerentur	
Perf.	ēgerim	ēgerimus	āctus	sim	āctī	sīmus
	ēgeris	ēgeritis	(-a, -um)	sīs	(-ae, -a)	sītis
	ēgerit	ēgerint		sit		sint
Plup.	ēgissem	ēgissēmus	āctus	essem	āctī	essēmus
	ēgissēs	ēgissētis	(-a, -um)	essēs	(-ae, -a)	essētis
	ēgisset	ēgissent		esset		essent
			IMPERATIVE			
Pres.	age	agite				
			INFINITIVE			
Pres.	agere		agī			
Perf.	ēgisse		āctus(-a, -um) esse			
Fut.	āctūrus(-a, -um) esse					
			PARTICIPLE			
Pres.	agēns(-tis)					
Perf.			āctus(-a, -um)			
Fut.	āctūrus(-a, -um)		agendus(-a, -um) (GERUNDIVE)			

GERUND agendī, -ō, -um, -ō SUPINE āctum, -ū

amō, amāre, amāvī, amātum *like, love*

	ACTIVE		PASSIVE			
	INDICATIVE					
Pres.	amō	amāmus	amor		amāmur	
	amās	amātis	amāris(-re)		amāminī	
	amat	amant	amātur		amantur	
Impf.	amābam	amābāmus	amābar		amābāmur	
	amābās	amābātis	amābāris(-re)		amābāminī	
	amābat	amābant	amābātur		amābantur	
Fut.	amābō	amābimus	amābor		amābimur	
	amābis	amābitis	amāberis(-re)		amābiminī	
	amābit	amābunt	amābitur		amābuntur	
Perf.	amāvī	amāvimus	amātus	sum	amātī	sumus
	amāvistī	amāvistis	(-a, -um)	es	(-ae, -a)	estis
	amāvit	amāvērunt(-re)		est		sunt
Plup.	amāveram	amāverāmus	amātus	eram	amātī	erāmus
	amāverās	amāverātis	(-a, -um)	erās	(-ae, -a)	erātis
	amāverat	amāverant		erat		erant
Fut. Perf.	amāverō	amāverimus	amātus	erō	amātī	erimus
	amāveris	amāveritis	(-a, -um)	eris	(-ae, -a)	eritis
	amāverit	amāverint		erit		erunt
	SUBJUNCTIVE					
Pres.	amem	amēmus	amer		amēmur	
	amēs	amētis	amēris(-re)		amēminī	
	amet	ament	amētur		amentur	
Impf.	amārem	amārēmus	amārer		amārēmur	
	amārēs	amārētis	amārēris(-re)		amārēminī	
	amāret	amārent	amārētur		amārentur	
Perf.	amāverim	amāverimus	amātus	sim	amātī	sīmus
	amāveris	amāveritis	(-a, -um)	sīs	(-ae, -a)	sītis
	amāverit	amāverint		sit		sint
Plup.	amāvissem	amāvissēmus	amātus	essem	amātī	essēmus
	amāvissēs	amāvissētis	(-a, -um)	essēs	(-ae, -a)	essētis
	amāvisset	amāvissent		esset		essent
	IMPERATIVE					
Pres.	amā	amāte				
	INFINITIVE					
Pres.	amāre		amārī			
Perf.	amāvisse		amātus(-a, -um) esse			
Fut.	amātūrus(-a, -um) esse					
	PARTICIPLE					
Pres.	amāns(-tis)					
Perf.			amātus(-a, -um)			
Fut.	amātūrus(-a, -um)		amandus(-a, -um) (GERUNDIVE)			

GERUND amandī, -ō, -um, -ō SUPINE amātum, -ū

appellō, appellāre, appellāvī, appellātum *name*

	ACTIVE		PASSIVE	
	INDICATIVE			
Pres.	appellō	appellāmus	appellor	appellāmur
	appellās	appellātis	appellāris(-re)	appellāminī
	appellat	appellant	appellātur	appellantur
Impf.	appellābam	appellābāmus	appellābar	appellābāmur
	appellābās	appellābātis	appellābāris(-re)	appellābāminī
	appellābat	appellābant	appellābātur	appellābantur
Fut.	appellābō	appellābimus	appellābor	appellābimur
	appellābis	appellābitis	appellāberis(-re)	appellābiminī
	appellābit	appellābunt	appellābitur	appellābuntur
Perf.	appellāvī	appellāvimus	appellātus sum	appellātī sumus
	appellāvistī	appellāvistis	(-a, -um) es	(-ae, -a) estis
	appellāvit	appellāvērunt(-re)	est	sunt
Plup.	appellāveram	appellāverāmus	appellātus eram	appellātī erāmus
	appellāverās	appellāverātis	(-a, -um) erās	(-ae, -a) erātis
	appellāverat	appellāverant	erat	erant
Fut. Perf.	appellāverō	appellāverimus	appellātus erō	appellātī erimus
	appellāveris	appellāveritis	(-a, -um) eris	(-ae, -a) eritis
	appellāverit	appellāverint	erit	erunt
	SUBJUNCTIVE			
Pres.	appellem	appellēmus	appeller	appellēmur
	appellēs	appellētis	appellēris(-re)	appellēminī
	appellet	appellent	appellētur	appellentur
Impf.	appellārem	appellārēmus	appellārer	appellārēmur
	appellārēs	appellārētis	appellārēris(-re)	appellārēminī
	appellāret	appellārent	appellārētur	appellārentur
Perf.	appellāverim	appellāverimus	appellātus sim	appellātī sīmus
	appellāveris	appellāveritis	(-a, -um) sīs	(-ae, -a) sītis
	appellāverit	appellāverint	sit	sint
Plup.	appellāvissem	appellāvissēmus	appellātus essem	appellātī essēmus
	appellāvissēs	appellāvissētis	(-a, -um) essēs	(-ae, -a) essētis
	appellāvisset	appellāvissent	esset	essent
	IMPERATIVE			
Pres.	appellā	appellāte		
	INFINITIVE			
Pres.	appellāre		appellārī	
Perf.	appellāvisse		appellātus(-a, -um) esse	
Fut.	appellātūrus(-a, -um) esse			
	PARTICIPLE			
Pres.	appellāns(-tis)			
Perf.			appellātus(-a, -um)	
Fut.	appellātūrus(-a, -um)		appellandus(-a, -um) (GERUNDIVE)	

GERUND appellandī, -ō, -um, -ō SUPINE appellātum, -ū

ārdeō, ārdēre, ārsī ārsum *blaze, glow*

	ACTIVE		PASSIVE	
	INDICATIVE			
Pres.	ārdeō	ārdēmus	ārdeor	ārdēmur
	ārdēs	ārdētis	ārdēris(-re)	ārdēminī
	ārdet	ārdent	ārdētur	ārdentur
Impf.	ārdēbam	ārdēbāmus	ārdēbar	ārdēbāmur
	ārdēbās	ārdēbātis	ārdēbāris(-re)	ārdēbāminī
	ārdēbat	ārdēbant	ārdēbātur	ārdēbantur
Fut.	ārdēbō	ārdēbimus	ārdēbor	ārdēbimur
	ārdēbis	ārdēbitis	ārdēberis(-re)	ārdēbiminī
	ārdēbit	ārdēbunt	ārdēbitur	ārdēbuntur
Perf.	ārsī	ārsimus	ārsus sum	ārsī sumus
	ārsistī	ārsistis	(-a, -um) es	(-ae, -a) estis
	ārsit	ārsērunt(-re)	est	sunt
Plup.	ārseram	ārserāmus	ārsus eram	ārsī erāmus
	ārserās	ārserātis	(-a, -um) erās	(-ae, -a) erātis
	ārserat	ārserant	erat	erant
Fut. Perf.	ārserō	ārserimus	ārsus erō	ārsī erimus
	ārseris	ārseritis	(-a, -um) eris	(-ae, -a) eritis
	ārserit	ārserint	erit	erunt
	SUBJUNCTIVE			
Pres.	ārdeam	ārdeāmus	ārdear	ārdeāmur
	ārdeās	ārdeātis	ārdeāris(-re)	ārdeāminī
	ārdeat	ārdeant	ārdeātur	ārdeantur
Impf.	ārdērem	ārdērēmus	ārdērer	ārdērēmur
	ārdērēs	ārdērētis	ārdērēris(-re)	ārdērēminī
	ārdēret	ārdērent	ārdērētur	ārdērentur
Pref.	ārserim	ārserimus	ārsus sim	ārsī sīmus
	ārseris	ārseritis	(-a, -um) sīs	(-ae, -a) sītis
	ārserit	ārserint	sit	sint
Plup.	ārsissem	ārsissēmus	ārsus essem	ārsī essēmus
	ārsissēs	ārsissētis	(-a, -um) essēs	(-ae, -a) essētis
	ārsisset	ārsissent	esset	essent
	IMPERATIVE			
Pres.	ārdē	ārdēte		
	INFINITIVE			
Pres.	ārdēre		ārdērī	
Perf.	ārsisse		ārsus(-a, -um) esse	
Fut.	ārsūrus(-a, -um) esse			
	PARTICIPLE			
Pres.	ārdēns(-tis)			
Perf.			ārsus(-a, -um)	
Fut.	ārsūrus(-a, -um)		ārdendus(-a, -um) (GERUNDIVE)	

GERUND ārdendī, -ō, -um, -ō SUPINE ārsum, -ū

armō, armāre, armāvī, armātum *arm, equip*

	ACTIVE		PASSIVE	
	INDICATIVE			
Pres.	armō	armāmus	armor	armāmur
	armās	armātis	armāris(-re)	armāminī
	armat	armant	armātur	armantur
Impf.	armābam	armābāmus	armābar	armābāmur
	armābās	armābātis	armābāris(-re)	armābāminī
	armābat	armābant	armābātur	armābantur
Fut.	armābō	armābimus	armābor	armābimur
	armābis	armābitis	armāberis(-re)	armābiminī
	armābit	armābunt	armābitur	armābuntur
Perf.	armāvī	armāvimus	armātus sum	armātī sumus
	armāvistī	armāvistis	(-a, -um) es	(-ae, -a) estis
	armāvit	armāvērunt(-re)	est	sunt
Plup.	armāveram	armāverāmus	armātus eram	armātī erāmus
	armāverās	armāverātis	(-a, -um) erās	(-ae, -a) erātis
	armāverat	armāverant	erat	erant
Fut. Perf.	armāverō	armāverimus	armātus erō	armātī erimus
	armāveris	armāveritis	(-a, -um) eris	(-ae, -a) eritis
	armāverit	armāverint	erit	erunt
	SUBJUNCTIVE			
Pres.	armem	armēmus	armer	armēmur
	armēs	armētis	armēris(-re)	armēminī
	armet	arment	armētur	armentur
Impf.	armārem	armārēmus	armārer	armārēmur
	armārēs	armārētis	armārēris(-re)	armārēminī
	armāret	armārent	armārētur	armārentur
Perf.	armāverim	armāverimus	armātus sim	armātī sīmus
	armāveris	armāveritis	(-a, -um) sīs	(-ae, -a) sītis
	armāverit	armāverint	sit	sint
Plup.	armāvissem	armāvissēmus	armātus essem	armātī essēmus
	armāvissēs	armāvissētis	(-a, -um) essēs	(-ae, -a) essētis
	armāvisset	armāvissent	esset	essent
	IMPERATIVE			
Pres.	armā	armāte		
	INFINITIVE			
Pres.	armāre		armārī	
Perf.	armāvisse		armātus(-a, -um) esse	
Fut.	armātūrus(-a, -um) esse			
	PARTICIPLE			
Pres.	armāns(-tis)			
Perf.			armātus(-a, -um)	
Fut.	armātūrus(-a, -um)		armandus(-a, -um) (GERUNDIVE)	

GERUND armandī, -ō, -um, -ō SUPINE armātum, -ū

audeō, audēre, ausus sum *dare*

ACTIVE

INDICATIVE

Pres.	audeō		audēmus	
	audēs		audētis	
	audet		audent	
Impf.	audēbam		audēbāmus	
	audēbās		audēbātis	
	audēbat		audēbant	
Fut.	audēbō		audēbimus	
	audēbis		audēbitis	
	audēbit		audēbunt	
Perf.	ausus	sum	ausī	sumus
	(-a, -um)	es	(-ae, -a)	estis
		est		sunt
Plup.	ausus	eram	ausī	erāmus
	(-a, -um)	erās	(-ae, -a)	erātis
		erat		erant
Fut. Perf.	ausus	erō	ausī	erimus
	(-a, -um)	eris	(-ae, -a)	eritis
		erit		erunt

SUBJUNCTIVE

Pres.	audeam		audeāmus	
	audeās		audeātis	
	audeat		audeant	
Impf.	audērem		audērēmus	
	audērēs		audērētis	
	audēret		audērent	
Perf.	ausus	sim	ausī	sīmus
	(-a, -um)	sīs	(-ae, -a)	sītis
		sit		sint
Plup.	ausus	essem	ausī	essēmus
	(-a, -um)	essēs	(-ae, -a)	essētis
		esset		essent

IMPERATIVE

Pres.	audē	audēte

INFINITIVE

Pres. audēre
Perf. ausus(-a, -um) esse
Fut. ausūrus(-a, -um) esse

PARTICIPLE

Pres. audēns(-tis)
Perf. ausus(-a, -um)
Fut. ausūrus(-a, -um)

GERUND audendī, -ō, -um, -ō SUPINE ausum, -ū

audiō

audiō, audīre, audīvī, audītum *hear*

INDICATIVE

	ACTIVE		PASSIVE	
Pres.	audiō	audīmus	audior	audīmur
	audīs	audītis	audīris(-re)	audīminī
	audit	audiunt	audītur	audiuntur
Impf.	audiēbam	audiēbāmus	audiēbar	audiēbāmur
	audiēbās	audiēbātis	audiēbāris(-re)	audiēbāminī
	audiēbat	audiēbant	audiēbātur	audiēbantur
Fut.	audiam	audiēmus	audiar	audiēmur
	audiēs	audiētis	audiēris(-re)	audiēminī
	audiet	audient	audiētur	audientur
Perf.	audīvī	audīvimus	audītus sum	audītī sumus
	audīvistī	audīvistis	(-a, -um) es	(-ae, -a) estis
	audīvit	audīvērunt(-re)	est	sunt
Plup.	audīveram	audīverāmus	audītus eram	audītī erāmus
	audīverās	audīverātis	(-a, -um) erās	(-ae, -a) erātis
	audīverat	audīverant	erat	erant
Fut. Perf.	audīverō	audīverimus	audītus erō	audītī erimus
	audīveris	audīveritis	(-a, -um) eris	(-ae, -a) eritis
	audīverit	audīverint	erit	erunt

SUBJUNCTIVE

	ACTIVE		PASSIVE	
Pres.	audiam	audiāmus	audiar	audiāmur
	audiās	audiātis	audiāris(-re)	audiāminī
	audiat	audiant	audiātur	audiantur
Impf.	audīrem	audīrēmus	audīrer	audīrēmur
	audīrēs	audīrētis	audīrēris(-re)	audīrēminī
	audīret	audīrent	audīrētur	audīrentur
Perf.	audīverim	audīverimus	audītus sim	audītī sīmus
	audīveris	audīveritis	(-a, -um) sīs	(-ae, -a) sītis
	audīverit	audīverint	sit	sint
Plup.	audīvissem	audīvissēmus	audītus essem	audītī essēmus
	audīvissēs	audīvissētis	(-a, -um) essēs	(-ae, -a) essētis
	audīvisset	audīvissent	esset	essent

IMPERATIVE

	ACTIVE	
Pres.	audī	audīte

INFINITIVE

	ACTIVE	PASSIVE
Pres.	audīre	audīrī
Perf.	audīvisse	audītus(-a, -um) esse
Fut.	audītūrus(-a, -um) esse	

PARTICIPLE

	ACTIVE	PASSIVE
Pres.	audiēns(-tis)	
Perf.		audītus(-a, -um)
Fut.	audītūrus(-a, -um)	audiendus(-a, -um) (GERUNDIVE)

GERUND audiendī, -ō, -um, -ō SUPINE audītum, -ū

auferō, auferre, abstulī, ablātum — *take away*

	ACTIVE		PASSIVE			
	INDICATIVE					
Pres.	auferō	auferimus	auferor		auferimur	
	aufers	aufertis	auferris(-re)		auferiminī	
	aufert	auferunt	aufertur		auferuntur	
Impf.	auferēbam	auferēbāmus	auferēbar		auferēbāmur	
	auferēbās	auferēbātis	auferēbāris(-re)		auferēbāminī	
	auferēbat	auferēbant	auferēbātur		auferēbantur	
Fut.	auferam	auferēmus	auferar		auferēmur	
	auferēs	auferētis	auferēris(-re)		auferēminī	
	auferet	auferent	auferētur		auferentur	
Perf.	abstulī	abstulimus	ablātus	sum	ablātī	sumus
	abstulistī	abstulistis	(-a, -um)	es	(-ae, -a)	estis
	abstulit	abstulērunt(-re)		est		sunt
Plup.	abstuleram	abstulerāmus	ablātus	eram	ablātī	erāmus
	abstulerās	abstulerātis	(-a, -um)	erās	(-ae, -a)	erātis
	abstulerat	abstulerant		erat		erant
Fut. Perf.	abstulerō	abstulerimus	ablātus	erō	ablātī	erimus
	abstuleris	abstuleritis	(-a, -um)	eris	(-ae, -a)	eritis
	abstulerit	abstulerint		erit		erunt
	SUBJUNCTIVE					
Pres.	auferam	auferāmus	auferar		auferāmur	
	auferās	auferātis	auferāris(-re)		auferāminī	
	auferat	auferant	auferātur		auferantur	
Impf.	auferrem	auferrēmus	auferrer		auferrēmur	
	auferrēs	auferrētis	auferrēris(-re)		auferrēminī	
	auferret	auferrent	auferrētur		auferrentur	
Perf.	abstulerim	abstulerimus	ablātus	sim	ablātī	sīmus
	abstuleris	abstuleritis	(-a, -um)	sīs	(-ae, -a)	sītis
	abstulerit	abstulerint		sit		sint
Plup.	abstulissem	abstulissēmus	ablātus	essem	ablātī	essēmus
	abstulissēs	abstulissētis	(-a, -um)	essēs	(-ae, -a)	essētis
	abstulisset	abstulissent		esset		essent
	IMPERATIVE					
Pres.	aufer	auferte				
	INFINITIVE					
Pres.	auferre		auferrī			
Perf.	abstulisse		ablātus(-a, -um) esse			
Fut.	ablātūrus(-a, -um) esse					
	PARTICIPLE					
Pres.	auferēns(-tis)					
Perf.			ablātus(-a, -um)			
Fut.	ablātūrus(-a, -um)		auferendus(-a, -um) (GERUNDIVE)			

GERUND auferendī, -ō, -um, -ō SUPINE ablātum, -ū

augeō, augēre, auxī, auctum *increase*

INDICATIVE

	ACTIVE		PASSIVE	
Pres.	augeō	augēmus	augeor	augēmur
	augēs	augētis	augēris(-re)	augēminī
	auget	augent	augētur	augentur
Impf.	augēbam	augēbāmus	augēbar	augēbāmur
	augēbās	augēbātis	augēbāris(-re)	augēbāminī
	augēbat	augēbant	augēbātur	augēbantur
Fut.	augēbō	augēbimus	augēbor	augēbimur
	augēbis	augēbitis	augēberis(-re)	augēbiminī
	augēbit	augēbunt	augēbitur	augēbuntur
Perf.	auxī	auximus	auctus sum	auctī sumus
	auxistī	auxistis	(-a, -um) es	(-ae, -a) estis
	auxit	auxērunt(-re)	est	sunt
Plup.	auxeram	auxerāmus	auctus eram	auctī erāmus
	auxerās	auxerātis	(-a, -um) erās	(-ae, -a) erātis
	auxerat	auxerant	erat	erant
Fut. Perf.	auxerō	auxerimus	auctus erō	auctī erimus
	auxeris	auxeritis	(-a, -um) eris	(-ae, -a) eritis
	auxerit	auxerint	erit	erunt

SUBJUNCTIVE

	ACTIVE		PASSIVE	
Pres.	augeam	augeāmus	augear	augeāmur
	augeās	augeātis	augeāris(-re)	augeāminī
	augeat	augeant	augeātur	augeantur
Impf.	augērem	augērēmus	augērer	augērēmur
	augērēs	augērētis	augērēris(-re)	augērēminī
	augēret	augērent	augērētur	augērentur
Perf.	auxerim	auxerimus	auctus sim	auctī sīmus
	auxeris	auxeritis	(-a, -um) sīs	(-ae, -a) sītis
	auxerit	auxerint	sit	sint
Plup.	auxissem	auxissēmus	auctus essem	auctī essēmus
	auxissēs	auxissētis	(-a, -um) essēs	(-ae, -a) essētis
	auxisset	auxissent	esset	essent

IMPERATIVE

	ACTIVE	
Pres.	augē	augēte

INFINITIVE

	ACTIVE	PASSIVE
Pres.	augēre	augērī
Perf.	auxisse	auctus(-a, -um) esse
Fut.	auctūrus(-a, -um) esse	

PARTICIPLE

	ACTIVE	PASSIVE
Pres.	augēns(-tis)	
Perf.		auctus(-a, -um)
Fut.	auctūrus(-a, -um)	augendus(-a, -um) (GERUNDIVE)

GERUND augendī, -ō, -um, -ō SUPINE auctum, -ū

cadō, cadere, cecidī, casūrus *fall*

ACTIVE

INDICATIVE

Pres.	cadō	cadimus
	cadis	caditis
	cadit	cadunt
Impf.	cadēbam	cadēbāmus
	cadēbās	cadēbātis
	cadēbat	cadēbant
Fut.	cadam	cadēmus
	cadēs	cadētis
	cadet	cadent
Perf.	cecidī	cecidimus
	cecidistī	cecidistis
	cecidit	ceciderunt(-re)
Plup.	ceciderам	ceciderāmus
	ceciderās	ceciderātis
	ceciderat	ceciderant
Fut. Perf.	ceciderō	ceciderimus
	cecideris	cecideritis
	ceciderit	ceciderint

SUBJUNCTIVE

Pres.	cadam	cadāmus
	cadās	cadātis
	cadat	cadant
Impf.	caderem	caderēmus
	caderēs	caderētis
	caderet	caderent
Perf.	ceciderim	ceciderimus
	cecideris	cecideritis
	ceciderit	ceciderint
Plup.	cecidissem	cecidissēmus
	cecidissēs	cecidissētis
	cecidisset	cecidissent

IMPERATIVE

Pres.	cade	cadite

INFINITIVE

Pres.	cadere
Perf.	cecidisse
Fut.	casūrus(-a, -um) esse

PARTICIPLE

Pres.	cadēns(-tis)	
Perf.		———
Fut.	casūrus(-a, -um)	

GERUND cadendī, -ō, -um, -ō

caedō, caedere, cecīdī, caesum *cut, kill*

	ACTIVE		PASSIVE	
	INDICATIVE			
Pres.	caedō	caedimus	caedor	caedimur
	caedis	caeditis	caederis(-re)	caediminī
	caedit	caedunt	caeditur	caeduntur
Impf.	caedēbam	caedēbāmus	caedēbar	caedēbāmur
	caedēbās	caedēbātis	caedēbāris(-re)	caedēbāminī
	caedēbat	caedēbant	cadēbātur	caedēbantur
Fut.	caedam	caedēmus	caedar	caedēmur
	caedēs	caedētis	caedēris(-re)	caedēminī
	caedet	caedent	caedētur	caedentur
Perf.	cecīdī	cecīdimus	caesus sum	caesī sumus
	cecīdistī	cecīdistis	(-a, -um) es	(-ae, -a) estis
	cecīdit	cecīdērunt(-re)	est	sunt
Plup.	cecīderam	cecīderāmus	caesus eram	caesī erāmus
	cecīderās	cecīderātis	(-a, -um) erās	(-ae, -a) erātis
	cecīderat	cecīderant	erat	erant
Fut. Perf.	cecīderō	cecīderimus	caesus erō	caesī erimus
	cecīderis	cecīderitis	(-a, -um) eris	(-ae, -a) eritis
	cecīderit	cecīderint	erit	erunt
	SUBJUNCTIVE			
Pres.	caedam	caedāmus	caedar	caedāmur
	caedās	caedātis	caedāris(-re)	caedāminī
	caedat	caedant	caedātur	caedantur
Impf.	caederem	caederēmus	caederer	caederēmur
	caederēs	caederētis	caederēris(-re)	caederēminī
	caederet	caederent	caederētur	caederentur
Perf.	cecīderim	cecīderimus	caesus sim	caesī sīmus
	cecīderis	cecīderitis	(-a, -um) sīs	(-ae, -a) sītis
	cecīderit	cecīderint	sit	sint
Plup.	cecīdissem	cecīdissēmus	caesus essem	caesī essēmus
	cecīdissēs	cecīdissētis	(-a, -um) essēs	(-ae, -a) essētis
	cecīdisset	cecīdissent	esset	essent
	IMPERATIVE			
Pres.	caede	caedite		
	INFINITIVE			
Pres.	caedere		caedī	
Perf.	cecīdisse		caesus(-a, -um) esse	
Fut.	caesūrus(-a, -um) esse			
	PARTICIPLE			
Pres.	caedēns(-tis)			
Perf.			caesus(-a, -um)	
Fut.	caesūrus(-a, -um)		caedendus(-a, -um) (GERUNDIVE)	

GERUND caedendī, -ō, -um, -ō SUPINE caesum, -ū

canō, canere, cecinī, cantātum *sing*

	ACTIVE		PASSIVE	
	INDICATIVE			
Pres.	canō	canimus	canor	canimur
	canis	canitis	caneris(-re)	caniminī
	canit	canunt	canitur	canuntur
Impf.	canēbam	canēbāmus	canēbar	canēbāmur
	canēbās	canēbātis	canēbāris(-re)	canēbāminī
	canēbat	canēbant	canēbātur	canēbantur
Fut.	canam	canēmus	canar	canēmur
	canēs	canētis	canēris(-re)	canēminī
	canet	canent	canētur	canentur
Perf.	cecinī	cecinimus	cantātus sum	cantātī sumus
	cecinistī	cecinistis	(-a, -um) es	(-ae, -a) estis
	cecinit	cecinērunt(-re)	est	sunt
Plup.	cecineram	cecinerāmus	cantātus eram	cantātī erāmus
	cecinerās	cecinerātis	(-a, -um) erās	(-ae, -a) erātis
	cecinerat	cecinerant	erat	erant
Fut. Perf.	cecinerō	cecinerimus	cantātus erō	cantātī erimus
	cecineris	cecineritis	(-a, -um) eris	(-ae, -a) eritis
	cecinerit	cecinerint	erit	erunt
	SUBJUNCTIVE			
Pres.	canam	canāmus	canar	canāmur
	canās	canātis	canāris(-re)	canāminī
	canat	canant	canātur	canantur
Impf.	canerem	canerēmus	canerer	canerēmur
	canerēs	canerētis	canerēris(-re)	canerēminī
	caneret	canerent	canerētur	canerentur
Perf.	cecinerim	cecinerimus	cantātus sim	cantātī sīmus
	cecineris	cecineritis	(-a, -um) sīs	(-ae, -a) sītis
	cecinerit	cecinerint	sit	sint
Plup.	cecinissem	cecinissēmus	cantātus essem	cantātī essēmus
	cecinissēs	cecinissētis	(-a, -um) essēs	(-ae, -a) essētis
	cecinisset	cecinissent	esset	essent
	IMPERATIVE			
Pres.	cane	canite		
	INFINITIVE			
Pres.	canere		canī	
Perf.	cecinisse		cantātus (-a, -um) esse	
Fut.	cantātūrus(-a, -um) esse			
	PARTICIPLE			
Pres.	canēns(-tis)			
Perf.			cantātus(-a, -um)	
Fut.	cantātūrus(-a, -um)		canendus(-a, -um) (GERUNDIVE)	

GERUND canendī, -ō, -um, -ō SUPINE cantātum, -ū

capiō, capere, cēpī, captum *seize, take*

	ACTIVE		PASSIVE			
	INDICATIVE					
Pres.	capiō	capimus	capior		capimur	
	capis	capitis	caperis(-re)		capiminī	
	capit	capiunt	capitur		capiuntur	
Impf.	capiēbam	capiēbāmus	capiēbar		capiēbāmur	
	capiēbās	capiēbātis	capiēbāris(-re)		capiēbāminī	
	capiēbat	capiēbant	capiēbātur		capiēbantur	
Fut.	capiam	capiēmus	capiar		capiēmur	
	capiēs	capiētis	capiēris(-re)		capiēminī	
	capiet	capient	capiētur		capientur	
Perf.	cēpī	cēpimus	captus	sum	captī	sumus
	cēpistī	cēpistis	(-a, -um)	es	(-ae, -a)	estis
	cēpit	cēpērunt(-re)		est		sunt
Plup.	cēperam	cēperāmus	captus	eram	captī	erāmus
	cēperās	cēperātis	(-a, -um)	erās	(-ae, -a)	erātis
	cēperat	cēperant		erat		erant
Fut. Perf.	cēperō	cēperimus	captus	erō	captī	erimus
	cēperis	cēperitis	(-a, -um)	eris	(-ae, -a)	eritis
	cēperit	cēperint		erit		erunt
	SUBJUNCTIVE					
Pres.	capiam	capiāmus	capiar		capiāmur	
	capiās	capiātis	capiāris(-re)		capiāminī	
	capiat	capiant	capiātur		capiantur	
Impf.	caperem	caperēmus	caperer		caperemur	
	caperēs	caperētis	caperēris(-re)		caperēminī	
	caperet	caperent	caperētur		caperentur	
Perf.	cēperim	cēperimus	captus	sim	captī	sīmus
	cēperis	cēperitis	(-a, -um)	sīs	(-ae, -a)	sītis
	cēperit	cēperint		sit		sint
Plup.	cēpissem	cēpissēmus	captus	essem	captī	essēmus
	cēpissēs	cēpissētis	(-a, -um)	essēs	(-ae, -a)	essētis
	cēpisset	cēpissent		esset		essent
	IMPERATIVE					
Pres.	cape	capite				
	INFINITIVE					
Pres.	capere		capī			
Perf.	cēpisse		captus(-a, -um) esse			
Fut.	captūrus(-a, -um) esse					
	PARTICIPLE					
Pres.	capiēns(-tis)					
Perf.			captus(-a, -um)			
Fut.	captūrus(-a, -um)		capiendus(-a, -um) (GERUNDIVE)			

GERUND capiendī, -ō, -um, -ō SUPINE captum, -ū

careō, carēre, caruī, caritūrus *be without, do without*

ACTIVE

INDICATIVE

Pres.	careō	carēmus
	carēs	carētis
	caret	carent
Impf.	carēbam	carēbāmus
	carēbās	carēbātis
	carēbat	carēbant
Fut.	carēbō	carēbimus
	carēbis	carēbitis
	carebit	carēbunt
Perf.	caruī	caruimus
	caruistī	caruistis
	caruit	caruērunt(-re)
Plup.	carueram	caruerāmus
	caruerās	caruerātis
	caruerat	caruerant
Fut. Perf.	caruerō	caruerimus
	carueris	carueritis
	caruerit	caruerint

SUBJUNCTIVE

Pres.	caream	careāmus
	careās	careātis
	careat	careant
Impf.	carērem	carērēmus
	carērēs	carērētis
	carēret	carērent
Perf.	caruerim	caruerimus
	carueris	carueritis
	caruerit	caruerint
Plup.	caruissem	caruissēmus
	caruissēs	caruissētis
	caruisset	caruissent

IMPERATIVE

Pres.	carē	carēte

INFINITIVE

Pres. carēre
Perf. caruisse
Fut. caritūrus(-a, -um) esse

PARTICIPLE

Pres. carēns(-tis)
Perf. ———
Fut. caritūrus(-a, -um)

GERUND carendī, -ō, -um, -ō

caveō, cavēre, cāvī, cautum *avoid, beware*

	ACTIVE		PASSIVE			
			INDICATIVE			
Pres.	caveō	cavēmus	caveor		cavēmur	
	cavēs	cavētis	cavēris(-re)		cavēminī	
	cavet	cavent	cavētur		caventur	
Impf.	cavēbam	cavēbāmus	cavēbar		cavēbāmur	
	cavēbās	cavēbātis	cavēbāris(-re)		cavēbāminī	
	cavēbat	cavēbant	cavēbātur		cavēbantur	
Fut.	cavēbō	cavēbimus	cavēbor		cavēbimur	
	cavēbis	cavēbitis	cavēberis(-re)		cavēbiminī	
	cavēbit	cavēbunt	cavēbitur		cavēbuntur	
Perf.	cāvī	cāvimus	cautus	sum	cautī	sumus
	cāvistī	cāvistis	(-a, -um)	es	(-ae, -a)	estis
	cāvit	cāvērunt(-re)		est		sunt
Plup.	cāveram	cāverāmus	cautus	eram	cautī	erāmus
	cāverās	cāverātis	(-a, -um)	erās	(-ae, -a)	erātis
	cāverat	cāverant		erat		erant
Fut. Perf.	cāverō	cāverimus	cautus	erō	cautī	erimus
	cāveris	cāveritis	(-a, -um)	eris	(-ae, -a)	eritis
	cāverit	cāverint		erit		erunt
			SUBJUNCTIVE			
Pres.	caveam	caveāmus	cavear		caveāmur	
	caveās	caveātis	caveāris(-re)		caveāminī	
	caveat	caveant	caveātur		caveantur	
Impf.	cavērem	cavērēmus	cavērer		cavērēmur	
	cavērēs	cavērētis	cavērēris(-re)		cavērēminī	
	cavēret	cavērent	cavērētur		cavērentur	
Perf.	cāverim	cāverimus	cautus	sim	cautī	sīmus
	cāveris	cāveritis	(-a, -um)	sīs	(-ae, -a)	sīmus
	cāverit	cāverint		sit		sint
Plup.	cāvissem	cāvissēmus	cautus	essem	cautī	essēmus
	cāvissēs	cāvissētis	(-a, -um)	essēs	(-ae, -a)	essētis
	cāvisset	cāvissent		esset		essent
			IMPERATIVE			
Pres.	cavē	cavēte				
Fut.	cavētō	cavētōte				
			INFINITIVE			
Pres.	cavēre		cavērī			
Perf.	cāvisse		cautus(-a, -um) esse			
Fut.	cautūrus(-a, -um) esse					
			PARTICIPLE			
Pres.	cavēns(-tis)					
Perf.			cautus(-a, -um)			
Fut.	cautūrus(-a, -um)		cavendus(-a, -um) (GERUNDIVE)			

GERUND cavendī, -ō, -um, -ō SUPINE cautum, -ū

cēdō, cēdere cessī, cessūrus *yield*

ACTIVE

INDICATIVE

Pres.	cēdō	cēdimus
	cēdis	cēditis
	cēdit	cēdunt
Impf.	cēdēbam	cēdēbāmus
	cēdēbās	cēdēbātis
	cēdēbat	cēdēbant
Fut.	cēdam	cēdēmus
	cēdēs	cēdētis
	cēdet	cēdent
Perf.	cessī	cessimus
	cessistī	cessistis
	cessit	cessērunt(-re)
Plup.	cesseram	cesserāmus
	cesserās	cesserātis
	cesserat	cesserant
Fut. Perf.	cesserō	cesserimus
	cesseris	cesseritis
	cesserit	cesserint

SUBJUNCTIVE

Pres.	cēdam	cēdāmus
	cēdās	cēdātis
	cēdat	cēdant
Impf.	cēderem	cēderēmus
	cēderēs	cēderētis
	cēderet	cēderent
Perf.	cesserim	cesserimus
	cesseris	cesseritis
	cesserit	cesserint
Plup.	cessissem	cessissēmus
	cessissēs	cessissētis
	cessisset	cessissent

IMPERATIVE

Pres.	cēde	cēdite

INFINITIVE

Pres. cēdere
Perf. cessisse
Fut. cessūrus(-a, -um) esse

PARTICIPLE

Pres. cēdēns(-tis)
Perf. ———
Fut. cessūrus(-a, -um)

GERUND cēdendī, -ō, -um, -ō

cēnseō, cēnsēre, cēnsuī, cēnsum *think*

	ACTIVE		PASSIVE			
			INDICATIVE			
Pres.	cēnseō	cēnsēmus	cēnseor		cēnsēmur	
	cēnsēs	cēnsētis	cēnsēris(-re)		cēnsēminī	
	cēnset	cēnsent	cēnsētur		cēnsentur	
Impf.	cēnsēbam	cēnsēbāmus	cēnsēbar		cēnsēbāmur	
	cēnsēbās	cēnsēbātis	cēnsēbāris(-re)		cēnsēbāminī	
	cēnsēbat	cēnsēbant	cēnsēbātur		cēnsēbantur	
Fut.	cēnsēbō	cēnsēbimus	cēnsēbor		cēnsēbimur	
	cēnsēbis	cēnsēbitis	cēnsēberis(-re)		cēnsēbiminī	
	cēnsēbit	cēnsēbunt	cēnsēbitur		cēnsēbuntur	
Perf.	cēnsuī	cēnsuimus	cēnsus	sum	cēnsī	sumus
	cēnsuistī	cēnsuistis	(-a, -um)	es	(-ae, -a)	estis
	cēnsuit	cēnsuērunt(-re)		est		sunt
Plup.	cēnsueram	cēnsuerāmus	cēnsus	eram	cēnsī	erāmus
	cēnsuerās	cēnsuerātis	(-a, -um)	erās	(-ae, -a)	erātis
	cēnsuerat	cēnsuerant		erat		erant
Fut. Perf.	cēnsuerō	cēnsuerimus	cēnsus	erō	cēnsī	erimus
	cēnsueris	cēnsueritis	(-a, -um)	eris	(-ae, -a)	eritis
	cēnsuerit	cēnsuerint		erit		erunt
			SUBJUNCTIVE			
Pres.	cēnseam	cēnseāmus	cēnsear		cēnseāmur	
	cēnseās	cēnseātis	cēnseāris(-re)		cēnseāminī	
	cēnseat	cēnseant	censeātur		cēnseantur	
Impf.	cēnsērem	cēnsērēmus	cēnsērer		cēnsērēmur	
	cēnsērēs	cēnsērētis	cēnsērēris(-re)		cēnsērēminī	
	cēnsēret	cēnsērent	cēnsērētur		cēnsērentur	
Perf.	cēnsuerim	cēnsuerimus	cēnsus	sim	cēnsī	sīmus
	cēnsueris	cēnsueritis	(-a, -um)	sīs	(-ae, -a)	sītis
	cēnsuerit	cēnsuerint		sit		sint
Plup.	cēnsuissem	cēnsuissēmus	cēnsus	essem	cēnsī	essēmus
	cēnsuissēs	cēnsuissētis	(-a, -um)	essēs	(-ae, -a)	essētis
	cēnsuisset	cēnsuissent		esset		essent
			IMPERATIVE			
Pres.	cēnsē	cēnsēte				
			INFINITIVE			
Pres.	cēnsēre		cēnsērī			
Perf.	cēnsuisse		cēnsus(-a, -um) esse			
Fut.	cēnsūrus(-a, -um) esse					
			PARTICIPLE			
Pres.	cēnsēns(-tis)					
Perf.			cēnsus(-a, -um)			
Fut.	cēnsūrus(-a, -um)		cēnsendus(-a, -um) (GERUNDIVE)			

GERUND cēnsendī, -ō, -um, -ō SUPINE cēnsum, -ū

certō, certāre, certāvī, certātum *struggle*

	ACTIVE		PASSIVE	
	INDICATIVE			
Pres.	certō	certāmus	certor	certāmur
	certās	certātis	certāris(-re)	certāminī
	certat	certant	certātur	certantur
Impf.	certābam	certābāmus	certābar	certābāmur
	certābās	certābātis	certābāris(-re)	certābāminī
	certābat	certābant	certābātur	certābantur
Fut.	certābō	certābimus	certābor	certābimur
	certābis	certābitis	certāberis(-re)	certābiminī
	certābit	certābunt	certābitur	certābuntur
Perf.	certāvī	certāvimus	certātus sum	certātī sumus
	certāvistī	certāvistis	(-a, -um) es	(-ae, -a) estis
	certāvit	certāvērunt(-re)	est	sunt
Plup.	certāveram	certāverāmus	certātus eram	certātī erāmus
	certāverās	certāverātis	(-a, -um) erās	(-ae, -a) erātis
	certāverat	certāverant	erat	erant
Fut. Perf.	certāverō	certāverimus	certātus erō	certātī erimus
	certāveris	certāveritis	(-a, -um) eris	(-ae, -a) eritis
	certāverit	certāverint	erit	erunt
	SUBJUNCTIVE			
Pres.	certem	certēmus	certer	certēmur
	certēs	certētis	certēris(-re)	certēminī
	certet	certent	certētur	certentur
Impf.	certārem	certārēmus	certārer	certārēmur
	certārēs	certārētis	certārēris(-re)	certārēminī
	certāret	certārent	certārētur	certārentur
Perf.	certāverim	certāverimus	certātus sim	certātī sīmus
	certāveris	certāveritis	(-a, -um) sīs	(-ae, -a) sītis
	certāverit	certāverint	sit	sint
Plup.	certāvissem	certāvissēmus	certātus essem	certātī essēmus
	certāvissēs	certāvissētis	(-a, -um) essēs	(-ae, -a) essētis
	certāvisset	certāvissent	esset	essent
	IMPERATIVE			
Pres.	certā	certāte		
	INFINITIVE			
Pres.	certāre		certārī	
Perf.	certāvisse		certātus(-a, -um) esse	
Fut.	certātūrus(-a, -um) esse			
	PARTICIPLE			
Pres.	certāns(-tis)			
Perf.			certātus(-a, -um)	
Fut.	certātūrus(-a, -um)		certandus(-a, -um) (GERUNDIVE)	

GERUND certandī, -ō, -um, -ō SUPINE certātum, -ū

clāmō

clāmō, clāmāre, clāmāvī, clāmātum *shout*

	ACTIVE		PASSIVE	
	INDICATIVE			
Pres.	clāmō	clāmāmus	clāmor	clāmāmur
	clāmās	clāmātis	clāmāris(-re)	clāmāminī
	clāmat	clāmant	clāmātur	clāmantur
Impf.	clāmābam	clāmābāmus	clāmābar	clāmābāmur
	clāmābās	clāmābātis	clāmābāris(-re)	clāmābāminī
	clāmābat	clāmābant	clāmābātur	clāmābantur
Fut.	clāmābō	clāmābimus	clāmābor	clāmābimur
	clāmābis	clāmābitis	clāmāberis(-re)	clāmābiminī
	clāmābit	clāmābunt	clāmābitur	clāmābuntur
Perf.	clāmāvī	clāmāvimus	clāmātus sum	clāmātī sumus
	clāmāvistī	clāmāvistis	(-a, -um) es	(-ae, -a) estis
	clāmāvit	clāmāvērunt(-re)	est	sunt
Plup.	clāmāveram	clāmāverāmus	clāmātus eram	clāmātī erāmus
	clāmāverās	clāmāverātis	(-a, -um) erās	(-ae, -a) erātis
	clāmāverat	clāmāverant	erat	erant
Fut. Perf.	clāmāverō	clāmāverimus	clāmātus erō	clāmātī erimus
	clāmāveris	clāmāveritis	(-a, -um) eris	(-ae, -a) eritis
	clāmāverit	clāmāverint	erit	erunt
	SUBJUNCTIVE			
Pres.	clāmem	clāmēmus	clāmer	clāmēmur
	clāmēs	clāmētis	clāmēris(-re)	clāmēminī
	clāmet	clāment	clāmētur	clāmentur
Impf.	clāmārem	clāmārēmus	clāmārer	clāmārēmur
	clāmārēs	clāmārētis	clāmārēris(-re)	clāmārēminī
	clāmāret	clāmārent	clāmārētur	clāmārentur
Perf.	clāmāverim	clāmāverimus	clāmātus sim	clāmātī sīmus
	clāmāveris	clāmāveritis	(-a, -um) sīs	(-ae, -a) sītis
	clāmāverit	clāmāverint	sit	sint
Plup.	clāmāvissem	clāmāvissēmus	clāmātus essem	clāmātī essēmus
	clāmāvissēs	clāmāvissētis	(-a, -um) essēs	(-ae, -a) essētis
	clāmāvisset	clāmāvissent	esset	essent
	IMPERATIVE			
Pres.	clāmā	clāmāte		
	INFINITIVE			
Pres.	clāmāre		clāmārī	
Perf.	clāmāvisse		clāmātus(-a, -um) esse	
Fut.	clāmātūrus(-a, -um) esse			
	PARTICIPLE			
Pres.	clāmāns(-tis)			
Perf.			clāmātus(-a, -um)	
Fut.	clāmātūrus(-a, -um)		clāmandus(-a, -um) (GERUNDIVE)	

GERUND clāmandī, -ō, -um, -ō SUPINE clāmātum, -ū

claudō, claudere, clausī, clausum *close, shut*

INDICATIVE

	ACTIVE		PASSIVE	
Pres.	claudō	claudimus	claudor	claudimur
	claudis	clauditis	clauderis(-re)	claudiminī
	claudit	claudunt	clauditur	clauduntur
Impf.	claudēbam	claudēbāmus	claudēbar	claudēbāmur
	claudēbās	claudēbātis	claudēbāris(-re)	claudēbāminī
	claudēbat	claudēbant	claudēbātur	claudēbantur
Fut.	claudam	claudēmus	claudar	claudēmur
	claudēs	claudētis	claudēris(-re)	claudēminī
	claudet	claudent	claudētur	claudentur
Perf.	clausī	clausimus	clausus sum	clausī sumus
	clausistī	clausistis	(-a, -um) es	(-ae, -a) estis
	clausit	clausērunt(-re)	est	sunt
Plup.	clauseram	clauserāmus	clausus eram	clausī erāmus
	clauserās	clauserātis	(-a, -um) erās	(-ae, -a) erātis
	clauserat	clauserant	erat	erant
Fut. Perf.	clauserō	clauserimus	clausus erō	clausī erimus
	clauseris	clauseritis	(-a, -um) eris	(-ae, -a) eritis
	clauserit	clauserint	erit	erunt

SUBJUNCTIVE

	ACTIVE		PASSIVE	
Pres.	claudam	claudāmus	claudar	claudāmur
	claudās	claudātis	claudāris(-re)	claudāminī
	claudat	claudant	claudātur	claudantur
Impf.	clauderem	clauderēmus	clauderer	clauderēmur
	clauderēs	clauderētis	clauderēris(-re)	clauderēminī
	clauderet	clauderent	clauderētur	clauderentur
Perf.	clauserim	clauserimus	clausus sim	clausī sīmus
	clauseris	clauseritis	(-a, -um) sīs	(-ae, -a) sītis
	clauserit	clauserint	sit	sint
Plup.	clausissem	clausissēmus	clausus essem	clausī essēmus
	clausissēs	clausissētis	(-a, -um) essēs	(-ae, -a) essētis
	clausisset	clausissent	esset	essent

IMPERATIVE

	ACTIVE	
Pres.	claude	claudite

INFINITIVE

	ACTIVE	PASSIVE
Pres.	claudere	claudī
Perf.	clausisse	clausus(-a, -um) esse
Fut.	clausūrus(-a, -um) esse	

PARTICIPLE

	ACTIVE	PASSIVE
Pres.	claudēns(-tis)	
Perf.		clausus(-a, -um)
Fut.	clausūrus(-a, -um)	claudendus(-a, -um) (GERUNDIVE)

GERUND claudendī, -ō, -um, -ō SUPINE clausum -ū

coepī, coepisse, coeptum *began*

	ACTIVE		PASSIVE			

INDICATIVE

Pres.						
Impf.						
Fut.						
Perf.	coepī	coepimus	coeptus	sum	coeptī	sumus
	coepistī	coepistis	(-a, -um)	es	(-ae, -a)	estis
	coepit	coepērunt(-re)		est		sunt
Plup.	coeperam	coeperāmus	coeptus	eram	coeptī	erāmus
	coeperās	coeperātis	(-a, -um)	erās	(-ae, -a)	erātis
	coeperat	coeperant		erat		erant
Fut. Perf.	coeperō	coeperimus	coeptus	erō	coeptī	erimus
	coeperis	coeperitis	(-a, -um)	eris	(-ae, -a)	eritis
	coeperit	coeperint		erit		erunt

SUBJUNCTIVE

Pres.						
Impf.						
Perf.	coeperim	coeperimus	coeptus	sim	coeptī	sīmus
	coeperis	coeperitis	(-a, -um)	sīs	(-ae, -a)	sītis
	coeperit	coeperint		sit		sint
Plup.	coepissem	coepissēmus	coeptus	essem	coeptī	essēmus
	coepissēs	coepissētis	(-a, -um)	essēs	(-ae, -a)	essētis
	coepisset	coepissent		esset		essent

INFINITIVE

	ACTIVE	PASSIVE
Perf.	coepisse	coeptus(-a, -um) esse
Fut.	coeptūrus(-a, -um) esse	

PARTICIPLE

	ACTIVE	PASSIVE
Perf.		coeptus(-a, -um)
Fut.	coeptūrus(-a, -um)	

SUPINE coeptum, -ū

cōgitō, cōgitāre, cōgitāvī, cōgitātum *think, reflect*

	ACTIVE		PASSIVE	
	INDICATIVE			
Pres.	cōgitō	cōgitāmus	cōgitor	cōgitāmur
	cōgitās	cōgitātis	cōgitāris(-re)	cōgitāminī
	cōgitat	cōgitant	cōgitātur	cōgitantur
Impf.	cōgitābam	cōgitābāmus	cōgitābar	cōgitābāmur
	cōgitābās	cōgitābātis	cōgitābāris(-re)	cōgitābāminī
	cōgitābat	cōgitābant	cōgitābātur	cōgitābantur
Fut.	cōgitābō	cōgitābimus	cōgitābor	cōgitābimur
	cōgitābis	cōgitābitis	cōgitāberis(-re)	cōgitābiminī
	cōgitābit	cōgitābunt	cōgitābitur	cōgitābuntur
Perf.	cōgitāvī	cōgitāvimus	cōgitātus sum	cōgitātī sumus
	cōgitāvistī	cōgitāvistis	(-a, -um) es	(-ae, -a) estis
	cōgitāvit	cōgitāvērunt(-re)	est	sunt
Plup.	cōgitāveram	cōgitāverāmus	cōgitātus eram	cōgitātī erāmus
	cōgitāverās	cōgitāverātis	(-a, -um) erās	(-ae, -a) erātis
	cōgitāverat	cōgitāverant	erat	erant
Fut. Perf.	cōgitāverō	cōgitāverimus	cōgitātus erō	cōgitātī erimus
	cōgitāveris	cōgitāveritis	(-a, -um) eris	(-ae, -a) eritis
	cōgitāverit	cōgitāverint	erit	erunt
	SUBJUNCTIVE			
Pres.	cōgitem	cōgitēmus	cōgiter	cōgitēmur
	cōgitēs	cōgitētis	cōgitēris(-re)	cōgitēminī
	cōgitet	cōgitent	cōgitētur	cōgitentur
Impf.	cōgitārem	cōgitārēmus	cōgitārer	cōgitārēmur
	cōgitārēs	cōgitārētis	cōgitārēris(-re)	cōgitārēminī
	cōgitāret	cōgitārent	cōgitārētur	cōgitārentur
Perf.	cōgitāverim	cōgitāverimus	cōgitātus sim	cōgitātī sīmus
	cōgitāveris	cōgitāveritis	(-a, -um) sīs	(-ae, -a) sītis
	cōgitāverit	cōgitāverint	sit	sint
Plup.	cōgitāvissem	cōgitāvissēmus	cōgitātus essem	cōgitātī essēmus
	cōgitāvissēs	cōgitāvissētis	(-a, -um) essēs	(-ae, -a) essētis
	cōgitāvisset	cōgitāvissent	esset	essent
	IMPERATIVE			
Pres.	cōgitā	cōgitāte		
	INFINITIVE			
Pres.	cōgitāre		cōgitārī	
Perf.	cōgitāvisse		cōgitātus(-a, -um) esse	
Fut.	cōgitātūrus(-a, -um) esse			
	PARTICIPLE			
Pres.	cōgitāns(-tis)			
Perf.			cōgitātus(-a, -um)	
Fut.	cōgitātūrus(-a, -um)		cōgitandus(-a, -um) (GERUNDIVE)	

GERUND cōgitandī, -ō, -um, -ō SUPINE cōgitātum, -ū

cōgō

cōgō, cōgere, coēgī, coāctum *collect, compel, force*

	ACTIVE		PASSIVE	
	INDICATIVE			
Pres.	cōgō	cōgimus	cōgor	cōgimur
	cōgis	cōgitis	cōgeris(-re)	cōgiminī
	cōgit	cōgunt	cōgitur	cōguntur
Impf.	cōgēbam	cōgēbāmus	cōgēbar	cōgēbāmur
	cōgēbās	cōgēbātis	cōgēbāris(-re)	cōgēbāminī
	cōgēbat	cōgēbant	cōgēbātur	cōgēbantur
Fut.	cōgam	cōgēmus	cōgar	cōgēmur
	cōgēs	cōgētis	cōgēris(-re)	cōgēminī
	cōget	cōgent	cōgētur	cōgentur
Perf.	coēgī	coēgimus	coāctus sum	coāctī sumus
	coēgistī	coēgistis	(-a, -um) es	(-ae, -a) estis
	coēgit	coēgērunt(-re)	est	sunt
Plup.	coēgeram	coēgerāmus	coāctus eram	coāctī erāmus
	coēgerās	coēgerātis	(-a, -um) erās	(-ae, -a) erātis
	coēgerat	coēgerant	erat	erant
Fut. Perf.	coēgerō	coēgerimus	coāctus erō	coāctī erimus
	coēgeris	coēgeritis	(-a, -um) eris	(-ae, -a) eritis
	coēgerit	coēgerint	erit	erunt
	SUBJUNCTIVE			
Pres.	cōgam	cōgāmus	cōgar	cōgāmur
	cōgās	cōgātis	cōgāris(-re)	cōgāminī
	cōgat	cōgant	cōgātur	cōgantur
Impf.	cōgerem	cōgerēmus	cōgerer	cōgerēmur
	cōgerēs	cōgerētis	cōgerēris(-re)	cōgerēminī
	cōgeret	cōgerent	cōgerētur	cōgerentur
Perf.	coēgerim	coēgerimus	coāctus sim	coāctī sīmus
	coēgeris	coēgeritis	(-a, -um) sīs	(-ae, -a) sītis
	coēgerit	coēgerint	sit	sint
Plup.	coēgissem	coēgissēmus	coāctus essem	coāctī essēmus
	coēgissēs	coēgissetis	(-a, -um) essēs	(-ae, -a) essētis
	coēgisset	coēgissent	esset	essent
	IMPERATIVE			
Pres.	cōge	cōgite		
	INFINITIVE			
Pres.	cōgere		cōgī	
Perf.	coēgisse		coāctus(-a, -um) esse	
Fut.	coāctūrus(-a, -um) esse			
	PARTICIPLE			
Pres.	cōgēns(-tis)			
Perf.			coāctus(-a, -um)	
Fut.	coāctūrus(-a, -um)		cōgendus(-a, -um) (GERUNDIVE)	

GERUND cōgendī, -ō, -um, -ō SUPINE coāctum, -ū

cōgnōscō, cōgnōscere, cōgnōvī, cōgnitum *recognize, find out, learn*

	ACTIVE		PASSIVE	
		INDICATIVE		
Pres.	cōgnōscō	cōgnōscimus	cōgnōscor	cōgnōscimur
	cōgnōscis	cōgnōscitis	cōgnōsceris(-re)	cōgnōsciminī
	cōgnōscit	cōgnōscunt	cōgnōscitur	cōgnōscuntur
Impf.	cōgnōscēbam	cōgnōscēbāmus	cōgnōscēbar	cōgnōscēbāmur
	cōgnōscēbās	cōgnōscēbātis	cōgnōscēbāris(-re)	cōgnōscēbāminī
	cōgnōscēbat	cōgnōscēbant	cōgnōscēbātur	cōgnōscēbantur
Fut.	cōgnōscam	cōgnōscēmus	cōgnōscar	cōgnōscēmur
	cōgnōscēs	cōgnōscētis	cōgnōscēris(-re)	cōgnōscēminī
	cōgnōscet	cōgnōscent	cōgnōscētur	cōgnōscentur
Perf.	cōgnōvī	cōgnōvimus	cōgnitus sum	cōgnitī sumus
	cōgnōvistī	cōgnōvistis	(-a, -um) es	(-ae, -a) estis
	cōgnōvit	cōgnōvērunt(-re)	est	sunt
Plup.	cōgnōveram	cōgnōverāmus	cōgnitus eram	cōgnitī erāmus
	cōgnōverās	cōgnōverātis	(-a, -um) erās	(-ae, -a) erātis
	cōgnōverat	cōgnōverant	erat	erant
Fut. Perf.	cōgnōverō	cōgnōverimus	cōgnitus erō	cōgnitī erimus
	cōgnōveris	cōgnōveritis	(-a, -um) eris	(-ae, -a) eritis
	cōgnōverit	cōgnōverint	erit	erunt
		SUBJUNCTIVE		
Pres.	cōgnōscam	cōgnōscāmus	cōgnōscar	cōgnōscāmur
	cōgnōscās	cōgnōscātis	cōgnōscāris(-re)	cōgnōscāminī
	cōgnōscat	cōgnōscant	cōgnōscātur	cōgnōscantur
Impf.	cōgnōscerem	cōgnōscerēmus	cōgnōscerer	cōgnōscerēmur
	cōgnōscerēs	cōgnōscerētis	cōgnōscerēris(-re)	cōgnōscerēminī
	cōgnōsceret	cōgnōscerent	cōgnōscerētur	cōgnōscerentur
Perf.	cōgnōverim	cōgnōverimus	cōgnitus sim	cōgnitī sīmus
	cōgnōveris	cōgnōveritis	(-a, -um) sīs	(-ae, -a) sītis
	cōgnōverit	cōgnōverint	sit	sint
Plup.	cōgnōvissem	cōgnōvissēmus	cōgnitus essem	cōgnitī essēmus
	cōgnōvissēs	cōgnōvissētis	(-a, -um) essēs	(-ae, -a) essētis
	cōgnōvisset	cōgnōvissent	esset	essent
		IMPERATIVE		
Pres.	cōgnōsce	cōgnōscite		
		INFINITIVE		
Pres.	cōgnōscere		cōgnōscī	
Perf.	cōgnōvisse		cōgnitus(-a, -um) esse	
Fut.	cōgnitūrus(-a, -um) esse			
		PARTICIPLE		
Pres.	cōgnōscēns(-tis)			
Perf.			cōgnitus(-a, -um)	
Fut.	cōgnitūrus(-a, -um)		cōgnōscendus(-a, -um) (GERUNDIVE)	

GERUND cōgnōscendī, -ō, -um, -ō SUPINE cōgnitum, -ū

colō, colere, coluī, cultum *cherish, cultivate*

	ACTIVE		PASSIVE			
			INDICATIVE			
Pres.	colō	colimus	color		colimur	
	colis	colitis	coleris(-re)		coliminī	
	colit	colunt	colitur		coluntur	
Impf.	colēbam	colēbāmus	colēbar		colēbāmur	
	colēbās	colēbātis	colēbāris(-re)		colēbāminī	
	colēbat	colēbant	colēbātur		colēbantur	
Fut.	colam	colēmus	colar		colēmur	
	colēs	colētis	colēris(-re)		colēminī	
	colet	colent	colētur		colentur	
Perf.	coluī	coluimus	cultus	sum	cultī	sumus
	coluistī	coluistis	(-a, -um)	es	(-ae, -a)	estis
	coluit	coluērunt(-re)		est		sunt
Plup.	colueram	coluerāmus	cultus	eram	cultī	erāmus
	coluerās	coluerātis	(-a, -um)	erās	(-ae, -a)	erātis
	coluerat	coluerant		erat		erant
Fut. Perf.	coluerō	coluerimus	cultus	erō	cultī	erimus
	colueris	colueritis	(-a, -um)	eris	(-ae, -a)	eritis
	coluerit	coluerint		erit		erunt
			SUBJUNCTIVE			
Pres.	colam	colāmus	colar		colāmur	
	colās	colātis	colāris(-re)		colāminī	
	colat	colant	colātur		colantur	
Impf.	colerem	colerēmus	colerer		colerēmur	
	colerēs	colerētis	colerēris(-re)		colerēminī	
	coleret	colerent	colerētur		colerentur	
Perf.	coluerim	coluerimus	cultus	sim	cultī	sīmus
	colueris	colueritis	(-a, -um)	sīs	(-ae, -a)	sītis
	coluerit	coluerint		sit		sint
Plup.	coluissem	coluissēmus	cultus	essem	cultī	essēmus
	coluissēs	coluissētis	(-a, -um)	essēs	(-ae, -a)	essētis
	coluisset	coluissent		esset		essent
			IMPERATIVE			
Pres.	cole	colite				
			INFINITIVE			
Pres.	colere		colī			
Perf.	coluisse		cultus(-a, -um) esse			
Fut.	cultūrus(-a, -um) esse					
			PARTICIPLE			
Pres.	colēns(-tis)					
Perf.			cultus(-a, -um)			
Fut.	cultūrus(-a, -um)		colendus(-a, -um) (GERUNDIVE)			

GERUND colendī, -ō, -um, -ō SUPINE cultum, -ū

cōnficiō, cōnficere, cōnfēcī, cōnfectum *accomplish, finish*

	ACTIVE		PASSIVE	
	INDICATIVE			
Pres.	cōnficiō	cōnficimus	cōnficior	cōnficimur
	cōnficis	cōnficitis	cōnficeris(-re)	cōnficiminī
	cōnficit	cōnficiunt	cōnficitur	cōnficiuntur
Impf.	cōnficiēbam	cōnficiēbāmus	cōnficiēbar	cōnficiēbāmur
	cōnficiēbās	cōnficiēbātis	cōnficiēbāris(-re)	cōnficiēbāminī
	cōnficiēbat	cōnficiēbant	cōnficiēbātur	cōnficiēbantur
Fut.	cōnficiam	cōnficiēmus	cōnficiar	cōnficiēmur
	cōnficiēs	cōnficiētis	cōnficiēris(-re)	cōnficiēminī
	cōnficiet	cōnficient	cōnficiētur	cōnficientur
Perf.	cōnfēcī	cōnfēcimus	cōnfectus sum	cōnfectī sumus
	cōnfēcistī	cōnfēcistis	(-a, -um) es	(-ae, -a) estis
	cōnfēcit	cōnfēcērunt(-re)	est	sunt
Plup.	cōnfēceram	cōnfēcerāmus	cōnfectus eram	cōnfectī erāmus
	cōnfēcerās	cōnfēcerātis	(-a, -um) erās	(-ae, -a) erātis
	cōnfēcerat	cōnfēcerant	erat	erant
Fut. Perf.	cōnfēcerō	cōnfēcerimus	cōnfectus erō	cōnfectī erimus
	cōnfēceris	cōnfēceritis	(-a, -um) eris	(-ae, -a) eritis
	cōnfēcerit	cōnfēcerint	erit	erunt
	SUBJUNCTIVE			
Pres.	cōnficiam	cōnficiāmus	cōnficiar	cōnficiāmur
	cōnficiās	cōnficiātis	cōnficiāris(-re)	cōnficiāminī
	cōnficiat	cōnficiant	cōnficiātur	cōnficiantur
Impf.	cōnficerem	cōnficerēmus	cōnficerer	cōnficerēmur
	cōnficerēs	cōnficerētis	cōnficerēris(-re)	cōnficerēminī
	cōnficeret	cōnficerent	cōnficerētur	cōnficerentur
Perf.	cōnfēcerim	cōnfēcerimus	cōnfectus sim	cōnfectī sīmus
	cōnfēceris	cōnfēceritis	(-a, -um) sīs	(-ae, -a) sītis
	cōnfēcerit	cōnfēcerint	sit	sint
Plup.	cōnfēcissem	cōnfēcissēmus	cōnfectus essem	cōnfectī essēmus
	cōnfēcissēs	cōnfēcissētis	(-a, -um) essēs	(-ae, -a) essētis
	cōnfēcisset	cōnfēcissent	esset	essent
	IMPERATIVE			
Pres.	cōnfice	cōnficite		
	INFINITIVE			
Pres.	cōnficere		cōnficī	
Perf.	cōnfēcisse		cōnfectus(-a, -um) esse	
Fut.	cōnfectūrus(-a, -um) esse			
	PARTICIPLE			
Pres.	cōnficiēns(-tis)			
Perf.			cōnfectus(-a, -um)	
Fut.	cōnfectūrus(-a, -um)		cōnficiendus(-a, -um) (GERUNDIVE)	

GERUND cōnficiendī, -ō, -um, -ō SUPINE cōnfectum, -ū

cōnfīdō, cōnfidere, cōnfīsus sum *entrust*

ACTIVE

INDICATIVE

Pres.	cōnfīdō	cōnfīdimus
	cōnfīdis	cōnfīditis
	cōnfīdit	cōnfīdunt
Impf.	cōnfīdēbam	cōnfīdēbāmus
	cōnfīdēbās	cōnfīdēbātis
	cōnfīdēbat	cōnfīdēbant
Fut.	cōnfīdam	cōnfīdēmus
	cōnfīdēs	cōnfīdētis
	cōnfīdet	cōnfīdent
Perf.	cōnfīsus sum	cōnfīsī sumus
	(-a, -um) es	(-ae, -a) estis
	est	sunt
Plup.	cōnfīsus eram	cōnfīsī erāmus
	(-a, -um) erās	(-ae, -a) erātis
	erat	erant
Fut. Perf.	cōnfīsus erō	cōnfīsī erimus
	(-a, -um) eris	(-ae, -a) eritis
	erit	erunt

SUBJUNCTIVE

Pres.	cōnfīdam	cōnfīdāmus
	cōnfīdās	cōnfīdātis
	cōnfīdat	cōnfīdant
Impf.	cōnfīderem	cōnfīderēmus
	cōnfīderēs	cōnfīderētis
	cōnfīderet	cōnfīderent
Perf.	cōnfīsus sim	cōnfīsī sīmus
	(-a, -um) sīs	(-ae, -a) sītis
	sit	sint
Plup.	cōnfīsus essem	cōnfīsī essēmus
	(-a, -um) essēs	(-ae, -a) essētis
	esset	essent

IMPERATIVE

Pres.	cōnfīde	cōnfīdite

INFINITIVE

Pres. cōnfīdere
Perf. cōnfīsus(-a, -um) esse
Fut. cōnfīsūrus(-a, -um) esse

PARTICIPLE

	Active	Passive
Pres.	cōnfīdēns(-tis)	
Perf.	cōnfīsus(-a, -um)	
Fut.	cōnfīsūrus(-a, -um)	cōnfīdendus(-a, -um) (GERUNDIVE)

GERUND cōnfīdendī, -ō, -um, -ō SUPINE cōnfīsum, -ū

cōniciō, cōnicere, cōniēcī, cōniectum *hurl*

	ACTIVE		PASSIVE	
	INDICATIVE			
Pres.	cōniciō	cōnicimus	cōnicior	cōnicimur
	cōnicis	cōnicitis	cōniceris(-re)	cōniciminī
	cōnicit	cōniciunt	cōnicitur	cōniciuntur
Impf.	cōniciēbam	cōniciēbāmus	cōniciēbar	cōniciēbāmur
	cōniciēbās	cōniciēbātis	cōniciēbāris(-re)	cōniciēbāminī
	cōniciēbat	cōniciēbant	cōniciēbātur	cōniciēbantur
Fut.	cōniciam	cōniciēmus	cōniciar	cōniciēmur
	cōniciēs	cōniciētis	cōniciēris(-re)	cōniciēminī
	cōniciet	conicient	cōniciētur	cōnicientur
Perf.	cōniēcī	cōniēcimus	cōniectus sum	cōniectī sumus
	cōniēcistī	cōniēcistis	(-a, -um) es	(-ae, -a) estis
	cōniēcit	cōniēcērunt(-re)	est	sunt
Plup.	cōniēceram	cōniēcerāmus	cōniectus eram	cōniectī erāmus
	cōniēcerās	cōniēcerātis	(-a, -um) erās	(-ae, -a) erātis
	cōniēcerat	cōniēcerant	erat	erant
Fut. Perf.	cōniēcerō	cōniēcerimus	cōniectus erō	cōniectī erimus
	cōniēceris	cōniēceritis	(-a, -um) eris	(-ae, -a) eritis
	cōniēcerit	cōniēcerint	erit	erunt
	SUBJUNCTIVE			
Pres.	cōniciam	cōniciāmus	coniciar	cōniciāmur
	cōniciās	cōniciātis	cōniciāris(-re)	cōniciāminī
	coniciat	cōniciant	cōniciātur	cōniciantur
Impf.	cōnicerem	cōnicerēmus	cōnicerer	cōnicerēmur
	cōnicerēs	cōnicerētis	cōnicerēris(-re)	cōnicerēminī
	cōniceret	cōnicerent	cōnicerētur	cōnicerentur
Perf.	cōniēcerim	cōniēcerimus	cōniectus sim	cōniectī sīmus
	cōniēceris	cōniēceritis	(-a, -um) sīs	(-ae, -a) sītis
	cōniēcerit	cōniēcerint	sit	sint
Plup.	cōniēcissem	cōniēcissēmus	cōniectus essem	cōniectī essēmus
	cōniēcissēs	cōniēcissētis	(-a, -um) essēs	(-ae, -a) essētis
	cōniēcisset	cōniēcissent	esset	essent
	IMPERATIVE			
Pres.	cōnice	cōnicite		
	INFINITIVE			
Pres.	cōnicere		cōnicī	
Perf.	cōniēcisse		cōniectus(-a, -um) esse	
Fut.	cōniectūrus(-a, -um) esse			
	PARTICIPLE			
Pres.	cōniciēns(-tis)			
Perf.			cōniectus(-a, -um)	
Fut.	cōniectūrus(-a, -um)		cōniciendus(-a, -um) (GERUNDIVE)	

GERUND cōniciendī, -ō, -um, -ō SUPINE cōniectum, -ū

cōnor, cōnārī, cōnātus sum *try, attempt*

ACTIVE

INDICATIVE

Pres.	cōnor	cōnāmur
	cōnāris(-re)	cōnāminī
	cōnātur	cōnantur
Impf.	cōnābar	cōnābāmur
	cōnābāris(-re)	cōnābāminī
	cōnābātur	cōnābantur
Fut.	cōnābor	cōnābimur
	cōnāberis(-re)	cōnābiminī
	cōnābitur	cōnābuntur
Perf.	cōnātus sum	cōnātī sumus
	(-a, -um) es	(-ae, -a) estis
	est	sunt
Plup.	cōnātus eram	cōnātī erāmus
	(-a, -um) erās	(-ae, -a) erātis
	erat	erant
Fut. Perf.	cōnātus erō	cōnātī erimus
	(-a, -um) eris	(-ae, -a) eritis
	erit	erunt

SUBJUNCTIVE

Pres.	cōner	cōnēmur
	cōnēris(-re)	cōnēminī
	cōnētur	cōnentur
Impf.	cōnārer	cōnārēmur
	cōnārēris(-re)	cōnārēminī
	cōnārētur	cōnārentur
Perf.	cōnātus sim	cōnātī sīmus
	(-a, -um) sīs	(-ae, -a) sītis
	sit	sint
Plup.	cōnātus essem	cōnātī essēmus
	(-a, -um) essēs	(-ae, -a) essētis
	esset	essent

IMPERATIVE

Pres.	cōnāre	cōnāminī

INFINITIVE

Pres.	cōnārī
Perf.	cōnātus(-a, -um) esse
Fut.	cōnātūrus(-a, -um) esse

PARTICIPLE

	Active	Passive
Pres.	cōnāns(-tis)	
Perf.	cōnātus(-a, -um)	
Fut.	cōnātūrus(-a, -um)	cōnandus(-a, -um) (GERUNDIVE)

GERUND cōnandī, -ō, -um, -ō SUPINE cōnātum, -ū

cōnsistō, cōnsistere, cōnstitī, cōnstitūrus *halt, take a stand*

ACTIVE

INDICATIVE

Pres.	cōnsistō	cōnsistimus
	cōnsistis	cōnsistitis
	cōnsistit	cōnsistunt
Impf.	cōnsistēbam	cōnsistēbāmus
	cōnsistēbās	cōnsistēbātis
	cōnsistēbat	cōnsistēbant
Fut.	cōnsistam	cōnsistēmus
	cōnsistēs	cōnsistētis
	cōnsistet	cōnsistent
Perf.	cōnstitī	cōnstitimus
	cōnstitistī	cōnstitistis
	cōnstitit	cōnstitērunt(-re)
Plup.	cōnstiteram	cōnstiterāmus
	cōnstiterās	cōnstiterātis
	cōnstiterat	cōnstiterant
Fut. Perf.	cōnstiterō	cōnstiterimus
	cōnstiteris	cōnstiteritis
	cōnstiterit	cōnstiterint

SUBJUNCTIVE

Pres.	cōnsistam	cōnsistāmus
	cōnsistās	cōnsistātis
	cōnsistat	cōnsistant
Impf.	cōnsisterem	cōnsisterēmus
	cōnsisterēs	cōnsisterētis
	cōnsisteret	cōnsisterent
Perf.	cōnstiterim	cōnstiterimus
	cōnstiteris	cōnstiteritis
	cōnstiterit	cōnstiterint
Plup.	cōnstitissem	cōnstitissēmus
	cōnstitissēs	cōnstitissētis
	cōnstitisset	cōnstitissent

IMPERATIVE

Pres.	cōnsiste	cōnsistite

INFINITIVE

Pres. cōnsistere
Perf. cōnstitisse
Fut. cōnstitūrus(-a, -um) esse

PARTICIPLE

Pres. cōnsistēns(-tis)
Perf. ———
Fut. cōnstitūrus(-a, -um)

GERUND cōnsistendī, -ō, -um, -ō

cōnspiciō, cōnspicere, cōnspēxī, cōnspectum *notice*

	ACTIVE		PASSIVE	
		INDICATIVE		
Pres.	cōnspiciō	cōnspicimus	cōnspicior	cōnspicimur
	cōnspicis	cōnspicitis	cōnspiceris(-re)	cōnspiciminī
	cōnspicit	cōnspiciunt	cōnspicitur	cōnspiciuntur
Impf.	cōnspiciēbam	cōnspiciēbāmus	cōnspiciēbar	cōnspiciēbāmur
	cōnspiciēbās	cōnspiciēbātis	cōnspiciēbāris(-re)	cōnspiciēbāminī
	cōnspiciēbat	cōnspiciēbant	cōnspiciēbātur	cōnspiciēbantur
Fut.	cōnspiciam	cōnspiciēmus	cōnspiciar	cōnspiciēmur
	cōnspiciēs	cōnspiciētis	cōnspiciēris(-re)	cōnspiciēminī
	cōnspiciet	cōnspicient	cōnspiciētur	cōnspicientur
Perf.	cōnspēxī	cōnspēximus	cōnspectus sum	cōnspectī sumus
	cōnspēxistī	cōnspēxistis	(-a, -um) es	(-ae, -a) estis
	cōnspēxit	cōnspēxērunt(-re)	est	sunt
Plup.	cōnspēxeram	cōnspēxerāmus	cōnspectus eram	cōnspectī erāmus
	cōnspēxerās	cōnspēxerātis	(-a, -um) erās	(-ae, -a) erātis
	cōnspēxerat	cōnspēxerant	erat	erant
Fut. Perf.	cōnspēxerō	cōnspēxerimus	cōnspectus erō	cōnspectī erimus
	cōnspēxeris	cōnspēxeritis	(-a, -um) eris	(-ae, -a) eritis
	cōnspēxerit	cōnspēxerint	erit	erunt
		SUBJUNCTIVE		
Pres.	cōnspiciam	cōnspiciāmus	cōnspiciar	cōnspiciāmur
	cōnspiciās	cōnspiciātis	cōnspiciāris(-re)	cōnspiciāminī
	cōnspiciat	cōnspiciant	cōnspiciātur	cōnspiciantur
Impf.	cōnspicerem	cōnspicerēmus	cōnspicerer	cōnspicerēmur
	cōnspicerēs	cōnspicerētis	cōnspicerēris(-re)	cōnspicerēminī
	cōnspiceret	cōnspicerent	cōnspicerētur	cōnspicerentur
Perf.	cōnspēxerim	cōnspēxerimus	cōnspectus sim	cōnspectī sīmus
	cōnspēxeris	cōnspēxeritis	(-a, -um) sīs	(-ae, -a) sītis
	cōnspēxerit	cōnspēxerint	sit	sint
Plup.	cōnspēxissem	cōnspēxissēmus	cōnspectus essem	cōnspectī essēmus
	cōnspēxissēs	cōnspēxissētis	(-a, -um) essēs	(-ae, -a) essētis
	cōnspēxisset	cōnspēxissent	esset	essent
		IMPERATIVE		
Pres.	cōnspice	cōnspicite		
		INFINITIVE		
Pres.	cōnspicere		cōnspicī	
Perf.	cōnspēxisse		cōnspectus(-a, -um) esse	
Fut.	cōnspectūrus(-a, -um) esse			
		PARTICIPLE		
Pres.	cōnspiciēns(-tis)			
Perf.			cōnspectus(-a, -um)	
Fut.	cōnspectūrus(-a, -um)		cōnspiciendus(-a, -um) (GERUNDIVE)	

GERUND cōnspiciendī, -ō, -um, -ō SUPINE cōnspectum, -ū

cōnstituō, cōnstituere, cōnstituī, cōnstitūtum *decide, determine*

	ACTIVE		PASSIVE	
		INDICATIVE		
Pres.	cōnstituō	cōnstituimus	cōnstituor	cōnstituimur
	cōnstituis	cōnstituitis	cōnstitueris(-re)	cōnstituiminī
	cōnstituit	cōnstituunt	cōnstituitur	cōnstituuntur
Impf.	cōnstituēbam	cōnstituēbāmus	cōnstituēbar	cōnstituēbāmur
	cōnstituēbās	cōnstituēbātis	cōnstituēbāris(-re)	cōnstituēbāminī
	cōnstituēbat	cōnstituēbant	cōnstituēbātur	cōnstituēbantur
Fut.	cōnstituam	cōnstituēmus	cōnstituar	cōnstituēmur
	cōnstituēs	cōnstituētis	cōnstituēris(-re)	cōnstituēminī
	cōnstituet	cōnstituent	cōnstituētur	cōnstituentur
Perf.	cōnstituī	cōnstituimus	cōnstitūtus sum	cōnstitūtī sumus
	cōnstituistī	cōnstituistis	(-a, -um) es	(-ae, -a) estis
	cōnstituit	cōnstituērunt(-re)	est	sunt
Plup.	cōnstitueram	cōnstituerāmus	cōnstitūtus eram	cōnstitūtī erāmus
	cōnstituerās	cōnstituerātis	(-a, -um) erās	(-ae, -a) erātis
	cōnstituerat	cōnstituerant	erat	erant
Fut. Perf.	cōnstituerō	cōnstituerimus	cōnstitūtus erō	cōnstitūtī erimus
	cōnstitueris	cōnstitueritis	(-a, -um) eris	(-ae, -a) eritis
	cōnstituerit	cōnstituerint	erit	erunt
		SUBJUNCTIVE		
Pres.	cōnstituam	cōnstituāmus	cōnstituar	cōnstituāmur
	cōnstituās	cōnstituātis	cōnstituāris(-re)	cōnstituāminī
	cōnstituat	cōnstituant	cōnstituātur	cōnstituantur
Impf.	cōnstituerem	cōnstituerēmus	cōnstituerer	cōnstituerēmur
	cōnstituerēs	cōnstituerētis	cōnstituerēris(-re)	cōnstituerēminī
	cōnstitueret	cōnstituerent	cōnstituerētur	cōnstituerentur
Perf.	cōnstituerim	cōnstituerimus	cōnstitūtus sim	cōnstitūtī sīmus
	cōnstitueris	cōnstitueritis	(-a, -um) sīs	(-ae, -a) sītis
	cōnstituerit	cōnstituerint	sit	sint
Plup.	cōnstituissem	cōnstituissēmus	cōnstitūtus essem	cōnstitutī essēmus
	cōnstituissēs	cōnstituissētis	(-a, -um) essēs	(-ae, -a) essētis
	cōnstituisset	cōnstituissent	esset	essent
		IMPERATIVE		
Pres.	cōnstitue	cōnstituite		
		INFINITIVE		
Pres.	cōnstituere		cōnstituī	
Perf.	cōnstituisse		cōnstitūtus(-a, -um) esse	
Fut.	cōnstitūtūrus(-a, -um) esse			
		PARTICIPLE		
Pres.	cōnstituēns(-tis)			
Perf			cōnstitūtus(-a, -um)	
Fut.	cōnstitūtūrus(-a, -um)		cōnstituendus(-a, -um) (GERUNDIVE)	

GERUND cōnstituendī, -ō, -um, -ō SUPINE cōnstitūtum, -ū

cōnsuēscō, cōnsuēscere, cōnsuēvī, cōnsuētum *accustom*

	ACTIVE		PASSIVE	
		INDICATIVE		
Pres.	cōnsuēscō	cōnsuēscimus	cōnsuēscor	cōnsuēscimur
	cōnsuēscis	cōnsuēscitis	cōnsuēsceris(-re)	cōnsuēsciminī
	cōnsuēscit	cōnsuēscunt	cōnsuēscitur	cōnsuēscuntur
Impf.	cōnsuēscēbam	cōnsuēscēbāmus	cōnsuēscēbar	cōnsuēscēbāmur
	cōnsuēscēbās	cōnsuēscēbātis	cōnsuēscēbāris(-re)	cōnsuēscēbāminī
	cōnsuēscēbat	cōnsuēscēbant	cōnsuēscēbātur	cōnsuēscēbantur
Fut.	cōnsuēscam	cōnsuēscēmus	cōnsuēscar	cōnsuēscēmur
	cōnsuēscēs	cōnsuēscētis	cōnsuēscēris(-re)	cōnsuēscēminī
	cōnsuēscet	cōnsuēscent	cōnsuēscētur	cōnsuēscentur
Perf.	cōnsuēvī	cōnsuēvimus	cōnsuētus sum	cōnsuētī sumus
	cōnsuēvistī	cōnsuēvistis	(-a, -um) es	(-ae, -a) estis
	cōnsuēvit	cōnsuēvērunt(-re)	est	sunt
Plup.	cōnsuēveram	cōnsuēverāmus	cōnsuētus eram	cōnsuētī erāmus
	cōnsuēverās	cōnsuēverātis	(-a, -um) erās	(-ae, -a) erātis
	cōnsuēverat	cōnsuēverant	erat	erant
Fut. Perf.	cōnsuēverō	cōnsuēverimus	cōnsuētus erō	cōnsuētī erimus
	cōnsuēveris	cōnsuēveritis	(-a, -um) eris	(-ae, -a) eritis
	cōnsuēverit	cōnsuēverint	erit	erunt
		SUBJUNCTIVE		
Pres.	cōnsuēscam	cōnsuēscāmus	cōnsuēscar	cōnsuēscāmur
	cōnsuēscās	cōnsuēscātis	cōnsuēscāris(-re)	cōnsuēscāminī
	cōnsuēscat	cōnsuēscant	cōnsuēscātur	cōnsuēscantur
Impf.	cōnsuēscerem	cōnsuēscerēmus	cōnsuēscerer	cōnsuēscerēmur
	cōnsuēscerēs	cōnsuēscerētis	cōnsuēscerēris(-re)	cōnsuēscerēminī
	cōnsuēsceret	cōnsuēscerent	cōnsuēscerētur	cōnsuēscerentur
Perf.	cōnsuēverim	cōnsuēverimus	cōnsuētus sim	cōnsuētī sīmus
	cōnsuēveris	cōnsuēveritis	(-a, -um) sīs	(-ae, -a) sītis
	cōnsuēverit	cōnsuēverint	sit	sint
Plup.	cōnsuēvissem	cōnsuēvissēmus	cōnsuētus essem	cōnsuētī essēmus
	cōnsuēvissēs	cōnsuēvissētis	(-a, -um) essēs	(-ae, -a) essētis
	cōnsuēvisset	cōnsuēvissent	esset	essent
		IMPERATIVE		
Pres.	cōnsuēsce	cōnsuēscite		
		INFINITIVE		
Pres.	cōnsuēscere		cōnsuescī	
Perf.	cōnsuēvisse		cōnsuētus(-a, -um) esse	
Fut.	cōnsuētūrus(-a, -um) esse			
		PARTICIPLE		
Pres.	cōnsuēscēns(-tis)			
Perf.			cōnsuētus(-a, -um)	
Fut.	cōnsuētūrus(-a, -um)		cōnsuēscendus(-a, -um) (GERUNDIVE)	

GERUND cōnsuēscendī, -ō, -um, -ō SUPINE cōnsuētum, -ū

contendō, contendere, contendī, contentum *hasten, fight*

	ACTIVE		PASSIVE
	INDICATIVE		
Pres.	contendō	contendimus	
	contendis	contenditis	
	contendit	contendunt	contenditur (Impers.)
Impf.	contendēbam	contendēbāmus	
	contendēbās	contendēbātis	
	contendēbat	contendēbant	contendēbātur (Impers.)
Fut.	contendam	contendēmus	
	contendēs	contendētis	
	contendet	contendent	contendētur (Impers.)
Perf.	contendī	contendimus	
	contendistī	contendistis	
	contendit	contendērunt(-re)	contentum est (Impers.)
Plup.	contenderam	contenderāmus	
	contenderās	contenderātis	
	contenderat	contenderant	contentum erat (Impers.)
Fut. Perf.	contenderō	contenderimus	
	contenderis	contenderitis	
	contenderit	contenderint	contentum erit (Impers.)
	SUBJUNCTIVE		
Pres.	contendam	contendāmus	
	contendās	contendātis	
	contendat	contendant	contendātur (Impers.)
Impf.	contenderem	contenderēmus	
	contenderēs	contenderētis	
	contenderet	contenderent	contenderētur (Impers.)
Perf.	contenderim	contenderimus	
	contenderis	contenderitis	
	contenderit	contenderint	contentum erit (Impers.)
Plup.	contendissem	contendissēmus	
	contendissēs	contendissētis	
	contendisset	contendissent	contentum esset (Impers.)
	IMPERATIVE		
Pres.	contende	contendite	
	INFINITIVE		
Pres.	contendere		contendī
Perf.	contendisse		contentum esse
Fut.	contentūrus(-a, -um) esse		
	PARTICIPLE		
Pres.	contendēns(-tis)		
Perf.	———		
Fut.	contentūrus(-a, -um)		contendendus(-a, -um) (GERUNDIVE)

GERUND contendendī, -ō, -um, -ō SUPINE contentum, -ū

contingō, contingere, contigī, contāctum *touch, reach, happen*

	ACTIVE		PASSIVE	
		INDICATIVE		
Pres.	contingō	contingimus	contingor	contingimur
	contingis	contingitis	contingeris(-re)	contingiminī
	contingit	contingunt	contingitur	continguntur
Impf.	contingēbam	contingēbāmus	contingēbar	contingēbāmur
	contingēbās	contingēbātis	contingēbāris(-re)	contingēbāminī
	contingēbat	contingēbant	contingēbātur	contingēbantur
Fut.	contingam	contingēmus	contingar	contingēmur
	contingēs	contingētis	contingēris(-re)	contingēminī
	continget	contingent	contingētur	contingentur
Perf.	contigī	contigimus	contāctus sum	contāctī sumus
	contigistī	contigistis	(-a, -um) es	(-ae, -a) estis
	contigit	contigērunt(-re)	est	sunt
Plup.	contigeram	contigerāmus	contāctus eram	contāctī erāmus
	contigerās	contigerātis	(-a, -um) erās	(-ae, -a) erātis
	contigerat	contigerant	erat	erant
Fut. Perf.	contigerō	contigerimus	contāctus erō	contāctī erimus
	contigeris	contigeritis	(-a, -um) eris	(-ae, -a) eritis
	contigerit	contigerint	erit	erunt
		SUBJUNCTIVE		
Pres.	contingam	contingāmus	contingar	contingāmur
	contingās	contingātis	contingāris(-re)	contingāminī
	contingat	contingant	contingātur	contingantur
Impf.	contingerem	contingēremus	contingerer	contingerēmur
	contingerēs	contingēretis	contingerēris(-re)	contingerēminī
	contingeret	contingerent	contingerētur	contingerentur
Perf.	contigerim	contigerimus	contāctus sim	contāctī sīmus
	contigeris	contigeritis	(-a, -um) sīs	(-ae, -a) sītis
	contigerit	contigerint	sit	sint
Plup.	contigissem	contigissēmus	contāctus essem	contāctī essēmus
	contigissēs	contigissētis	(-a, -um) essēs	(-ae, -a) essētis
	contigisset	contigissent	esset	essent
		IMPERATIVE		
Pres.	continge	contingite		
		INFINITIVE		
Pres.	contingere		contingī	
Perf.	contigisse		contāctus(-a, -um) esse	
Fut.	contāctūrus(-a, -um) esse			
		PARTICIPLE		
Pres.	contingēns(-tis)			
Perf.			contāctus(-a, -um)	
Fut.	contāctūrus(-a, -um)		contingendus(-a, -um) (GERUNDIVE)	

GERUND contingendī, -ō, -um, -ō SUPINE contāctum, -ū

crēdō, crēdere, crēdidī, crēditum *believe*

	ACTIVE		PASSIVE	
	INDICATIVE			
Pres.	crēdō	crēdimus		
	crēdis	crēditis		
	crēdit	crēdunt	crēditur	crēduntur
Impf.	crēdēbam	crēdēbāmus		
	crēdēbās	crēdēbātis		
	crēdēbat	crēdēbant	crēdēbātur	crēdēbantur
Fut.	crēdam	crēdēmus		
	crēdēs	crēdētis		
	crēdet	crēdent	crēdētur	crēdentur
Perf.	crēdidī	crēdidimus		
	crēdidistī	crēdidistis		
	crēdidit	crēdidērunt(-re)	crēditus(-a, -um) est	crēditī(-ae, -a) sunt
Plup.	crēdideram	crēdiderāmus		
	crēdiderās	crēdiderātis		
	crēdiderat	crēdiderant	crēditus(-a, -um) erat	crēditī(-ae, -a) erant
Fut. Perf.	crēdiderō	crēdiderimus		
	crēdideris	crēdideritis		
	crēdiderit	crēdiderint	crēditus(-a, -um) erit	crēditī(-ae, -a) erunt
	SUBJUNCTIVE			
Pres.	crēdam	crēdāmus		
	crēdās	crēdātis		
	crēdat	crēdant	crēdātur	crēdantur
Impf.	crēderem	crēderēmus		
	crēderēs	crēderētis		
	crēderet	crēderent	crēderētur	crēderentur
Perf.	crēdiderim	crēdiderimus		
	crēdideris	crēdideritis		
	crēdiderit	crēdiderint	crēditus(-a, -um) sit	crēditī(-ae, -a) sint
Plup.	crēdidissem	crēdidissēmus		
	crēdidissēs	crēdidissētis		
	crēdidisset	crēdidissent	crēditus(-a, -um) esset	crēditī(-ae, -a) essent
	IMPERATIVE			
Pres.	crēde	crēdite		
	INFINITIVE			
Pres.	crēdere		crēdī	
Perf.	crēdidisse		crēditus(-a, -um) esse	
Fut.	crēditūrus(-a, -um) esse			
	PARTICIPLE			
Pres.	crēdēns(-tis)			
Perf.			crēditus(-a, -um)	
Fut.	crēditūrus(-a, -um)		crēdendus(-a, -um) (GERUNDIVE)	

GERUND crēdendī, -ō, -um, -ō SUPINE crēditum, -ū

crēscō, crēscere, crēvī, crētum *grow larger, increase*

	ACTIVE		PASSIVE	
	INDICATIVE			
Pres.	crēscō	crēscimus	crēscor	crēscimur
	crēscis	crēscitis	crēsceris(-re)	crēsciminī
	crēscit	crēscunt	crēscitur	crēscuntur
Impf.	crēscēbam	crēscēbāmus	crēscēbar	crēscēbāmur
	crēscēbās	crēscēbātis	crēscēbāris(-re)	crēscēbāminī
	crēscēbat	crēscēbant	crēscēbātur	crēscēbantur
Fut.	crēscam	crēscēmus	crēscar	crēscēmur
	crēscēs	crēscētis	crēscēris(-re)	crēscēminī
	crēscet	crēscent	crēscētur	crēscentur
Perf.	crēvī	crēvimus	crētus sum	crētī sumus
	crēvistī	crēvistis	(-a, -um) es	(-ae, -a) estis
	crēvit	crēvērunt(-re)	est	sunt
Plup.	crēveram	crēverāmus	crētus eram	crētī erāmus
	crēverās	crēverātis	(-a, -um) erās	(-ae, -a) erātis
	crēverat	crēverant	erat	erant
Fut. Perf.	crēverō	crēverimus	crētus erō	crētī erimus
	crēveris	crēveritis	(-a, -um) eris	(-ae, -a) eritis
	crēverit	crēverint	erit	erunt
	SUBJUNCTIVE			
Pres.	crēscam	crēscāmus	crēscar	crēscāmur
	crēscās	crēscātis	crēscāris(-re)	crēscāminī
	crēscat	crēscant	crēscātur	crēscantur
Impf.	crēscerem	crēscerēmus	crēscerer	crēscerēmur
	crēscerēs	crēscerētis	crēscerēris(-re)	crēscerēminī
	crēsceret	crēscerent	crēscerētur	crēscerentur
Perf.	crēverim	crēverimus	crētus sim	crētī sīmus
	crēveris	crēveritis	(-a, -um) sīs	(-ae, -a) sītis
	crēverit	crēverint	sit	sint
Plup.	crēvissem	crēvissēmus	crētus essem	crētī essēmus
	crēvissēs	crēvissētis	(-a, -um) essēs	(-ae, -a) essētis
	crēvisset	crēvissent	esset	essent
	IMPERATIVE			
Pres.	crēsce	crēscite		
	INFINITIVE			
Pres.	crēscere		crēscī	
Perf.	crēvisse		crētus(-a, -um) esse	
Fut.	crētūrus(-a, -um) esse			
	PARTICIPLE			
Pres.	crēscēns(-tis)			
Perf.			crētus(-a, -um)	
Fut.	crētūrus(-a, -um)		crēscendus(-a, -um) (GERUNDIVE)	

GERUND crēscendī, -ō, -um, -ō SUPINE crētum, -ū

cupiō, cupīre, cupīvī, cupītum *desire, wish*

INDICATIVE

	ACTIVE		PASSIVE	
Pres.	cupiō	cupīmus	cupior	cupīmur
	cupīs	cupītis	cupīris(-re)	cupīminī
	cupit	cupiunt	cupītur	cupiuntur
Impf.	cupiēbam	cupiēbāmus	cupiēbar	cupiēbāmur
	cupiēbās	cupiēbātis	cupiēbāris(-re)	cupiēbāminī
	cupiēbat	cupiēbant	cupiēbātur	cupiēbantur
Fut.	cupiam	cupiēmus	cupiar	cupiēmur
	cupiēs	cupiētis	cupiēris(-re)	cupiēminī
	cupiet	cupient	cupiētur	cupientur
Perf.	cupīvī	cupīvimus	cupītus sum	cupītī sumus
	cupīvistī	cupīvistis	(-a, -um) es	(-ae, -a) estis
	cupīvit	cupīvērunt	est	sunt
Plup.	cupīveram	cupīverāmus	cupītus eram	cupītī erāmus
	cupīverās	cupīverātis	(-a, -um) erās	(-ae, -a) erātis
	cupīverat	cupīverant	erat	erant
Fut. Perf.	cupīverō	cupīverimus	cupītus erō	cupītī erimus
	cupīveris	cupīveritis	(-a, -um) eris	(-ae, -a) eritis
	cupīverit	cupīverint	erit	erunt

SUBJUNCTIVE

	ACTIVE		PASSIVE	
Pres.	cupiam	cupiāmus	cupiar	cupiāmur
	cupiās	cupiātis	cupiāris(-re)	cupiāminī
	cupiat	cupiant	cupiātur	cupiantur
Impf.	cupīrem	cupīrēmus	cupīrer	cupīrēmur
	cupīrēs	cupīrētis	cupīrēris(-re)	cupīrēminī
	cupīret	cupīrent	cupīrētur	cupīrentur
Perf.	cupīverim	cupīverimus	cupītus sim	cupītī sīmus
	cupīveris	cupīveritis	(-a, -um) sīs	(-ae, -a) sītis
	cupīverit	cupīverint	sit	sint
Plup.	cupīvissem	cupīvissēmus	cupītus essem	cupītī essēmus
	cupīvissēs	cupīvissētis	(-a, -um) essēs	(-ae, -a) essētis
	cupīvisset	cupīvissent	esset	essent

IMPERATIVE

	ACTIVE	
Pres.	cupī	cupīte

INFINITIVE

	ACTIVE	PASSIVE
Pres.	cupīre	cupīrī
Perf.	cupīvisse	cupītus(-a, -um) esse
Fut.	cupītūrus(-a, -um) esse	

PARTICIPLE

	ACTIVE	PASSIVE
Pres.	cupiēns(-tis)	
Perf.		cupītus(-a, -um)
Fut.	cupītūrus(-a, -um)	cupiendus(-a, -um) (GERUNDIVE)

GERUND cupiendī, -ō, -um, -ō SUPINE cupītum, -ū

currō, currere, cucurrī, cursum *run*

	ACTIVE		PASSIVE
		INDICATIVE	
Pres.	currō	currimus	
	curris	curritis	
	currit	currunt	curritur (Impers.)
Impf.	currēbam	currēbāmus	
	currēbās	currēbātis	
	currēbat	currēbant	currēbātur (Impers.)
Fut.	curram	currēmus	
	currēs	currētis	
	curret	current	currētur (Impers.)
Perf.	cucurrī	cucurrimus	
	cucurristī	cucurristis	
	cucurrit	cucurrērunt(-re)	cursum est (Impers.)
Plup.	cucurreram	cucurrerāmus	
	cucurrerās	cucurrerātis	
	cucurrerat	cucurrerant	cursum erat (Impers.)
Fut. Perf.	cucurrerō	cucurrerimus	
	cucurreris	cucurreritis	
	cucurrerit	cucurrerint	cursum erit (Impers.)
		SUBJUNCTIVE	
Pres.	curram	currāmus	
	currās	currātis	
	currat	currant	currātur (Impers.)
Impf.	currerem	currerēmus	
	currerēs	currerētis	
	curreret	currerent	currerētur (Impers.)
Perf.	cucurrerim	cucurrerimus	
	cucurreris	cucurreritis	
	cucurrerit	cucurrerint	cursum sit (Impers.)
Plup.	cucurrissem	cucurrissēmus	
	cucurrissēs	cucurrissētis	
	cucurrisset	cucurrissent	cursum esset (Impers.)
		IMPERATIVE	
Pres.	curre	currite	
		INFINITIVE	
Pres.	currere		currī
Perf.	cucurrisse		cursum esse
Fut.	cursūrus(-a, -um) esse		
		PARTICIPLE	
Pres.	currēns(-tis)		
Perf.			cursus(-a, -um)
Fut.	cursūrus(-a, -um)		currendus(-a, -um) (GERUNDIVE)

GERUND currendī, -ō, -um, -ō SUPINE cursum, -ū

dēbeō, dēbēre, dēbuī, dēbitum *ought, owe*

	ACTIVE		PASSIVE	
	INDICATIVE			
Pres.	dēbeō	dēbēmus	dēbeor	dēbēmur
	dēbēs	dēbētis	dēbēris(-re)	dēbēminī
	dēbet	dēbent	dēbētur	dēbentur
Impf.	dēbēbam	dēbēbāmus	dēbēbar	dēbēbāmur
	dēbēbās	dēbēbātis	dēbēbāris(-re)	dēbēbāminī
	dēbēbat	dēbēbant	dēbēbātur	dēbēbantur
Fut.	dēbēbō	dēbēbimus	dēbēbor	dēbēbimur
	dēbēbis	dēbēbitis	dēbēberis(-re)	dēbēbiminī
	dēbēbit	dēbēbunt	dēbēbitur	dēbēbuntur
Perf.	dēbuī	dēbuimus	dēbitus sum	dēbitī sumus
	dēbuistī	dēbuistis	(-a, -um) es	(-ae, -a) estis
	dēbuit	dēbuērunt(-re)	est	sunt
Plup.	dēbueram	dēbuerāmus	dēbitus eram	dēbitī erāmus
	dēbuerās	dēbuerātis	(-a, -um) erās	(-ae, -a) erātis
	dēbuerat	dēbuerant	erat	erant
Fut. Perf.	dēbuerō	dēbuerimus	dēbitus erō	dēbitī erimus
	dēbueris	dēbueritis	(-a, -um) eris	(-ae, -a) eritis
	dēbuerit	dēbuerint	erit	erunt
	SUBJUNCTIVE			
Pres.	dēbeam	dēbeāmus	dēbear	dēbeāmur
	dēbeās	dēbeātis	dēbeāris(-re)	dēbeāminī
	dēbeat	dēbeant	dēbeātur	dēbeantur
Impf.	dēbērem	dēbērēmus	dēbērer	dēbērēmur
	dēbērēs	dēbērētis	dēbērēris(-re)	dēbērēminī
	dēbēret	dēbērent	dēbērētur	dēbērentur
Perf.	dēbuerim	dēbuerimus	dēbitus sim	dēbitī sīmus
	dēbueris	dēbueritis	(-a, -um) sīs	(-ae, -a) sītis
	dēbuerit	dēbuerint	sit	sint
Plup.	dēbuissem	dēbuissēmus	dēbitus essem	dēbitī essēmus
	dēbuissēs	dēbuissētis	(-a, -um) essēs	(-ae, -a) essētis
	dēbuisset	dēbuissent	esset	essent
	IMPERATIVE			
Pres.	dēbē	dēbēte		
	INFINITIVE			
Pres.	dēbēre		dēbērī	
Perf.	dēbuisse		dēbitus(-a, -um) esse	
Fut.	dēbitūrus(-a, -um) esse			
	PARTICIPLE			
Pres.	dēbēns(-tis)			
Perf.			dēbitus(-a, -um)	
Fut.	dēbitūrus(-a, -um)		dēbendus(-a, -um) (GERUNDIVE)	

GERUND dēbendī, -ō, -um, -ō SUPINE dēbitum, -ū

dēcernō, dēcernere, dēcrēvī, dēcrētum *decide, decree, resolve*

	ACTIVE		PASSIVE	
	INDICATIVE			
Pres.	dēcernō	dēcernimus	dēcernor	dēcernimur
	dēcernis	dēcernitis	dēcerneris(-re)	dēcerniminī
	dēcernit	dēcernunt	dēcernitur	dēcernuntur
Impf.	dēcernēbam	dēcernēbāmus	dēcernēbar	dēcernēbāmur
	dēcernēbās	dēcernēbātis	dēcernēbāris(-re)	dēcernēbāminī
	dēcernēbat	dēcernēbant	dēcernēbātur	dēcernēbantur
Fut.	dēcernam	dēcernēmus	dēcernar	dēcernēmur
	dēcernēs	dēcernētis	dēcernēris(-re)	dēcernēminī
	dēcernet	dēcernent	dēcernētur	dēcernentur
Perf.	dēcrēvī	dēcrēvimus	dēcrētus sum	dēcrētī sumus
	dēcrēvistī	dēcrēvistis	(-a, -um) es	(-ae, -a) estis
	dēcrēvit	dēcrēvērunt(-re)	est	sunt
Plup.	dēcrēveram	dēcrēverāmus	dēcrētus eram	dēcrētī erāmus
	dēcrēverās	dēcrēverātis	(-a, -um) erās	(-ae, -a) erātis
	dēcrēverat	dēcrēverant	erat	erant
Fut. Perf.	dēcrēverō	dēcrēverimus	dēcrētus erō	dēcrētī erimus
	dēcrēveris	dēcrēveritis	(-a, -um) eris	(-ae, -a) eritis
	dēcrēverit	dēcrēverint	erit	erunt
	SUBJUNCTIVE			
Pres.	dēcernam	dēcernāmus	dēcernar	dēcernāmur
	dēcernās	dēcernātis	dēcernāris(-re)	dēcernāminī
	dēcernat	dēcernant	dēcernātur	dēcernantur
Impf.	dēcernerem	dēcernerēmus	dēcernerer	dēcernerēmur
	dēcernerēs	dēcernerētis	dēcernerēris(-re)	dēcernerēminī
	dēcerneret	dēcernerent	dēcernerētur	dēcernerentur
Perf.	dēcrēverim	dēcrēverimus	dēcrētus sim	dēcrētī sīmus
	dēcrēveris	dēcrēveritis	(-a, -um) sīs	(-ae, -a) sītis
	dēcrēverit	dēcrēverint	sit	sint
Plup.	dēcrēvissem	dēcrēvissēmus	dēcrētus essem	dēcrētī essēmus
	dēcrēvissēs	dēcrēvissētis	(-a, -um) essēs	(-ae, -a) essētis
	dēcrēvisset	dēcrēvissent	esset	essent
	IMPERATIVE			
Pres.	dēcerne	dēcernite		
	INFINITIVE			
Pres.	dēcernere		dēcernī	
Perf.	dēcrēvisse		dēcrētus(-a, -um) esse	
Fut.	dēcrētūrus(-a, -um) esse			
	PARTICIPLE			
Pres.	dēcernēns(-tis)			
Perf.			dēcrētus(-a, -um)	
Fut.	dēcrētūrus(-a, -um)		dēcernendus(-a, -um) (GERUNDIVE)	

GERUND dēcernendī, -ō, -um, -ō SUPINE dēcrētum, -ū

decet, decēre, decuit — *is fitting, becomes* (Impers.)

INDICATIVE

Pres. ——
——
decet

Impf. ——
——
decēbat

Fut. ——
——
decēbit

Perf. ——
——
decuit

Plup. ——
——
decuerat

Fut. Perf. ——
——
decuerit

SUBJUNCTIVE

Pres. ——
——
deceat

Impf. ——
——
decēret

Perf. ——
——
decuerit

Plup. ——
——
decuisset

INFINITIVE

Pres. decēre
Perf. decuisse

PARTICIPLE

Pres. decēns(-tis)

dēfendō, dēfendere, dēfendī, dēfensum *defend*

	ACTIVE		PASSIVE	
		INDICATIVE		
Pres.	dēfendō	dēfendimus	dēfendor	dēfendimur
	dēfendis	dēfenditis	dēfenderis(-re)	dēfendiminī
	dēfendit	dēfendunt	dēfenditur	dēfenduntur
Impf.	dēfendēbam	dēfendēbāmus	dēfendēbar	dēfendēbāmur
	dēfendēbās	dēfendēbātis	dēfendēbāris(-re)	dēfendēbāminī
	dēfendēbat	dēfendēbant	dēfendēbātur	dēfendēbantur
Fut.	dēfendam	dēfendēmus	dēfendar	dēfendēmur
	dēfendēs	dēfendētis	dēfendēris(-re)	dēfendēminī
	dēfendet	dēfendent	dēfendētur	dēfendentur
Perf.	dēfendī	dēfendimus	dēfensus sum	dēfensī sumus
	dēfendistī	dēfendistis	(-a, -um) es	(-ae, -a) estis
	dēfendit	dēfendērunt(-re)	est	sunt
Plup.	dēfenderam	dēfenderāmus	dēfensus eram	dēfensī erāmus
	dēfenderās	dēfenderātis	(-a, -um) erās	(-ae, -a) erātis
	dēfenderat	dēfenderant	erat	erant
Fut. Perf.	dēfenderō	dēfenderimus	dēfensus erō	dēfensī erimus
	dēfenderis	dēfenderitis	(-a, -um) eris	(-ae, -a) eritis
	dēfenderit	dēfenderint	erit	erunt
		SUBJUNCTIVE		
Pres.	dēfendam	dēfendāmus	dēfendar	dēfendāmur
	dēfendās	dēfendātis	dēfendāris(-re)	dēfendāminī
	dēfendat	dēfendant	dēfendātur	dēfendantur
Impf.	dēfenderem	dēfenderēmus	dēfenderer	dēfenderēmur
	dēfenderēs	dēfenderētis	dēfenderēris(-re)	dēfenderēminī
	dēfenderet	dēfenderent	dēfenderētur	dēfenderentur
Perf.	dēfenderim	dēfenderimus	dēfensus sim	dēfensī sīmus
	dēfenderis	dēfenderitis	(-a, -um) sīs	(-ae, -a) sītis
	dēfenderit	dēfenderint	sit	sint
Plup.	dēfendissem	dēfendissēmus	dēfensus essem	dēfensī essēmus
	dēfendissēs	dēfendissētis	(-a, -um) essēs	(-ae, -a) essētis
	dēfendisset	dēfendissent	esset	essent
		IMPERATIVE		
Pres.	dēfende	dēfendite		
		INFINITIVE		
Pres.	dēfendere		dēfendī	
Perf.	dēfendisse		dēfensus(-a, -um) esse	
Fut.	dēfensūrus(-a, -um) esse			
		PARTICIPLE		
Pres.	dēfendēns(-tis)			
Perf.			dēfensus(-a, -um)	
Fut.	dēfensūrus(-a, -um)		dēfendendus(-a, -um) (GERUNDIVE)	

GERUND dēfendendī, -ō, -um, -ō SUPINE dēfensum, -ū

mōnstrō, dēmōnstrāre, dēmōnstrāvī, dēmōnstrātum *point out, show*

	ACTIVE		PASSIVE	
	INDICATIVE			
es.	dēmōnstrō	dēmōnstrāmus	dēmōnstror	dēmōnstrāmur
	dēmōnstrās	dēmōnstrātis	dēmōnstrāris(-re)	dēmōnstrāminī
	dēmōnstrat	dēmōnstrant	dēmōnstrātur	dēmōnstrantur
pf.	dēmōnstrābam	dēmōnstrābāmus	dēmōnstrābar	dēmōnstrābāmur
	dēmōnstrābās	dēmōnstrābātis	dēmōnstrābāris(-re)	dēmōnstrābāminī
	dēmōnstrābat	dēmōnstrābant	dēmōnstrābātur	dēmōnstrābāntur
t.	dēmōnstrābō	dēmōnstrābimus	dēmōnstrābor	dēmōnstrābimur
	dēmōnstrābis	dēmōnstrābitis	dēmōnstrāberis(-re)	dēmōnstrābiminī
	dēmōnstrābit	dēmōnstrābunt	dēmōnstrābitur	dēmōnstrābuntur
rf.	dēmōnstrāvī	dēmōnstrāvimus	dēmōnstrātus sum	dēmōnstrātī sumus
	dēmōnstrāvistī	dēmōnstrāvistis	(-a, -um) es	(-ae, -a) estis
	dēmōnstrāvit	dēmōnstrāvērunt(-re)	est	sunt
up.	dēmōnstrāveram	dēmōnstrāverāmus	dēmōnstrātus eram	dēmōnstrātī erāmus
	dēmōnstrāverās	dēmōnstrāverātis	(-a, -um) erās	(-ae, -a) erātis
	dēmōnstrāverat	dēmōnstrāverant	erat	erant
t.	dēmōnstrāverō	dēmōnstrāverimus	dēmōnstrātus erō	dēmōnstrātī erimus
rf.	dēmōnstrāveris	dēmōnstrāveritis	(-a, -um) eris	(-ae, -a) eritis
	dēmōnstrāverit	dēmōnstrāverint	erit	erunt
	SUBJUNCTIVE			
es.	dēmōnstrem	dēmōnstrēmus	dēmōnstrer	dēmōnstrēmur
	dēmōnstrēs	dēmōnstrētis	dēmōnstrēris(-re)	dēmōnstrēminī
	dēmōnstret	dēmōnstrent	dēmōnstrētur	dēmōnstrentur
pf.	dēmōnstrārem	dēmōnstrārēmus	dēmōnstrārer	dēmōnstrārēmur
	dēmōnstrārēs	dēmōnstrārētis	dēmōnstrārēris(-re)	dēmōnstrārēminī
	dēmōnstrāret	dēmōnstrārent	dēmōnstrārētur	dēmōnstrārentur
rf.	dēmōnstrāverim	dēmōnstrāverimus	dēmōnstrātus sim	dēmōnstrātī sīmus
	dēmōnstrāveris	dēmōnstrāveritis	(-a, -um) sīs	(-ae, -a) sītis
	dēmōnstrāverit	dēmōnstrāverint	sit	sint
up.	dēmōnstrāvissem	dēmōnstrāvissēmus	dēmōnstrātus essem	dēmōnstrātī essēmus
	dēmōnstrāvissēs	dēmōnstrāvissētis	(-a, -um) essēs	(-ae, -a) essētis
	dēmōnstrāvisset	dēmōnstrāvissent	esset	essent
	IMPERATIVE			
es.	dēmōnstrā	dēmōnstrāte		
	INFINITIVE			
es.	dēmōnstrāre		dēmōnstrārī	
rf.	dēmōnstrāvisse		dēmōnstrātus(-a, -um) esse	
t.	dēmōnstrātūrus(-a, -um) esse			
	PARTICIPLE			
es.	dēmōnstrāns(-tis)			
rf.			dēmōnstrātus(-a, -um)	
t.	dēmōnstrātūrus(-a, -um)		dēmōnstrandus(-a, -um) (GERUNDIVE)	

GERUND dēmōnstrandī, -ō, -um, -ō SUPINE dēmōnstrātum, -ū

dīcō, dīcere, dīxī, dictum *say, speak, tell*

	ACTIVE		PASSIVE			
	INDICATIVE					
Pres.	dīcō	dīcimus	dīcor		dīcimur	
	dīcis	dīcitis	dīceris(-re)		dīciminī	
	dīcit	dīcunt	dīcitur		dīcuntur	
Impf.	dīcēbam	dīcēbāmus	dīcēbar		dīcēbāmur	
	dīcēbās	dīcēbātis	dīcēbāris(-re)		dīcēbāminī	
	dīcēbat	dīcēbant	dīcēbātur		dīcēbantur	
Fut.	dīcam	dīcēmus	dīcar		dīcēmur	
	dīcēs	dīcētis	dīcēris(-re)		dīcēminī	
	dīcet	dīcent	dīcētur		dīcentur	
Perf.	dīxī	dīximus	dictus	sum	dictī	sumus
	dīxistī	dīxistis	(-a, -um)	es	(-ae, -a)	estis
	dīxit	dīxērunt(-re)		est		sunt
Plup.	dīxeram	dīxerāmus	dictus	eram	dictī	erāmus
	dīxerās	dīxerātis	(-a, -um)	erās	(-ae, -a)	erātis
	dīxerat	dīxerant		erat		erant
Fut. Perf.	dīxerō	dīxerimus	dictus	erō	dictī	erimus
	dīxeris	dīxeritis	(-a, -um)	eris	(-ae, -a)	eritis
	dīxerit	dīxerint		erit		erunt
	SUBJUNCTIVE					
Pres.	dīcam	dīcāmus	dīcar		dīcāmur	
	dīcās	dīcātis	dīcāris(-re)		dīcāminī	
	dīcat	dīcant	dīcātur		dīcantur	
Impf.	dīcerem	dīcerēmus	dīcerer		dīcerēmur	
	dīcerēs	dīcerētis	dīcerēris(-re)		dīcerēminī	
	dīceret	dīcerent	dīcerētur		dīcerentur	
Perf.	dīxerim	dīxerimus	dictus	sim	dictī	sīmus
	dīxeris	dīxeritis	(-a, -um)	sīs	(-ae, -a)	sītis
	dīxerit	dīxerint		sit		sint
Plup.	dīxissem	dīxissēmus	dictus	essem	dictī	essēmus
	dīxissēs	dīxissētis	(-a, -um)	essēs	(-ae, -a)	essētis
	dīxisset	dīxissent		esset		essent
	IMPERATIVE					
Pres.	dīc	dīcite				
	INFINITIVE					
Pres.	dīcere		dīcī			
Perf.	dīxisse		dictus(-a, -um) esse			
Fut.	dictūrus(-a, -um) esse					
	PARTICIPLE					
Pres.	dīcēns(-tis)					
Perf.			dictus(-a, -um)			
Fut.	dictūrus(-a, -um)		dīcendus(-a, -um) (GERUNDIVE)			

GERUND dīcendī, -ō, -um, -ō SUPINE dictum, -ū

dīligō, dīligere, dīlēxī, dīlēctum — *pick, choose, love*

	ACTIVE		PASSIVE			
INDICATIVE						
Pres.	dīligō	dīligimus	dīligor		dīligimur	
	dīligis	dīligitis	dīligeris(-re)		dīligiminī	
	dīligit	dīligunt	dīligitur		dīliguntur	
Impf.	dīligēbam	dīligēbāmus	dīligēbar		dīligēbāmur	
	dīligēbās	dīligēbātis	dīligēbāris(-re)		dīligēbāminī	
	dīligēbat	dīligēbant	dīligēbātur		dīligēbantur	
Fut.	dīligam	dīligēmus	dīligar		dīligēmur	
	dīligēs	dīligētis	dīligēris(-re)		dīligēminī	
	dīliget	dīligent	dīligētur		dīligentur	
Perf.	dīlēxī	dīlēximus	dīlēctus	sum	dīlēctī	sumus
	dīlēxistī	dīlēxistis	(-a, -um)	es	(-ae, -a)	estis
	dīlēxit	dīlēxērunt(-re)		est		sunt
Plup.	dīlēxeram	dīlēxerāmus	dīlēctus	eram	dīlēctī	erāmus
	dīlēxerās	dīlēxerātis	(-a, -um)	erās	(-ae, -a)	erātis
	dīlēxerat	dīlēxerant		erat		erant
Fut. Perf.	dīlēxerō	dīlēxerimus	dīlēctus	erō	dīlēctī	erimus
	dīlēxeris	dīlēxeritis	(-a, -um)	eris	(-ae, -a)	eritis
	dīlēxerit	dīlēxerint		erit		erunt
SUBJUNCTIVE						
Pres.	dīligam	dīligāmus	dīligar		dīligāmur	
	dīligās	dīligātis	dīligāris(-re)		dīligāminī	
	dīligat	dīligant	dīligātur		dīligantur	
Impf.	dīligerem	dīligerēmus	dīligerer		dīligerēmur	
	dīligerēs	dīligerētis	dīligerēris(-re)		dīligerēminī	
	dīligeret	dīligerent	dīligerētur		dīligerentur	
Perf.	dīlēxerim	dīlēxerimus	dīlēctus	sim	dīlēctī	sīmus
	dīlēxeris	dīlēxeritis	(-a, -um)	sīs	(-ae, -a)	sītis
	dīlēxerit	dīlēxerint		sit		sint
Plup.	dīlēxissem	dīlēxissēmus	dīlēctus	essem	dīlēcti	essēmus
	dīlēxissēs	dīlēxissētis	(-a, -um)	essēs	(-ae, -a)	essētis
	dīlēxisset	dīlēxissent		esset		essent
IMPERATIVE						
Pres.	dīlige	dīligite				
INFINITIVE						
Pres.	dīligere		dīligī			
Perf.	dīlēxisse		dīlēctus(-a, -um) esse			
Fut.	dīlēctūrus(-a, -um) esse					
PARTICIPLE						
Pres.	dīligēns(-tis)					
Perf.			dīlēctus(-a, -um)			
Fut.	dīlēctūrus(-a, -um)		dīligendus(-a, -um) (GERUNDIVE)			

GERUND dīligendī, -ō, -um, -ō SUPINE dīlēctum, -ū

discō, discere, didicī *learn*

ACTIVE

INDICATIVE

Pres.	discō	discimus
	discis	discitis
	discit	discunt
Impf.	discēbam	discēbāmus
	discēbās	discēbātis
	discēbat	discēbant
Fut.	discam	discēmus
	discēs	discētis
	discet	discent
Perf.	didicī	didicimus
	didicistī	didicistis
	didicit	didicērunt(-re)
Plup.	didiceram	didicerāmus
	didicerās	didicerātis
	didicerat	didicerant
Fut. Perf.	didicerō	didicerimus
	didiceris	didiceritis
	didicerit	didicerint

SUBJUNCTIVE

Pres.	discam	discāmus
	discās	discātis
	discat	discant
Impf.	discerem	discerēmus
	discerēs	discerētis
	disceret	discerent
Perf.	didicerim	didicerimus
	didiceris	didiceritis
	didicerit	didicerint
Plup.	didicissem	didicissēmus
	didicissēs	didicissētis
	didicisset	didicissent

IMPERATIVE

Pres.	disce	discite

INFINITIVE

Pres.	discere
Perf.	didicisse
Fut.	———

PARTICIPLE

Pres.	discēns(-tis)
Perf.	———
Fut.	———

GERUND discendī, -ō, -um, -ō SUPINE ———

dīvidō, dīvidere, dīvīsī, dīvīsum *divide*

	ACTIVE		PASSIVE	
	INDICATIVE			
Pres.	dīvidō	dīvidimus	dīvidor	dīvidimur
	dīvidis	dīviditis	dīvideris(-re)	dīvidiminī
	dīvidit	dīvidunt	dīviditur	dīviduntur
Impf.	dīvidēbam	dīvidēbāmus	dīvidēbar	dīvidēbāmur
	dīvidēbās	dīvidēbātis	dīvidēbāris(-re)	dīvidēbāminī
	dīvidēbat	dīvidēbant	dīvidēbātur	dīvidēbantur
Fut.	dīvidam	dīvidēmus	dīvidar	dīvidēmur
	dīvidēs	dīvidētis	dīvidēris(-re)	dīvidēminī
	dīvidet	dīvident	dīvidētur	dīvidentur
Perf.	dīvīsī	dīvīsimus	dīvīsus sum	dīvīsī sumus
	dīvīsistī	dīvīsistis	(-a, -um) es	(-ae, -a) estis
	dīvīsit	dīvīsērunt(-re)	est	sunt
Plup.	dīvīseram	dīvīserāmus	dīvīsus eram	dīvīsī erāmus
	dīvīserās	dīvīserātis	(-a, -um) erās	(-ae, -a) erātis
	dīvīserat	dīvīserant	erat	erant
Fut. Perf.	dīvīserō	dīvīserimus	dīvīsus erō	dīvīsī erimus
	dīvīseris	dīvīseritis	(-a, -um) eris	(-ae, -a) eritis
	dīvīserit	dīvīserint	erit	erunt
	SUBJUNCTIVE			
Pres.	dīvidam	dīvidāmus	dīvidar	dīvidāmur
	dīvidās	dīvidātis	dīvidāris(-re)	dīvidāminī
	dīvidat	dīvidant	dīvidātur	dīvidantur
Impf.	dīviderem	dīviderēmus	dīviderer	dīviderēmur
	dīviderēs	dīviderētis	dīviderēris(-re)	dīviderēminī
	dīvideret	dīviderent	dīviderētur	dīviderentur
Perf.	dīvīserim	dīvīserimus	dīvīsus sim	dīvīsī sīmus
	dīvīseris	dīvīseritis	(-a, -um) sīs	(-ae, -a) sītis
	dīvīserit	dīvīserint	sit	sint
Plup.	dīvīsissem	dīvīsissēmus	dīvīsus essem	dīvīsī essēmus
	dīvīsissēs	dīvīsissētis	(-a, -um) essēs	(-ae, -a) essētis
	dīvīsisset	dīvīsissent	esset	essent
	IMPERATIVE			
Pres.	dīvide	dīvidite		
	INFINITIVE			
Pres.	dīvidere		dīvidī	
Perf.	dīvīsisse		dīvīsus(-a, -um) esse	
Fut.	dīvīsūrus(-a, -um) esse			
	PARTICIPLE			
Pres.	dīvidēns(-tis)			
Perf.			dīvīsus(-a, -um)	
Fut.	dīvīsūrus(-a, -um)		dīvidendus(-a, -um) (GERUNDIVE)	

GERUND dīvidendī, -ō, -um, -ō SUPINE dīvīsum, -ū

dō, dare, dedī, datum *give*

	ACTIVE		PASSIVE			
			INDICATIVE			
Pres.	dō	damus	———		damur	
	dās	datis	daris(-re)		daminī	
	dat	dant	datur		dantur	
Impf.	dabam	dabāmus	dabar		dabāmur	
	dabās	dabātis	dabāris(-re)		dabāminī	
	dabat	dabant	dabātur		dabantur	
Fut.	dabō	dabimus	dabor		dabimur	
	dabis	dabitis	daberis(-re)		dabiminī	
	dabit	dabunt	dabitur		dabuntur	
Perf.	dedī	dedimus	datus	sum	datī	sumus
	dedistī	dedistis	(-a, -um)	es	(-ae, -a)	estis
	dedit	dedērunt(-re)		est		sunt
Plup.	dederam	dederāmus	datus	eram	datī	erāmus
	dederās	dederātis	(-a, -um)	erās	(-ae, -a)	erātis
	dederat	dederant		erat		erant
Fut. Perf.	dederō	dederimus	datus	erō	datī	erimus
	dederis	dederitis	(-a, -um)	eris	(-ae, -a)	eritis
	dederit	dederint		erit		erunt
			SUBJUNCTIVE			
Pres.	dem	dēmus	———		dēmur	
	dēs	dētis	dēris(-re)		dēminī	
	det	dent	dētur		dentur	
Impf.	dārem	dārēmus	darer		darēmur	
	dārēs	dārētis	darēris(-re)		darēminī	
	dāret	dārent	darētur		darentur	
Perf.	dederim	dederimus	datus	sim	datī	sīmus
	dederis	dederitis	(-a, -um)	sīs	(-ae, -a)	sītis
	dederit	dederint		sit		sint
Plup.	dedissem	dedissēmus	datus	essem	datī	essēmus
	dedissēs	dedissētis	(-a, -um)	essēs	(-ae, -a)	essētis
	dedisset	dedissent		esset		essent
			IMPERATIVE			
Pres.	dā	date				
			INFINITIVE			
Pres.	dare		darī			
Perf.	dedisse		datus(-a, -um) esse			
Fut.	datūrus(-a, -um) esse					
			PARTICIPLE			
Pres.	dāns(-tis)					
Perf.			datus(-a, -um)			
Fut.	datūrus(-a, -um)		dandus(-a, -um) (GERUNDIVE)			

GERUND dandī, -ō, -um, -ō SUPINE datum, -ū

doceō, docēre, docuī, doctum *explain, teach*

	ACTIVE		PASSIVE	
	INDICATIVE			
Pres.	doceō	docēmus	doceor	docēmur
	docēs	docētis	docēris(-re)	docēminī
	docet	docent	docētur	docentur
Impf.	docēbam	docēbāmus	docēbar	docēbāmur
	docēbās	docēbātis	docēbāris(-re)	docēbāminī
	docēbat	docēbant	docēbātur	docēbantur
Fut.	docēbō	docēbimus	docēbor	docēbimur
	docēbis	docēbitis	docēberis(-re)	docēbiminī
	docēbit	docēbunt	docēbitur	docēbuntur
Perf.	docuī	docuimus	doctus sum	doctī sumus
	docuistī	docuistis	(-a, -um) es	(-ae, -a) estis
	docuit	docuērunt(-re)	est	sunt
Plup.	docueram	docuerāmus	doctus eram	doctī erāmus
	docuerās	docuerātis	(-a, -um) erās	(-ae, -a) erātis
	docuerat	docuerant	erat	erant
Fut. Perf.	docuerō	docuerimus	doctus erō	doctī erimus
	docueris	docueritis	(-a, -um) eris	(-ae, -a) eritis
	docuerit	docuerint	erit	erunt
	SUBJUNCTIVE			
Pres.	doceam	doceāmus	docear	doceāmur
	doceās	doceātis	doceāris(-re)	doceāminī
	doceat	doceant	doceātur	doceantur
Impf.	docērem	docērēmus	docērer	docērēmur
	docērēs	docērētis	docērēris(-re)	docērēminī
	docēret	docērent	docērētur	docērentur
Perf.	docuerim	docuerimus	doctus sim	doctī sīmus
	docueris	docueritis	(-a, -um) sīs	(-ae, -a) sītis
	docuerit	docuerint	sit	sint
Plup.	docuissem	docuissēmus	doctus essem	doctī essēmus
	docuissēs	docuissētis	(-a, -um) essēs	(-ae, -a) essētis
	docuisset	docuissent	esset	essent
	IMPERATIVE			
Pres.	docē	docēte		
	INFINITIVE			
Pres.	docēre		docērī	
Perf.	docuisse		doctus(-a, -um) esse	
Fut.	doctūrus(-a, -um) esse			
	PARTICIPLE			
Pres.	docēns(-tis)			
Perf.			doctus(-a, -um)	
Fut.	doctūrus(-a, -um)		docendus(-a, -um) (GERUNDIVE)	

GERUND docendī, -ō, -um, -ō SUPINE doctum, -ū

dormiō, dormīre, dormīvī, dormītum *sleep*

	ACTIVE		PASSIVE
		INDICATIVE	
Pres.	dormiō	dormīmus	
	dormīs	dormītis	
	dormit	dormiunt	dormītur (Impers.)
Impf.	dormiēbam	dormiēbāmus	
	dormiēbās	dormiēbātis	
	dormiēbat	dormiēbant	dormiēbātur (Impers.)
Fut.	dormiam	dormiēmus	
	dormiēs	dormiētis	
	dormiet	dormient	dormiētur (Impers.)
Perf.	dormīvī	dormīvimus	
	dormīvistī	dormīvistis	
	dormīvit	dormīvērunt(-re)	dormītum est (Impers.)
Plup.	dormīveram	dormīverāmus	
	dormīverās	dormīverātis	
	dormīverat	dormīverant	dormītum erat (Impers.)
Fut. Perf.	dormīverō	dormīverimus	
	dormīveris	dormīveritis	
	dormīverit	dormīverint	dormītum erit (Impers.)
		SUBJUNCTIVE	
Pres.	dormiam	dormiāmus	
	dormiās	dormiātis	
	dormiat	dormiant	dormiātur (Impers.)
Impf.	dormīrem	dormīrēmus	
	dormīrēs	dormīrētis	
	dormīret	dormīrent	dormīrētur (Impers.)
Perf.	dormīverim	dormīverimus	
	dormīveris	dormīveritis	
	dormīverit	dormīverint	dormītum sit (Impers.)
Plup.	dormīvissem	dormīvissēmus	
	dormīvissēs	dormīvissētis	
	dormīvisset	dormīvissent	dormītum esset (Impers.)
		IMPERATIVE	
Pres.	dormī	dormīte	
		INFINITIVE	
Pres.	dormīre		dormīrī
Perf.	dormīvisse		dormītum esse
Fut.	dormītūrus(-a, -um) esse		
		PARTICIPLE	
Pres.	dormiēns(-tis)		
Perf.			dormītus(-a, -um)
Fut.	dormītūrus(-a, -um)		dormiendus(-a, -um) (GERUNDIVE)

GERUND dormiendī, -ō, -um, -ō SUPINE dormītum, -ū

dubitō, dubitāre, dubitāvī, dubitātum *doubt, hesitate*

	ACTIVE		PASSIVE	
		INDICATIVE		
Pres.	dubitō	dubitāmus	dubitor	dubitāmur
	dubitās	dubitātis	dubitāris(-re)	dubitāminī
	dubitat	dubitant	dubitātur	dubitantur
Impf.	dubitābam	dubitābāmus	dubitābar	dubitābāmur
	dubitābās	dubitābātis	dubitābāris(-re)	dubitābāminī
	dubitābat	dubitābant	dubitābātur	dubitābantur
Fut.	dubitābō	dubitābimus	dubitābor	dubitābimur
	dubitābis	dubitābitis	dubitāberis(-re)	dubitābiminī
	dubitābit	dubitābunt	dubitābitur	dubitābuntur
Perf.	dubitāvī	dubitāvimus	dubitātus sum	dubitātī sumus
	dubitāvistī	dubitāvistis	(-a, -um) es	(-ae, -a) estis
	dubitāvit	dubitāvērunt(-re)	est	sunt
Plup.	dubitāveram	dubitāverāmus	dubitātus eram	dubitātī erāmus
	dubitāverās	dubitāverātis	(-a, -um) erās	(-ae, -a) erātis
	dubitāverat	dubitāverant	erat	erant
Fut. Perf.	dubitāverō	dubitāverimus	dubitātus erō	dubitātī erimus
	dubitāveris	dubitāveritis	(-a, -um) eris	(-ae, -a) eritis
	dubitāverit	dubitāverint	erit	erunt
		SUBJUNCTIVE		
Pres.	dubitem	dubitēmus	dubiter	dubitēmur
	dubitēs	dubitētis	dubitēris(-re)	dubitēminī
	dubitet	dubitent	dubitētur	dubitentur
Impf.	dubitārem	dubitārēmus	dubitārer	dubitārēmur
	dubitārēs	dubitārētis	dubitārēris(-re)	dubitārēminī
	dubitāret	dubitārent	dubitārētur	dubitārentur
Perf.	dubitāverim	dubitāverimus	dubitātus sim	dubitātī sīmus
	dubitāveris	dubitāveritis	(-a, -um) sīs	(-ae, -a) sītis
	dubitāverit	dubitāverint	sit	sint
Plup.	dubitāvissem	dubitāvissēmus	dubitātus essem	dubitātī essēmus
	dubitāvissēs	dubitāvissētis	(-a, -um) essēs	(-ae, -a) essētis
	dubitāvisset	dubitāvissent	esset	essent
		IMPERATIVE		
Pres.	dubitā	dubitāte		
		INFINITIVE		
Pres.	dubitāre		dubitārī	
Perf.	dubitāvisse		dubitātus(-a, -um) esse	
Fut.	dubitātūrus(-a, -um) esse			
		PARTICIPLE		
Pres.	dubitāns(-tis)			
Perf.			dubitātus(-a, -um)	
Fut.	dubitātūrus(-a, -um)		dubitandus(-a, -um) (GERUNDIVE)	

GERUND dubitandī, -ō, -um, -ō SUPINE dubitātum, -ū

dūcō

dūcō, dūcere, dūxī, ductum *lead*

	ACTIVE		PASSIVE			
			INDICATIVE			
Pres.	dūcō	dūcimus	dūcor		dūcimur	
	dūcis	dūcitis	dūceris(-re)		dūciminī	
	dūcit	dūcunt	dūcitur		dūcuntur	
Impf.	dūcēbam	dūcēbāmus	dūcēbar		dūcēbāmur	
	dūcēbās	dūcēbātis	dūcēbāris(-re)		dūcēbāminī	
	dūcēbat	dūcēbant	dūcēbātur		dūcēbantur	
Fut.	dūcam	dūcēmus	dūcar		dūcēmur	
	dūcēs	dūcētis	dūcēris(-re)		dūcēminī	
	dūcet	dūcent	dūcētur		dūcentur	
Perf.	dūxī	dūximus	ductus	sum	ductī	sumus
	dūxistī	dūxistis	(-a, -um)	es	(-ae, -a)	estis
	dūxit	dūxērunt(-re)		est		sunt
Plup.	dūxeram	dūxerāmus	ductus	eram	ductī	erāmus
	dūxerās	dūxerātis	(-a, -um)	erās	(-ae, -a)	erātis
	dūxerat	dūxerant		erat		erant
Fut.	dūxerō	dūxerimus	ductus	erō	ductī	erimus
Perf.	dūxeris	dūxeritis	(-a, -um)	eris	(-ae, -a)	eritis
	dūxerit	dūxerint		erit		erunt
			SUBJUNCTIVE			
Pres.	dūcam	dūcāmus	dūcar		dūcāmur	
	dūcās	dūcātis	dūcāris(-re)		dūcāminī	
	dūcat	dūcant	dūcātur		dūcantur	
Impf.	dūcerem	dūcerēmus	dūcerer		dūcerēmur	
	dūcerēs	dūcerētis	dūcerēris(-re)		dūcerēminī	
	dūceret	dūcerent	dūceretur		dūcerentur	
Perf.	dūxerim	dūxerimus	ductus	sim	ductī	sīmus
	dūxeris	dūxeritis	(-a, -um)	sīs	(-ae, -a)	sītis
	dūxerit	dūxerint		sit		sint
Plup.	dūxissem	dūxissēmus	ductus	essem	ductī	essēmus
	dūxissēs	dūxissētis	(-a, -um)	essēs	(-ae, -a)	essētis
	dūxisset	dūxissent		esset		essent
			IMPERATIVE			
Pres.	dūc	dūcite				
			INFINITIVE			
Pres.	dūcere		dūcī			
Perf.	dūxisse		ductus(-a, -um) esse			
Fut.	ductūrus(-a, -um) esse					
			PARTICIPLE			
Pres.	dūcēns(-tis)					
Perf.			ductus(-a, -um)			
Fut.	ductūrus(-a, -um)		dūcendus(-a, -um) (GERUNDIVE)			

GERUND dūcendī, -ō, -um, -ō SUPINE ductum, -ū

eō, īre, iī *or* īvī, itum — *go*

	ACTIVE		PASSIVE
	INDICATIVE		
Pres.	eō	īmus	
	īs	ītis	
	it	eunt	ītur (Impers.)
Impf.	ībam	ībāmus	
	ībās	ībātis	
	ībat	ībant	ībātur (Impers.)
Fut.	ībō	ībimus	
	ībis	ībitis	
	ībit	ībunt	ībitur (Impers.)
Perf.	iī (īvī)	iimus (īvimus)	
	iistī (īvistī)	iistis (īvistis)	
	iit (īvit)	iērunt (iēre) *or* īvērunt (īvēre)	itum est (Impers.)
Plup.	ieram (īveram)	ierāmus (īverāmus)	
	ierās (īverās)	ierātis (īverātis)	
	ierat (īverat)	ierant (īverant)	itum erat (Impers.)
Fut. Perf.	ierō (īverō)	ierimus (īverimus)	
	ieris (īveris)	ieritis (īveritis)	
	ierit (īverit)	ierint (īverint)	itum erit (Impers.)
	SUBJUNCTIVE		
Pres.	eam	eāmus	
	eās	eātis	
	eat	eant	eātur (Impers.)
Impf.	īrem	īrēmus	
	īrēs	īrētis	
	īret	īrent	irētur (Impers.)
Perf.	ierim (īverim)	ierimus (īverimus)	
	ieris (īveris)	ieritis (īveritis)	
	ierit (īverit)	ierint (īverint)	itum sit (Impers.)
Plup.	īssem (īvissem)	īssēmus (īvissēmus)	
	īssēs (īvissēs)	īssētis (īvissētis)	
	īsset (īvisset)	īssent (īvissent)	itum esset (Impers.)
	IMPERATIVE		
Pres.	ī	īte	
	INFINITIVE		
Pres.	īre		īrī
Perf.	īsse (īvisse)		itum esse
Fut.	itūrus(-a, -um) esse		
	PARTICIPLE		
Pres.	iēns, (euntis)		
Perf.			———
Fut.	itūrus(-a, -um)		eundum (GERUNDIVE)

GERUND eundī, -ō, -um, -ō SUPINE itum, -ū

errō, errāre, errāvī, errātum *make a mistake, wander*

	ACTIVE		PASSIVE
	INDICATIVE		
Pres.	errō	errāmus	
	errās	errātis	
	errat	errant	errātur (Impers.)
Impf.	errābam	errābāmus	
	errābās	errābātis	
	errābat	errābant	errābātur (Impers.)
Fut.	errābō	errābimus	
	errābis	errābitis	
	errābit	errābunt	errābitur (Impers.)
Perf.	errāvī	errāvimus	
	errāvistī	errāvistis	
	errāvit	errāvērunt(-re)	errātum est (Impers.)
Plup.	errāveram	errāverāmus	
	errāverās	errāverātis	
	errāverat	errāverant	errātum erat (Impers.)
Fut. Perf.	errāverō	errāverimus	
	errāveris	errāveritis	
	errāverit	errāverint	errātum erit (Impers.)
	SUBJUNCTIVE		
Pres.	errem	errēmus	
	errēs	errētis	
	erret	errent	errētur (Impers.)
Impf.	errārem	errārēmus	
	errārēs	errārētis	
	errāret	errārent	errārētur (Impers.)
Perf.	errāverim	errāverimus	
	errāveris	errāveritis	
	errāverit	errāverint	errātum sit (Impers.)
Plup.	errāvissem	errāvissēmus	
	errāvissēs	errāvissētis	
	errāvisset	errāvissent	errātum esset (Impers.)
	IMPERATIVE		
Pres.	errā	errāte	
	INFINITIVE		
Pres.	errāre		errārī
Perf.	errāvisse		errātum esse
Fut.	errātūrus(-a, -um) esse		
	PARTICIPLE		
Pres.	errāns(-tis)		
Perf.			errātus(-a, -um)
Fut.	errātūrus(-a, -um)		errandus(-a, -um) (GERUNDIVE)

GERUND errandī, -ō, -um, -ō SUPINE errātum, -ū

exerceō, exercēre, exercuī, exercitum *train*

	ACTIVE		PASSIVE	
		INDICATIVE		
Pres.	exerceō	exercēmus	exerceor	exercēmur
	exercēs	exercētis	exercēris(-re)	exercēminī
	exercet	exercent	exercētur	exercentur
Impf.	exercēbam	exercēbāmus	exercēbar	exercēbāmur
	exercēbās	exercēbātis	exercēbāris(-re)	exercēbāminī
	exercēbat	exercēbant	exercēbātur	exercēbantur
Fut.	exercēbō	exercēbimus	exercēbor	exercēbimur
	exercēbis	exercēbitis	exercēberis(-re)	exercēbiminī
	exercēbit	exercēbunt	exercēbitur	exercēbuntur
Perf.	exercuī	exercuimus	exercitus sum	exercitī sumus
	exercuistī	exercuistis	(-a, -um) es	(-ae, -a) estis
	exercuit	exercuērunt(-re)	est	sunt
Plup.	exercueram	exercuerāmus	exercitus eram	exercitī erāmus
	exercuerās	exercuerātis	(-a, -um) erās	(-ae, -a) erātis
	exercuerat	exercuerant	erat	erant
Fut. Perf.	exercuerō	exercuerimus	exercitus erō	exercitī erimus
	exercueris	exercueritis	(-a, -um) eris	(-ae, -a) eritis
	exercuerit	exercuerint	erit	erunt
		SUBJUNCTIVE		
Pres.	exerceam	exerceāmus	exercear	exerceāmur
	exerceās	exerceātis	exerceāris(-re)	exerceāminī
	exerceat	exerceant	exerceātur	exerceantur
Impf.	exercērem	exercērēmus	exercērer	exercērēmur
	exercērēs	exercērētis	exercērēris(-re)	exercērēminī
	exercēret	exercērent	exercērētur	exercērentur
Perf.	exercuerim	exercuerimus	exercitus sim	exercitī sīmus
	exercueris	exercueritis	(-a, -um) sīs	(-ae, -a) sītis
	exercuerit	exercuerint	sit	sint
Plup.	exercuissem	exercuissēmus	exercitus essem	exercitī essēmus
	exercuissēs	exercuissētis	(-a, -um) essēs	(-ae, -a) essētis
	exercuisset	exercuissent	esset	essent
		IMPERATIVE		
Pres.	exercē	exercēte		
		INFINITIVE		
Pres.	exercēre		exercērī	
Perf.	exercuisse		exercitus(-a, -um) esse	
Fut.	exercitūrus(-a, -um) esse			
		PARTICIPLE		
Pres.	exercēns(-tis)			
Perf.			exercitus(-a, -um)	
Fut.	exercitūrus(-a, -um)		exercendus(-a, -um) (GERUNDIVE)	

GERUND exercendī, -ō, -um, -ō SUPINE exercitum, -ū

exīstimō

exīstimō, exīstimāre, exīstimāvī, exīstimātum *think*

	ACTIVE		PASSIVE	
	INDICATIVE			
Pres.	exīstimō	exīstimāmus	exīstimor	exīstimāmur
	exīstimās	exīstimātis	exīstmāris(-re)	exīstimāminī
	exīstimat	exīstimant	exīstimātur	exīstimantur
Impf.	exīstimābam	exīstimābāmus	exīstimābar	exīstimābāmur
	exīstimābās	exīstimābātis	exīstimābāris(-re)	exīstimābāminī
	exīstimābat	exīstimābant	exīstimābātur	exīstimābantur
Fut.	exīstimābō	exīstimābimus	exīstimābor	exīstimābimur
	exīstimābis	exīstimābitis	exīstimāberis(-re)	exīstimābiminī
	exīstimābit	exīstimābunt	exīstimābitur	exīstimābuntur
Perf.	exīstimāvī	exīstimāvimus	exīstimātus sum	exīstimātī sumus
	exīstimāvistī	exīstimāvistis	(-a, -um) es	(-ae, -a) estis
	exīstimāvit	exīstimāvērunt(-re)	est	sunt
Plup.	exīstimāveram	exīstimāverāmus	exīstimātus eram	exīstimātī erāmus
	exīstimāverās	exīstimāverātis	(-a, -um) erās	(-ae, -a) erātis
	exīstimāverat	exīstimāverant	erat	erant
Fut. Perf.	exīstimāverō	exīstimāverimus	exīstimātus erō	exīstimātī erimus
	exīstimāveris	exīstimāveritis	(-a, -um) eris	(-ae, -a) eritis
	exīstimāverit	exīstimāverint	erit	erunt
	SUBJUNCTIVE			
Pres.	exīstimem	exīstimēmus	exīstimer	exīstimēmur
	exīstimēs	exīstimētis	exīstimēris(-re)	exīstimēminī
	exīstimet	exīstiment	exīstimētur	exīstimentur
Impf.	exīstimārem	exīstimārēmus	exīstimārer	exīstimārēmur
	exīstimārēs	exīstimārētis	exīstimārēris(-re)	exīstimārēminī
	exīstimāret	exīstimārent	exīstimārētur	exīstimārentur
Perf.	exīstimāverim	exīstimāverimus	exīstimātus sim	exīstimātī sīmus
	exīstimāveris	exīstimāveritis	(-a, -um) sīs	(-ae, -a) sītis
	exīstimāverit	exīstimāverint	sit	sint
Plup.	exīstimāvissem	exīstimāvissēmus	exīstimātus essem	exīstimātī essēmus
	exīstimāvissēs	exīstimāvissētis	(-a, -um) essēs	(-ae, -a) essētis
	exīstimāvisset	exīstimāvissent	esset	essent
	IMPERATIVE			
Pres.	exīstimā	exīstimāte		
	INFINITIVE			
Pres.	exīstimāre		exīstimārī	
Perf.	exīstimāvisse		exīstimātus(-a, -um) esse	
Fut.	exīstimātūrus(-a, -um) esse			
	PARTICIPLE			
Pres.	exīstimāns(-tis)			
Perf.			exīstimātus(-a, -um)	
Fut.	exīstimātūrus(-a, -um)		exīstimandus(-a, -um) (GERUNDIVE)	

GERUND exīstimandī, -ō, -um, -ō SUPINE exīstimātum, -ū

expellō, expellere, expulī, expulsum *drive out*

	ACTIVE		PASSIVE	
		INDICATIVE		
Pres.	expellō	expellimus	expellor	expellimur
	expellis	expellitis	expelleris(-re)	expelliminī
	expellit	expellunt	expellitur	expelluntur
Impf.	expellēbam	expellēbāmus	expellēbar	expellēbāmur
	expellēbās	expellēbātis	expellēbāris(-re)	expellēbāminī
	expellēbat	expellēbant	expellēbātur	expellēbantur
Fut.	expellam	expellēmus	expellar	expellēmur
	expellēs	expellētis	expellēris(-re)	expellēminī
	expellet	expellent	expellētur	expellentur
Perf.	expulī	expulimus	expulsus sum	expulsī sumus
	expulistī	expulistis	(-a, -um) es	(-ae, -a) estis
	expulit	expulērunt(-re)	est	sunt
Plup.	expuleram	expulerāmus	expulsus eram	expulsī erāmus
	expulerās	expulerātis	(-a, -um) erās	(-ae, -a) erātis
	expulerat	expulerant	erat	erant
Fut. Perf.	expulerō	expulerimus	expulsus erō	expulsī erimus
	expuleris	expuleritis	(-a, -um) eris	(-ae, -a) eritis
	expulerit	expulerint	erit	erunt
		SUBJUNCTIVE		
Pres.	expellam	expellāmus	expellar	expellāmur
	expellās	expellātis	expellāris(-re)	expellāminī
	expellat	expellant	expellātur	expellantur
Impf.	expellerem	expellerēmus	expellerer	expellerēmur
	expellerēs	expellerētis	expellerēris(-re)	expellerēminī
	expelleret	expellerent	expellerētur	expellerentur
Perf.	expulerim	expulerimus	expulsus sim	expulsī sīmus
	expuleris	expuleritis	(-a, -um) sīs	(-ae, -a) sītis
	expulerit	expulerint	sit	sint
Plup.	expulissem	expulissēmus	expulsus essem	expulsī essēmus
	expulissēs	expulissētis	(-a, -um) essēs	(-ae, -a) essētis
	expulisset	expulissent	esset	essent
		IMPERATIVE		
Pres.	expelle	expellite		
		INFINITIVE		
Pres.	expellere		expellī	
Perf.	expulisse		expulsus(-a, -um) esse	
Fut.	expulsūrus(-a, -um) esse			
		PARTICIPLE		
Pres.	expellēns(-tis)			
Perf.			expulsus(-a, -um)	
Fut.	expulsūrus(-a, -um)		expellendus(-a, -um) (GERUNDIVE)	

GERUND expellendī, -ō, -um, -ō SUPINE expulsum, -ū

exstinguō, exstinguere, exstinxī, exstinctum *extinguish, quench*

	ACTIVE		PASSIVE	
	INDICATIVE			
Pres.	exstinguō	exstinguimus	exstinguor	exstinguimur
	exstinguis	exstinguitis	exstingueris(-re)	exstinguiminī
	exstinguit	exstinguunt	exstinguitur	exstinguuntur
Impf.	exstinguēbam	exstinguēbāmus	exstinguēbar	exstinguēbāmur
	exstinguēbās	exstinguēbātis	exstinguēbāris(-re)	exstinguēbāminī
	exstinguēbat	exstinguēbant	exstinguēbātur	exstinguēbantur
Fut.	exstinguam	exstinguēmus	exstinguar	exstinguēmur
	exstinguēs	exstinguētis	exstinguēris(-re)	exstinguēminī
	exstinguet	exstinguent	exstinguētur	exstinguentur
Perf.	exstinxī	exstinximus	exstinctus sum	exstinctī sumus
	exstinxistī	exstinxistis	(-a, -um) es	(-ae, -a) estis
	exstinxit	exstinxērunt(-re)	est	sunt
Plup.	exstinxeram	exstinxerāmus	exstinctus eram	exstinctī erāmus
	exstinxerās	exstinxerātis	(-a, -um) erās	(-ae, -a) erātis
	exstinxerat	exstinxerant	erat	erant
Fut. Perf.	exstinxerō	exstinxerimus	exstinctus erō	exstinctī erimus
	exstinxeris	exstinxeritis	(-a, -um) eris	(-ae, -a) eritis
	exstinxerit	exstinxerint	erit	erunt
	SUBJUNCTIVE			
Pres.	exstinguam	exstinguāmus	exstinguar	exstinguāmur
	exstinguās	exstinguātis	exstinguāris(-re)	exstinguāminī
	exstinguat	exstinguant	exstinguātur	exstinguantur
Impf.	exstinguerem	exstinguerēmus	exstinguerer	exstinguerēmur
	exstinguerēs	exstinguerētis	exstinguerēris(-re)	exstinguerēminī
	exstingueret	exstinguerent	exstinguerētur	exstinguerentur
Perf.	exstinxerim	exstinxerimus	exstinctus sim	exstinctī sīmus
	exstinxeris	exstinxeritis	(-a, -um) sīs	(-ae, -a) sītis
	exstinxerit	exstinxerint	sit	sint
Plup.	exstinxissem	exstinxissēmus	exstinctus essem	exstinctī essēmus
	exstinxissēs	exstinxissētis	(-a, -um) essēs	(-ae, -a) essētis
	exstinxisset	exstinxissent	esset	essent
	IMPERATIVE			
Pres.	exstingue	exstinguite		
	INFINITIVE			
Pres.	exstinguere		exstinguī	
Perf.	exstinxisse		exstinctus(-a, -um) esse	
Fut.	exstinctūrus(-a, -um) esse			
	PARTICIPLE			
Pres.	exstinguēns(-tis)			
Perf.			exstinctus(-a, -um)	
Fut.	exstinctūrus(-a, -um)		exstinguendus(-a, -um) (GERUNDIVE)	

GERUND exstinguendī, -ō, -um, -ō SUPINE exstinctum, -ū

faciō, facere, fēcī, factum *do, make*

	ACTIVE		PASSIVE			
			INDICATIVE			
Pres.	faciō	facimus	fiō		fīmus	
	facis	facitis	fīs		fītis	
	facit	faciunt	fit		fīunt	
Impf.	faciēbam	faciēbāmus	fīēbam		fīēbāmus	
	faciēbās	faciēbātis	fīēbās		fīēbātis	
	faciēbat	faciēbant	fīēbat		fīēbant	
Fut.	faciam	faciēmus	fīam		fīēmus	
	faciēs	faciētis	fīēs		fīētis	
	faciet	facient	fīet		fient	
Perf.	fēcī	fēcimus	factus	sum	factī	sumus
	fēcistī	fēcistis	(-a, -um)	es	(-ae, -a)	estis
	fēcit	fēcērunt(-re)		est		sunt
Plup.	fēceram	fēcerāmus	factus	eram	factī	erāmus
	fēcerās	fēcerātis	(-a, -um)	erās	(-ae, -a)	erātis
	fēcerat	fēcerant		erat		erant
Fut. Perf.	fēcerō	fēcerimus	factus	erō	factī	erimus
	fēceris	fēceritis	(-a, -um)	eris	(-ae, -a)	eritis
	fēcerit	fēcerint		erit		erunt
			SUBJUNCTIVE			
Pres.	faciam	faciāmus	fīam		fīāmus	
	faciās	faciātis	fīās		fīātis	
	faciat	faciant	fīat		fīant	
Impf.	facerem	facerēmus	fierem		fierēmus	
	facerēs	facerētis	fierēs		fierētis	
	faceret	facerent	fieret		fierent	
Perf.	fēcerim	fēcerimus	factus	sim	factī	sīmus
	fēceris	fēceritis	(-a, -um)	sīs	(-ae, -a)	sītis
	fēcerit	fēcerint		sit		sint
Plup.	fēcissem	fēcissēmus	factus	essem	factī	essēmus
	fēcissēs	fēcissētis	(-a, -um)	essēs	(-ae, -a)	essētis
	fēcisset	fēcissent		esset		essent
			IMPERATIVE			
Pres.	fac	facite				
			INFINITIVE			
Pres.	facere		fierī			
Perf.	fēcisse		factus(-a, -um) esse			
Fut.	factūrus(-a, -um) esse					
			PARTICIPLE			
Pres.	faciēns(-tis)					
Perf.			factus(-a, -um)			
Fut.	factūrus(-a, -um)		faciendus(-a, -um) (GERUNDIVE)			

GERUND faciendī, -ō, -um, -ō SUPINE factum, -ū

fallō, fallere, fefellī, falsum *deceive, fail*

INDICATIVE

	ACTIVE		PASSIVE			
Pres.	fallō	fallimus	fallor		fallimur	
	fallis	fallitis	falleris(-re)		falliminī	
	fallit	fallunt	fallitur		falluntur	
Impf.	fallēbam	fallēbāmus	fallēbar		fallēbāmur	
	fallēbās	fallēbātis	fallēbāris(-re)		fallēbāminī	
	fallēbat	fallēbant	fallēbātur		fallēbantur	
Fut.	fallam	fallēmus	fallar		fallēmur	
	fallēs	fallētis	fallēris(-re)		fallēminī	
	fallet	fallent	fallētur		fallentur	
Perf.	fefellī	fefellimus	falsus	sum	falsī	sumus
	fefellistī	fefellistis	(-a, -um)	es	(-ae, -a)	estis
	fefellit	fefellērunt(-re)		est		sunt
Plup.	fefelleram	fefellerāmus	falsus	eram	falsī	erāmus
	fefellerās	fefellerātis	(-a, -um)	erās	(-ae, -a)	erātis
	fefellerat	fefellerant		erat		erant
Fut. Perf.	fefellerō	fefellerimus	falsus	erō	falsī	erimus
	fefelleris	fefelleritis	(-a, -um)	eris	(-ae, -a)	eritis
	fefellerit	fefellerint		erit		erunt

SUBJUNCTIVE

	ACTIVE		PASSIVE			
Pres.	fallam	fallāmus	fallar		fallāmur	
	fallās	fallātis	fallāris(-re)		fallāminī	
	fallat	fallant	fallātur		fallantur	
Impf.	fallerem	fallerēmus	fallerer		fallerēmur	
	fallerēs	fallerētis	fallerēris(-re)		fallerēminī	
	falleret	fallerent	fallerētur		fallerentur	
Perf.	fefellerim	fefellerimus	falsus	sim	falsī	sīmus
	fefelleris	fefelleritis	(-a, -um)	sīs	(-ae, -a)	sītis
	fefellerit	fefellerint		sit		sint
Plup.	fefellissem	fefellissēmus	falsus	essem	falsī	essēmus
	fefellissēs	fefellissētis	(-a, -um)	essēs	(-ae, -a)	essētis
	fefellisset	fefellissent		esset		essent

IMPERATIVE

	ACTIVE	
Pres.	falle	fallite

INFINITIVE

	ACTIVE	PASSIVE
Pres.	fallere	fallī
Perf.	fefellisse	falsus(-a, -um) esse
Fut.	falsūrus(-a, -um) esse	

PARTICIPLE

	ACTIVE	PASSIVE
Pres.	fallēns(-tis)	
Perf.		falsus(-a, -um)
Fut.	falsūrus(-a, -um)	fallendus(-a, -um) (GERUNDIVE)

GERUND fallendī, -ō, -um, -ō SUPINE falsum, -ū

fateor, fatērī, fassus sum *admit, confess*

ACTIVE

INDICATIVE

Pres.	fateor		fatēmur	
	fatēris(-re)		fatēminī	
	fatētur		fatentur	
Impf.	fatēbar		fatēbāmur	
	fatēbāris(-re)		fatēbāminī	
	fatēbātur		fatēbantur	
Fut.	fatēbor		fatēbimur	
	fatēberis(-re)		fatēbiminī	
	fatēbitur		fatēbuntur	
Perf.	fassus	sum	fassī	sumus
	(-a, -um)	es	(-ae, -a)	estis
		est		sunt
Plup.	fassus	eram	fassī	erāmus
	(-a, -um)	erās	(-ae, -a)	erātis
		erat		erant
Fut.	fassus	erō	fassī	erimus
Perf.	(-a, -um)	eris	(-ae, -a)	eritis
		erit		erunt

SUBJUNCTIVE

Pres.	fatear		fateāmur	
	fateāris(-re)		fateāminī	
	fateātur		fateantur	
Impf.	fatērer		fatērēmur	
	fatērēris(-re)		fatērēminī	
	fatērētur		fatērentur	
Perf.	fassus	sim	fassī	sīmus
	(-a, -um)	sīs	(-ae, -a)	sītis
		sit		sint
Plup.	fassus	essem	fassī	essēmus
	(-a, -um)	essēs	(-ae, -a)	essētis
		esset		essent

IMPERATIVE

Pres. fatēre fatēminī

INFINITIVE

Pres. fatērī
Perf. fassus(-a, -um) esse
Fut. fassūrus(-a, -um) esse

PARTICIPLE

	Active	Passive
Pres.	fatēns(-tis)	
Perf.	fassus(-a, -um)	
Fut.	fassūrus(-a, -um)	fatendus(-a, -um) (GERUNDIVE)

GERUND fatendī, -ō, -um, -ō SUPINE fassum, -ū

faveō, favēre, fāvī, fotūrus *favor*

ACTIVE

INDICATIVE

Pres.	faveō	favēmus
	favēs	favētis
	favet	favent
Impf.	favēbam	favēbāmus
	favēbās	favēbātis
	favēbat	favēbant
Fut.	favēbō	favēbimus
	favēbis	favēbitis
	favēbit	favēbunt
Perf.	fāvī	fāvimus
	fāvistī	fāvistis
	fāvit	fāvērunt(-re)
Plup.	fāveram	fāverāmus
	fāverās	fāverātis
	fāverat	fāverant
Fut. Perf.	fāverō	fāverimus
	fāveris	fāveritis
	fāverit	fāverint

SUBJUNCTIVE

Pres.	faveam	faveāmus
	faveās	faveātis
	faveat	faveant
Impf.	favērem	favērēmus
	favērēs	favērētis
	favēret	favērent
Perf.	fāverim	fāverimus
	fāveris	fāveritis
	fāverit	fāverint
Plup.	fāvissem	fāvissēmus
	fāvissēs	fāvissētis
	fāvisset	fāvissent

IMPERATIVE

Pres.	favē	favēte

INFINITIVE

Pres.	favēre
Perf.	fāvisse
Fut.	fotūrus(-a, -um) esse

PARTICIPLE

	Active	Passive
Pres.	favēns(-tis)	
Perf.	———	
Fut.	fotūrus(-a, -um)	favendus(-a, -um) (GERUNDIVE)

GERUND favendī, -ō, -um, -ō SUPINE ———

ferō, ferre, tulī, lātum *bear, bring, carry*

	ACTIVE		PASSIVE			
			INDICATIVE			
Pres.	ferō	ferimus	feror		ferimur	
	fers	fertis	ferris(-re)		feriminī	
	fert	ferunt	fertur		feruntur	
Impf.	ferēbam	ferēbāmus	ferēbar		ferēbāmur	
	ferēbās	ferēbātis	ferēbāris(-re)		ferēbāminī	
	ferēbat	ferēbant	ferēbātur		ferēbantur	
Fut.	feram	ferēmus	ferar		ferēmur	
	ferēs	ferētis	ferēris(-re)		ferēminī	
	feret	ferent	ferētur		ferentur	
Perf.	tulī	tulimus	lātus	sum	lātī	sumus
	tulistī	tulistis	(-a, -um)	es	(-ae, -a)	estis
	tulit	tulērunt(-re)		est		sunt
Plup.	tuleram	tulerāmus	lātus	eram	lātī	erāmus
	tulerās	tulerātis	(-a, -um)	erās	(-ae, -a)	erātis
	tulerat	tulerant		erat		erant
Fut. Perf.	tulerō	tulerimus	lātus	erō	lātī	erimus
	tuleris	tuleritis	(-a, -um)	eris	(-ae, -a)	eritis
	tulerit	tulerint		erit		erunt
			SUBJUNCTIVE			
Pres.	feram	ferāmus	ferar		ferāmur	
	ferās	ferātis	ferāris(-re)		ferāminī	
	ferat	ferant	ferātur		ferantur	
Impf.	ferrem	ferrēmus	ferrer		ferrēmur	
	ferrēs	ferrētis	ferrēris(-re)		ferrēminī	
	ferret	ferrent	ferrētur		ferrentur	
Perf.	tulerim	tulerimus	lātus	sim	lātī	sīmus
	tuleris	tuleritis	(-a, -um)	sīs	(-ae, -a)	sītis
	tulerit	tulerint		sit		sint
Plup.	tulissem	tulissēmus	lātus	essem	lātī	essēmus
	tulissēs	tulissētis	(-a, -um)	essēs	(-ae, -a)	essētis
	tulisset	tulissent		esset		essent
			IMPERATIVE			
Pres.	fer	ferte				
			INFINITIVE			
Pres.	ferre		ferrī			
Perf.	tulisse		lātus(-a, -um) esse			
Fut.	lātūrus(-a, -um) esse					
			PARTICIPLE			
Pres.	ferēns(-tis)					
Perf.			lātus(-a, -um)			
Fut.	lātūrus(-a, -um)		ferendus(-a, -um) (GERUNDIVE)			

GERUND ferendī, -ō, -um, -ō SUPINE lātum, -ū

for, fārī, fātus sum *speak*

ACTIVE

INDICATIVE

Pres.	———		———	
	———		———	
	fātur		fantur	
Impf.				
Fut.	fābor			
	———			
	fābitur			
Perf.	fātus	sum	fātī	sumus
	(-a, -um)	es	(-ae, -a)	estis
		est		sunt
Plup.	fātus	eram	fātī	erāmus
	(-a, -um)	erās	(-ae, -a)	erātis
		erat		erant
Fut. Perf.	fātus	erō	fātī	erimus
	(-a, -um)	eris	(-ae, -a)	eritis
		erit		erunt

IMPERATIVE

Pres. fāre

INFINITIVE

Pres. fārī
Perf. fātus(-a, -um) esse
Fut. fātūrus(-a, -um) esse

Active	PARTICIPLE	Passive
Pres. fāns(-tis)		
Perf. fātus(-a, -um)		
Fut. fātūrus(-a, -um)		fandus(-a, -um) (GERUNDIVE)

GERUND fandī, -ō, -um, -ō SUPINE fātum, -ū

frangō, frangere, frēgī, frāctum *break in pieces, shatter*

	ACTIVE		PASSIVE	
	INDICATIVE			
Pres.	frangō	frangimus	frangor	frangimur
	frangis	frangitis	frangeris(-re)	frangiminī
	frangit	frangunt	frangitur	franguntur
Impf.	frangēbam	frangēbāmus	frangēbar	frangēbāmur
	frangēbās	frangēbātis	frangēbāris(-re)	frangēbāminī
	frangēbat	frangēbant	frangēbātur	frangēbantur
Fut.	frangam	frangēmus	frangar	frangēmur
	frangēs	frangētis	frangēris(-re)	frangēminī
	franget	frangent	frangētur	frangentur
Perf.	frēgī	frēgimus	frāctus sum	frāctī sumus
	frēgistī	frēgistis	(-a, -um) es	(-ae, -a) estis
	frēgit	frēgērunt(-re)	est	sunt
Plup.	frēgeram	frēgerāmus	frāctus eram	frāctī erāmus
	frēgerās	frēgerātis	(-a, -um) erās	(-ae, -a) erātis
	frēgerat	frēgerant	erat	erant
Fut. Perf.	frēgerō	frēgerimus	frāctus erō	frāctī erimus
	frēgeris	frēgeritis	(-a, -um) eris	(-ae, -a) eritis
	frēgerit	frēgerint	erit	erunt
	SUBJUNCTIVE			
Pres.	frangam	frangāmus	frangar	frangāmur
	frangās	frangātis	frangāris(-re)	frangāminī
	frangat	frangant	frangātur	frangantur
Impf.	frangerem	frangerēmus	frangerer	frangerēmur
	frangerēs	frangerētis	frangerēris(-re)	frangerēminī
	frangeret	frangerent	frangerētur	frangerentur
Perf.	frēgerim	frēgerimus	frāctus sim	frāctī sīmus
	frēgeris	frēgeritis	(-a, -um) sīs	(-ae, -a) sītis
	frēgerit	frēgerint	sit	sint
Plup.	frēgissem	frēgissēmus	frāctus essem	frāctī essēmus
	frēgissēs	frēgissētis	(-a, -um) essēs	(-ae, -a) essētis
	frēgisset	frēgissent	esset	essent
	IMPERATIVE			
Pres.	frange	frangite		
	INFINITIVE			
Pres.	frangere		frangī	
Perf.	frēgisse		frāctus(-a, -um) esse	
Fut.	frāctūrus(-a, -um) esse			

PARTICIPLE

	Active	Passive
Pres.	frangēns(-tis)	
Perf.		frāctus(-a, -um)
Fut.	frāctūrus(-a, -um)	frangendus(-a, -um) (GERUNDIVE)

GERUND frangendī, -ō, -um, -ō SUPINE frāctum, -ū

fruor, fruī, frūctus sum *enjoy*

ACTIVE

INDICATIVE

Pres.	fruor		fruimur	
	frueris(-re)		fruiminī	
	fruitur		fruuntur	
Impf.	fruēbar		fruēbāmur	
	fruēbāris(-re)		fruēbāminī	
	fruēbātur		fruēbantur	
Fut.	fruar		fruēmur	
	fruēris(-re)		fruēminī	
	fruētur		fruentur	
Perf.	frūctus	sum	frūctī	sumus
	(-a, -um)	es	(-ae, -a)	estis
		est		sunt
Plup.	frūctus	eram	frūctī	erāmus
	(-a, -um)	erās	(-ae, -a)	erātis
		erat		erant
Fut. Perf.	frūctus	erō	frūctī	erimus
	(-a, -um)	eris	(-ae, -a)	eritis
		erit		erunt

SUBJUNCTIVE

Pres.	fruar		fruāmur	
	fruāris(-re)		fruāminī	
	fruātur		fruantur	
Impf.	fruerer		fruerēmur	
	fruerēris(-re)		fruerēminī	
	fruerētur		fruerentur	
Perf.	frūctus	sim	frūctī	sīmus
	(-a, -um)	sīs	(-ae, -a)	sītis
		sit		sint
Plup.	frūctus	essem	frūctī	essēmus
	(-a, -um)	essēs	(-ae, -a)	essētis
		esset		essent

IMPERATIVE

Pres.	fruere	fruiminī

INFINITIVE

Pres.	fruī
Perf.	frūctus(-a, -um) esse
Fut.	frūctūrus(-a, -um) esse

PARTICIPLE

	Active	Passive
Pres.	fruēns(-tis)	
Perf.	frūctus(-a, -um)	
Fut.	frūctūrus(-a, -um)	fruendus(-a, -um) (GERUNDIVE)

GERUND fruendī, -ō, -um, -ō SUPINE frūctum, -ū

fugiō, fugere, fūgī, fugitūrus *flee*

ACTIVE

INDICATIVE

Pres.	fugiō	fugimus
	fugis	fugitis
	fugit	fugiunt
Impf.	fugiēbam	fugiēbāmus
	fugiēbās	fugiēbātis
	fugiēbat	fugiēbant
Fut.	fugiam	fugiēmus
	fugiēs	fugiētis
	fugiet	fugient
Perf.	fūgī	fūgimus
	fūgistī	fūgistis
	fūgit	fūgērunt(-re)
Plup.	fūgeram	fūgerāmus
	fūgerās	fūgerātis
	fūgerat	fūgerant
Fut. Perf.	fūgerō	fūgerimus
	fūgeris	fūgeritis
	fūgerit	fūgerint

SUBJUNCTIVE

Pres.	fugiam	fugiāmus
	fugiās	fugiātis
	fugiat	fugiant
Impf.	fugerem	fugerēmus
	fugerēs	fugerētis
	fugeret	fugerent
Perf.	fūgerim	fūgerimus
	fūgeris	fūgeritis
	fūgerit	fūgerint
Plup.	fūgissem	fūgissēmus
	fūgissēs	fūgissētis
	fūgisset	fūgissent

IMPERATIVE

Pres.	fuge	fugite

INFINITIVE

Pres.	fugere
Perf.	fūgisse
Fut.	fugitūrus(-a, -um) esse

PARTICIPLE

	Active	Passive
Pres.	fugiēns(-tis)	
Perf.	———	
Fut.	fugitūrus(-a, -um)	fugiendus(-a, -um) (GERUNDIVE)

GERUND fugiendī, -ō, -um, -ō SUPINE ———

gaudeō, gaudēre, gāvīsus sum *rejoice*

ACTIVE

INDICATIVE

Pres.	gaudeō		gaudēmus	
	gaudēs		gaudētis	
	gaudet		gaudent	
Impf.	gaudēbam		gaudēbāmus	
	gaudēbās		gaudēbātis	
	gaudēbat		gaudēbant	
Fut.	gaudēbō		gaudēbimus	
	gaudēbis		gaudēbitis	
	gaudēbit		gaudēbunt	
Perf.	gāvīsus	sum	gāvīsī	sumus
	(-a, -um)	es	(-ae, -a)	estis
		est		sunt
Plup.	gāvīsus	eram	gāvīsī	erāmus
	(-a, -um)	erās	(-ae, -a)	erātis
		erat		erant
Fut. Perf.	gāvīsus	erō	gāvīsī	erimus
	(-a, -um)	eris	(-ae, -a)	eritis
		erit		erunt

SUBJUNCTIVE

Pres.	gaudeam		gaudeāmus	
	gaudeās		gaudeātis	
	gaudeat		gaudeant	
Impf.	gaudērem		gaudērēmus	
	gaudērēs		gaudērētis	
	gaudēret		gaudērent	
Perf.	gāvīsus	sim	gāvīsī	sīmus
	(-a, -um)	sīs	(-ae, -a)	sītis
		sit		sint
Plup.	gāvīsus	essem	gāvīsī	essēmus
	(-a, -um)	essēs	(-ae, -a)	essētis
		esset		essent

IMPERATIVE

Pres.	gaudē	gaudēte

INFINITIVE

Pres. gaudēre
Perf. gāvīsus(-a, -um) esse
Fut. gāvīsūrus(-a, -um) esse

PARTICIPLE

Pres. gaudēns(-tis)
Perf. gāvīsus(-a, -um)
Fut. gāvīsūrus(-a, -um)

GERUND gaudendī, -ō, -um, -ō SUPINE ———

gerō, gerere, gessī, gestum *wear, carry on (war), wage (war)*

	ACTIVE		PASSIVE			
			INDICATIVE			
Pres.	gerō	gerimus	geror		gerimur	
	geris	geritis	gereris(-re)		geriminī	
	gerit	gerunt	geritur		geruntur	
Impf.	gerēbam	gerēbāmus	gerēbar		gerēbāmur	
	gerēbās	gerēbātis	gerēbāris(-re)		gerēbāminī	
	gerēbat	gerēbant	gerēbātur		gerēbantur	
Fut.	geram	gerēmus	gerar		gerēmur	
	gerēs	gerētis	gerēris(-re)		gerēminī	
	geret	gerent	gerētur		gerentur	
Perf.	gessī	gessimus	gestus	sum	gestī	sumus
	gessistī	gessistis	(-a, -um)	es	(-ae, -a)	estis
	gessit	gessērunt(-re)		est		sunt
Plup.	gesseram	gesserāmus	gestus	eram	gestī	erāmus
	gesserās	gesserātis	(-a, -um)	erās	(-ae, -a)	erātis
	gesserat	gesserant		erat		erant
Fut. Perf.	gesserō	gesserimus	gestus	erō	gestī	erimus
	gesseris	gesseritis	(-a, -um)	eris	(-ae, -a)	eritis
	gesserit	gesserint		erit		erunt
			SUBJUNCTIVE			
Pres.	geram	gerāmus	gerar		gerāmur	
	gerās	gerātis	gerāris(-re)		gerāminī	
	gerat	gerant	gerātur		gerantur	
Impf.	gererem	gererēmus	gererer		gererēmur	
	gererēs	gererētis	gererēris(-re)		gererēminī	
	gereret	gererent	gererētur		gererentur	
Perf.	gesserim	gesserimus	gestus	sim	gestī	sīmus
	gesseris	gesseritis	(-a, -um)	sīs	(-ae, -a)	sītis
	gesserit	gesserint		sit		sint
Plup.	gessissem	gessissēmus	gestus	essem	gestī	essēmus
	gessissēs	gessissētis	(-a, -um)	essēs	(-ae, -a)	essētis
	gessisset	gessissent		esset		essent
			IMPERATIVE			
Pres.	gere	gerite				
			INFINITIVE			
Pres.	gerere		gerī			
Perf.	gessisse		gestus(-a, -um) esse			
Fut.	gestūrus(-a, -um) esse					
			PARTICIPLE			
Pres.	gerēns(-tis)					
Perf.			gestus(-a, -um)			
Fut.	gestūrus(-a, -um)		gerendus(-a, -um) (GERUNDIVE)			

GERUND gerendī, -ō, -um, -ō SUPINE gestum, -ū

habeō, habēre, habuī, habitum *have*

	ACTIVE		PASSIVE	
		INDICATIVE		
Pres.	habeō	habēmus	habeor	habēmur
	habēs	habētis	habēris(-re)	habēminī
	habet	habent	habētur	habentur
Impf.	habēbam	habēbāmus	habēbar	habēbāmur
	habēbās	habēbātis	habēbāris(-re)	habēbāminī
	habēbat	habēbant	habēbātur	habēbantur
Fut.	habēbō	habēbimus	habēbor	habēbimur
	habēbis	habēbitis	habēberis(-re)	habēbiminī
	habēbit	habēbunt	habēbitur	habēbuntur
Perf.	habuī	habuimus	habitus sum	habitī sumus
	habuistī	habuistis	(-a, -um) es	(-ae, -a) estis
	habuit	habuērunt(-re)	est	sunt
Plup.	habueram	habuerāmus	habitus eram	habitī erāmus
	habuerās	habuerātis	(-a, -um) erās	(-ae, -a) erātis
	habuerat	habuerant	erat	erant
Fut. Perf.	habuerō	habuerimus	habitus erō	habitī erimus
	habueris	habueritis	(-a, -um) eris	(-ae, -a) eritis
	habuerit	habuerint	erit	erunt
		SUBJUNCTIVE		
Pres.	habeam	habeāmus	habear	habeāmur
	habeās	habeātis	habeāris(-re)	habeāminī
	habeat	habeant	habeātur	habeantur
Impf.	habērem	habērēmus	habērer	habērēmur
	habērēs	habērētis	habērēris(-re)	habērēminī
	habēret	habērent	habērētur	habērentur
Perf.	habuerim	habuerimus	habitus sim	habitī sīmus
	habueris	habueritis	(-a, -um) sīs	(-ae, -a) sītis
	habuerit	habuerint	sit	sint
Plup.	habuissem	habuissēmus	habitus essem	habitī essēmus
	habuissēs	habuissētis	(-a, -um) essēs	(-ae, -a) essētis
	habuisset	habuissent	esset	essent
		IMPERATIVE		
Pres.	habē	habēte		
		INFINITIVE		
Pres.	habēre		habērī	
Perf.	habuisse		habitus(-a, -um) esse	
Fut.	habitūrus(-a, -um) esse			
		PARTICIPLE		
Pres.	habēns(-tis)			
Perf.			habitus(-a, -um)	
Fut.	habitūrus(-a, -um)		habendus(-a, -um) (GERUNDIVE)	

GERUND habendī, -ō, -um, -ō SUPINE habitum, -ū

haereō, haerēre, haesī, haesūrus *cling, stick*

ACTIVE

INDICATIVE

Pres.	haereō	haerēmus
	haerēs	haerētis
	haeret	haerent
Impf.	haerēbam	haerēbāmus
	haerēbās	haerēbātis
	haerēbat	haerēbant
Fut.	haerēbō	haerēbimus
	haerēbis	haerēbitis
	haerēbit	haerēbunt
Perf.	haesī	haesimus
	haesistī	haesistis
	haesit	haesērunt(-re)
Plup.	haeseram	haeserāmus
	haeserās	haeserātis
	haeserat	haeserant
Fut. Perf.	haeserō	haeserimus
	haeseris	haeseritis
	haeserit	haeserint

SUBJUNCTIVE

Pres.	haeream	haereāmus
	haereās	haereātis
	haereat	haereant
Impf.	haerērem	haerērēmus
	haerērēs	haerērētis
	haerēret	haerērent
Perf.	haeserim	haeserimus
	haeseris	haeseritis
	haeserit	haeserint
Plup.	haesissem	haesissēmus
	haesissēs	haesissētis
	haesisset	haesissent

IMPERATIVE

Pres.	haere	haerēte

INFINITIVE

Pres.	haerēre
Perf.	haesisse
Fut.	haesūrus(-a, -um) esse

PARTICIPLE

	Active	Passive
Pres.	haerēns(-tis)	
Perf.	———	
Fut.	haesūrus(-a, -um)	haerendus(-a, -um) (GERUNDIVE)

GERUND haerendī, -ō, -um, -ō SUPINE ———

hortor, hortārī, hortātus sum *urge*

ACTIVE

INDICATIVE

Pres.	hortor	hortāmur
	hortāris(-re)	hortāminī
	hortātur	hortantur
Impf.	hortābar	hortābāmur
	hortābāris(-re)	hortābāminī
	hortābātur	hortābantur
Fut.	hortābor	hortābimur
	hortāberis(-re)	hortābiminī
	hortābitur	hortābuntur
Perf.	hortātus sum	hortātī sumus
	(-a, -um) es	(-ae, -a) estis
	est	sunt
Plup.	hortātus eram	hortātī erāmus
	(-a, -um) erās	(-ae, -a) erātis
	erat	erant
Fut. Perf.	hortātus erō	hortātī erimus
	(-a, -um) eris	(-ae, -a) eritis
	erit	erunt

SUBJUNCTIVE

Pres.	horter	hortēmur
	hortēris(-re)	hortēminī
	hortētur	hortentur
Impf.	hortārer	hortārēmur
	hortārēris(-re)	hortārēminī
	hortārētur	hortārentur
Perf.	hortātus sim	hortātī sīmus
	(-a, -um) sīs	(-ae, -a) sītis
	sit	sint
Plup.	hortātus essem	hortātī essēmus
	(-a, -um) essēs	(-ae, -a) essētis
	esset	essent

IMPERATIVE

Pres.	hortāre	hortāminī

INFINITIVE

Pres.	hortārī
Perf.	hortātus(-a, -um) esse
Fut.	hortātūrus(-a, -um) esse

PARTICIPLE

	Active	**Passive**
Pres.	hortāns(-tis)	
Perf.	hortātus(-a, -um)	
Fut.	hortātūrus(-a, -um)	hortandus(-a, -um) (GERUNDIVE)

GERUND hortandī, -ō, -um, -ō SUPINE hortātum, -ū

iaceō, iacēre, iacuī *lie (on the ground)*

ACTIVE

INDICATIVE

Pres.	iaceō	iacēmus
	iacēs	iacētis
	iacet	iacent
Impf.	iacēbam	iacēbāmus
	iacēbās	iacēbātis
	iacēbat	iacēbant
Fut.	iacēbō	iacēbimus
	iacēbis	iacēbitis
	iacēbit	iacēbunt
Perf.	iacuī	iacuimus
	iacuistī	iacuistis
	iacuit	iacuērunt(-re)
Plup.	iacueram	iacuerāmus
	iacuerās	iacuerātis
	iacuerat	iacuerant
Fut.	iacuerō	iacuerimus
Perf.	iacueris	iacueritis
	iacuerit	iacuerint

SUBJUNCTIVE

Pres.	iaceam	iaceāmus
	iaceās	iaceātis
	iaceat	iaceant
Impf.	iacērem	iacērēmus
	iacērēs	iacērētis
	iacēret	iacērent
Perf.	iacuerim	iacuerimus
	iacueris	iacueritis
	iacuerit	iacuerint
Plup.	iacuissem	iacuissēmus
	iacuissēs	iacuissētis
	iacuisset	iacuissent

IMPERATIVE

Pres.	iacē	iacēte

INFINITIVE

Pres.	iacēre
Perf.	iacuisse
Fut.	———

PARTICIPLE

Pres.	iacēns(-tis)
Perf.	———
Fut.	———

GERUND iacendī, -ō, -um, -ō SUPINE ———

iaciō, iacere, iēcī, iactum *throw*

	ACTIVE		PASSIVE			
	INDICATIVE					
Pres.	iaciō	iacimus	iacior		iacimur	
	iacis	iacitis	iaceris(-re)		iaciminī	
	iacit	iaciunt	iacitur		iaciuntur	
Impf.	iaciēbam	iaciēbāmus	iaciēbar		iaciēbāmur	
	iaciēbās	iaciēbātis	iaciēbāris(-re)		iaciēbāminī	
	iaciēbat	iaciēbant	iaciēbātur		iaciēbantur	
Fut.	iaciam	iaciēmus	iaciar		iaciēmur	
	iaciēs	iaciētis	iaciēris(-re)		iaciēminī	
	iaciet	iacient	iaciētur		iacientur	
Perf.	iēcī	iēcimus	iactus	sum	iactī	sumus
	iēcistī	iēcistis	(-a, -um)	es	(-ae, -a)	estis
	iēcit	iēcērunt(-re)		est		sunt
Plup.	iēceram	iēcerāmus	iactus	eram	iactī	erāmus
	iēcerās	iēcerātis	(-a, -um)	erās	(-ae, -a)	erātis
	iēcerat	iēcerant		erat		erant
Fut. Perf.	iēcerō	iēcerimus	iactus	erō	iactī	erimus
	iēceris	iēceritis	(-a, -um)	eris	(-ae, -a)	eritis
	iēcerit	iēcerint		erit		erunt
	SUBJUNCTIVE					
Pres.	iaciam	iaciāmus	iaciar		iaciāmur	
	iaciās	iaciātis	iaciāris(-re)		iaciāminī	
	iaciat	iaciant	iaciātur		iaciantur	
Impf.	iacerem	iacerēmus	iacerer		iacerēmur	
	iacerēs	iacerētis	iacerēris(-re)		iacerēminī	
	iaceret	iacerent	iacerētur		iacerentur	
Perf.	iēcerim	iēcerimus	iactus	sim	iactī	sīmus
	iēceris	iēceritis	(-a, -um)	sīs	(-ae, -a)	sītis
	iēcerit	iēcerint		sit		sint
Plup.	iēcissem	iēcissēmus	iactus	essem	iactī	essēmus
	iēcissēs	iēcissētis	(-a, -um)	essēs	(-ae, -a)	essētis
	iēcisset	iēcissent		esset		essent
	IMPERATIVE					
Pres.	iace	iacite				
	INFINITIVE					
Pres.	iacere		iacī			
Perf.	iēcisse		iactus(-a, -um) esse			
Fut.	iactūrus(-a, -um) esse					
	PARTICIPLE					
Pres.	iaciēns(-tis)					
Perf.			iactus(-a, -um)			
Fut.	iactūrus(-a, -um)		iaciendus(-a, -um) (GERUNDIVE)			

GERUND iaciendī, -ō, -um, -ō SUPINE iactum, -ū

impediō, impedīre, impedīvī, impedītum *hinder*

	ACTIVE		PASSIVE	
		INDICATIVE		
Pres.	impediō impedīs impedit	impedīmus impedītis impediunt	impedior impedīris(-re) impedītur	impedīmur impedīminī impediuntur
Impf.	impediēbam impediēbās impediēbat	impediēbāmus impediēbātis impediēbant	impediēbar impediēbāris(-re) impediēbātur	impediēbāmur impediēbāminī impediēbantur
Fut.	impediam impediēs impediet	impediēmus impediētis impedient	impediar impediēris(-re) impediētur	impediēmur impediēminī impedientur
Perf.	impedīvī impedīvistī impedīvit	impedīvimus impedīvistis impedīvērunt(-re)	impedītus sum (-a, -um) es est	impedītī sumus (-ae, -a) estis sunt
Plup.	impedīveram impedīverās impedīverat	impedīverāmus impedīverātis impedīverant	impedītus eram (-a, -um) erās erat	impedītī erāmus (-ae, -a) erātis erant
Fut. Perf.	impedīverō impedīveris impedīverit	impedīverimus impedīveritis impedīverint	impedītus erō (-a, -um) eris erit	impedītī erimus (-ae, -a) eritis erunt
		SUBJUNCTIVE		
Pres.	impediam impediās impediat	impediāmus impediātis impediant	impediar impediāris(-re) impediātur	impediāmur impediāminī impediantur
Impf.	impedīrem impedīrēs impedīret	impedīrēmus impedīrētis impedīrent	impedīrer impedīrēris(-re) impedīrētur	impedīrēmur impedīrēminī impedīrentur
Perf.	impedīverim impedīveris impedīverit	impedīverimus impedīveritis impedīverint	impedītus sim (-a, -um) sīs sit	impedītī sīmus (-ae, -a) sītis sint
Plup.	impedīvissem impedīvissēs impedīvisset	impedīvissēmus impedīvissētis impedīvissent	impedītus essem (-a, -um) essēs esset	impedīti essēmus (-ae, -a) essētis essent
		IMPERATIVE		
Pres.	impedī	impedīte		
		INFINITIVE		
Pres.	impedīre		impedīrī	
Perf.	impedīvisse		impedītus(-a, -um) esse	
Fut.	impedītūrus(-a, -um) esse			
		PARTICIPLE		
Pres.	impediēns(-tis)			
Perf.			impedītus(-a, -um)	
Fut.	impedītūrus(-a, -um)		impediendus(-a, -um) (GERUNDIVE)	

GERUND impediendī, -ō, -um, -ō SUPINE impedītum, -ū

imperō, imperāre, imperāvī, imperātum *command, order*

	ACTIVE		PASSIVE	
		INDICATIVE		
Pres.	imperō	imperāmus	imperor	imperāmur
	imperās	imperātis	imperāris(-re)	imperāminī
	imperat	imperant	imperātur	imperantur
Impf.	imperābam	imperābāmus	imperābar	imperābāmur
	imperābās	imperābātis	imperābāris(-re)	imperābāminī
	imperābat	imperābant	imperābātur	imperābantur
Fut.	imperābō	imperābimus	imperābor	imperābimur
	imperābis	imperābitis	imperāberis(-re)	imperābiminī
	imperābit	imperābunt	imperābitur	imperābuntur
Perf.	imperāvī	imperāvimus	imperātus sum	imperātī sumus
	imperāvistī	imperāvistis	(-a, -um) es	(-ae, -a) estis
	imperāvit	imperāvērunt(-re)	est	sunt
Plup.	imperāveram	imperāverāmus	imperātus eram	imperātī erāmus
	imperāverās	imperāverātis	(-a, -um) erās	(-ae, -a) erātis
	imperāverat	imperāverant	erat	erant
Fut. Perf.	imperāverō	imperāverimus	imperātus erō	imperātī erimus
	imperāveris	imperāveritis	(-a, -um) eris	(-ae, -a) eritis
	imperāverit	imperāverint	erit	erunt
		SUBJUNCTIVE		
Pres.	imperem	imperēmus	imperer	imperēmur
	imperēs	imperētis	imperēris(-re)	imperēminī
	imperet	imperent	imperētur	imperentur
Impf.	imperārem	imperārēmus	imperārer	imperārēmur
	imperārēs	imperārētis	imperārēris(-re)	imperārēminī
	imperāret	imperārent	imperārētur	imperārentur
Perf.	imperāverim	imperāverimus	imperātus sim	imperātī sīmus
	imperāveris	imperāveritis	(-a, -um) sīs	(-ae, -a) sītis
	imperāverit	imperāverint	sit	sint
Plup.	imperāvissem	imperāvissēmus	imperātus essem	imperātī essēmus
	imperāvissēs	imperāvissētis	(-a, -um) essēs	(-ae, -a) essētis
	imperāvisset	imperāvissent	esset	essent
		IMPERATIVE		
Pres.	imperā	imperāte		
		INFINITIVE		
Pres.	imperāre		imperārī	
Perf.	imperāvisse		imperātus(-a, -um) esse	
Fut.	imperātūrus(-a, -um) esse			
		PARTICIPLE		
Pres.	imperāns(-tis)			
Perf.			imperātus(-a, -um)	
Fut.	imperātūrus(-a, -um)		imperandus(-a, -um) (GERUNDIVE)	

GERUND imperandī, -ō, -um, -ō SUPINE imperātum, -ū

incendō, incendere, incendī, incensum — *set fire to, burn*

	ACTIVE		PASSIVE	
		INDICATIVE		
Pres.	incendō	incendimus	incendor	incendimur
	incendis	incenditis	incenderis(-re)	incendiminī
	incendit	incendunt	incenditur	incenduntur
Impf.	incendēbam	incendēbāmus	incendēbar	incendēbāmur
	incendēbās	incendēbātis	incendēbāris(-re)	incendēbāminī
	incendēbat	incendēbant	incendēbātur	incendēbantur
Fut.	incendam	incendēmus	incendar	incendēmur
	incendēs	incendētis	incendēris(-re)	incendēminī
	incendet	incendent	incendētur	incendentur
Perf.	incendī	incendimus	incensus sum	incensī sumus
	incendistī	incendistis	(-a, -um) es	(-ae, -a) estis
	incendit	incendērunt(-re)	est	sunt
Plup.	incenderam	incenderāmus	incensus eram	incensī erāmus
	incenderās	incenderātis	(-a, -um) erās	(-ae, -a) erātis
	incenderat	incenderant	erat	erant
Fut. Perf.	incenderō	incenderimus	incensus erō	incensī erimus
	incenderis	incenderitis	(-a, -um) eris	(-ae, -a) eritis
	incenderit	incenderint	erit	erunt
		SUBJUNCTIVE		
Pres.	incendam	incendāmus	incendar	incendāmur
	incendās	incendātis	incendāris(-re)	incendāminī
	incendat	incendant	incendātur	incendantur
Impf.	incenderem	incenderēmus	incenderer	incenderēmur
	incenderēs	incenderētis	incenderēris(-re)	incenderēminī
	incenderet	incenderent	incenderētur	incenderentur
Perf.	incenderim	incenderimus	incensus sim	incensī sīmus
	incenderis	incenderitis	(-a, -um) sīs	(-ae, -a) sītis
	incenderit	incenderint	sit	sint
Plup.	incendissem	incendissēmus	incensus essem	incensī essēmus
	incendissēs	incendissētis	(-a, -um) essēs	(-ae, -a) essētis
	incendisset	incendissent	esset	essent
		IMPERATIVE		
Pres.	incende	incendite		
		INFINITIVE		
Pres.	incendere		incendī	
Perf.	incendisse		incensus(-a, -um) esse	
Fut.	incensūrus(-a, -um) esse			
		PARTICIPLE		
Pres.	incendēns(-tis)			
Perf.			incensus(-a, -um)	
Fut.	incensūrus(-a, -um)		incendendus(-a, -um) (GERUNDIVE)	

GERUND incendendī, -ō, -um, -ō SUPINE incensum, -ū

incitō, incitāre, incitāvī, incitātum *arouse*

	ACTIVE		PASSIVE	
		INDICATIVE		
Pres.	incitō	incitāmus	incitor	incitāmur
	incitās	incitātis	incitāris(-re)	incitāminī
	incitat	incitant	incitātur	incitantur
Impf.	incitābam	incitābāmus	incitābar	incitābāmur
	incitābās	incitābātis	incitābāris(-re)	incitābāminī
	incitābat	incitābant	incitābātur	incitābantur
Fut.	incitābō	incitābimus	incitābor	incitābimur
	incitābis	incitābitis	incitāberis(-re)	incitābiminī
	incitābit	incitābunt	incitābitur	incitābuntur
Perf.	incitāvī	incitāvimus	incitātus sum	incitātī sumus
	incitāvistī	incitāvistis	(-a, -um) es	(-ae, -a) estis
	incitāvit	incitāvērunt(-re)	est	sunt
Plup.	incitāveram	incitāverāmus	incitātus eram	incitātī erāmus
	incitāverās	incitāverātis	(-a, -um) erās	(-ae, -a) erātis
	incitāverat	incitāverant	erat	erant
Fut. Perf.	incitāverō	incitāverimus	incitātus erō	incitātī erimus
	incitāveris	incitāveritis	(-a, -um) eris	(-ae, -a) eritis
	incitāverit	incitāverint	erit	erunt
		SUBJUNCTIVE		
Pres.	incitem	incitēmus	inciter	incitēmur
	incitēs	incitētis	incitēris(-re)	incitēminī
	incitet	incitent	incitētur	incitentur
Impf.	incitārem	incitārēmus	incitārer	incitārēmur
	incitārēs	incitārētis	incitārēris(-re)	incitārēminī
	incitāret	incitārent	incitārētur	incitārentur
Perf.	incitāverim	incitāverimus	incitātus sim	incitātī sīmus
	incitāveris	incitāveritis	(-a, -um) sīs	(-ae, -a) sītis
	incitāverit	incitāverint	sit	sint
Plup.	incitāvissem	incitāvissēmus	incitātus essem	incitātī essēmus
	incitāvissēs	incitāvissētis	(-a, -um) essēs	(-ae, -a) essētis
	incitāvisset	incitāvissent	esset	essent
		IMPERATIVE		
Pres.	incitā	incitāte		
		INFINITIVE		
Pres.	incitāre		incitārī	
Perf.	incitāvisse		incitātus(-a, -um) esse	
Fut.	incitātūrus(-a, -um) esse			
		PARTICIPLE		
Pres.	incitāns(-tis)			
Perf.			incitātus(-a, -um)	
Fut.	incitātūrus(-a, -um) esse		incitandus(-a, -um) (GERUNDIVE)	

GERUND incitandī, -ō, -um, -ō SUPINE incitātum, -ū

īnstruō, īnstruere, īnstrūxī, īnstrūctum *draw up, arrange*

	ACTIVE		PASSIVE	
	INDICATIVE			
Pres.	īnstruō	īnstruimus	īnstruor	īnstruimur
	īnstruis	īnstruitis	īnstrueris(-re)	īnstruiminī
	īnstruit	īnstruunt	īnstruitur	īnstruuntur
Impf.	īnstruēbam	īnstruēbāmus	īnstruēbar	īnstruēbāmur
	īnstruēbās	īnstruēbātis	īnstruēbāris(-re)	īnstruēbāminī
	īnstruēbat	īnstruēbant	īnstruēbātur	īnstruēbantur
Fut.	īnstruam	īnstruēmus	īnstruar	īnstruēmur
	īnstruēs	īnstruētis	īnstruēris(-re)	īnstruēminī
	īnstruet	īnstruent	īnstruētur	īnstruentur
Perf.	īnstrūxī	īnstrūximus	īnstrūctus sum	īnstrūctī sumus
	īnstrūxistī	īnstrūxistis	(-a, -um) es	(-ae, -a) estis
	īnstrūxit	īnstrūxērunt(-re)	est	sunt
Plup.	īnstrūxeram	īnstrūxerāmus	īnstrūctus eram	īnstrūctī erāmus
	īnstrūxerās	īnstrūxerātis	(-a, -um) erās	(-ae, -a) erātis
	īnstrūxerat	īnstrūxerant	erat	erant
Fut. Perf.	īnstrūxerō	īnstrūxerimus	īnstrūctus erō	īnstrūctī erimus
	īnstrūxeris	īnstrūxeritis	(-a, -um) eris	(-ae, -a) eritis
	īnstrūxerit	īnstrūxerint	erit	erunt
	SUBJUNCTIVE			
Pres.	īnstruam	īnstruāmus	īnstruar	īnstruāmur
	īnstruās	īnstruātis	īnstruāris(-re)	īnstruāminī
	īnstruat	īnstruant	īnstruātur	īnstruantur
Impf.	īnstruerem	īnstruerēmus	īnstruerer	īnstruerēmur
	īnstruerēs	īnstruerētis	īnstruerēris(-re)	īnstruerēminī
	īnstrueret	īnstruerent	īnstruerētur	īnstruerentur
Perf.	īnstrūxerim	īnstrūxerimus	īnstrūctus sim	īnstrūctī sīmus
	īnstrūxeris	īnstrūxeritis	(-a, -um) sīs	(-ae, -a) sītis
	īnstrūxerit	īnstrūxerint	sit	sint
Plup.	īnstrūxissem	īnstrūxissēmus	īnstrūctus essem	īnstrūctī essēmus
	īnstrūxissēs	īnstrūxissētis	(-a, -um) essēs	(-ae, -a) essētis
	īnstrūxisset	īnstrūxissent	esset	essent
	IMPERATIVE			
Pres.	īnstrue	īnstruite		
	INFINITIVE			
Pres.	īnstruere		īnstruī	
Perf.	īnstrūxisse		īnstrūctus(-a, -um) esse	
Fut.	īnstrūctūrus(-a, -um) esse			
	PARTICIPLE			
Pres.	īnstruēns(-tis)			
Perf.			īnstrūctus(-a, -um)	
Fut.	īnstrūctūrus(-a, -um)		īnstruendus(-a, -um) (GERUNDIVE)	

GERUND īnstruendī, -ō, -um, -ō SUPINE īnstrūctum, -ū

intellegō, intellegere, intellēxī, intellēctum *realize, understand*

	ACTIVE		PASSIVE	
		INDICATIVE		
Pres.	intellegō	intellegimus	intellegor	intellegimur
	intellegis	intellegitis	intellegeris(-re)	intellegiminī
	intellegit	intellegunt	intellegitur	intelleguntur
Impf.	intellegēbam	intellegēbāmus	intellegēbar	intellegēbāmur
	intellegēbās	intellegēbātis	intellegēbāris(-re)	intellegēbāminī
	intellegēbat	intellegēbant	intellegēbātur	intellegēbantur
Fut.	intellegam	intellegēmus	intellegar	intellegēmur
	intellegēs	intellegētis	intellegēris(-re)	intellegēminī
	intelleget	intellegent	intellegētur	intellegentur
Perf.	intellēxī	intellēximus	intellēctus sum	intellēctī sumus
	intellēxistī	intellēxistis	(-a, -um) es	(-ae, -a) estis
	intellēxit	intellēxērunt(-re)	est	sunt
Plup.	intellēxeram	intellēxerāmus	intellēctus eram	intellēctī erāmus
	intellēxerās	intellēxerātis	(-a, -um) erās	(-ae, -a) erātis
	intellēxerat	intellēxerant	erat	erant
Fut. Perf.	intellēxerō	intellēxerimus	intellēctus erō	intellēctī erimus
	intellēxeris	intellēxeritis	(-a, -um) eris	(-ae, -a) eritis
	intellēxerit	intellēxerint	erit	erunt
		SUBJUNCTIVE		
Pres.	intellegam	intellegāmus	intellegar	intellegāmur
	intellegās	intellegātis	intellegāris(-re)	intellegāminī
	intellegat	intellegant	intellegātur	intellegantur
Impf.	intellegerem	intellegerēmus	intellegerer	intellegerēmur
	intellegerēs	intellegerētis	intellegerēris(-re)	intellegerēminī
	intellegeret	intellegerent	intellegerētur	intellegerentur
Perf.	intellēxerim	intellēxerimus	intellēctus sīm	intellēctī sīmus
	intellēxeris	intellēxeritis	(-a, -um) sīs	(-ae, -a) sītis
	intellēxerit	intellēxerint	sit	sint
Plup.	intellēxissem	intellēxissēmus	intellēctus essem	intellēctī essēmus
	intellēxissēs	intellēxissētis	(-a, -um) essēs	(-ae, -a) essētis
	intellēxisset	intellēxissent	esset	essent
		IMPERATIVE		
Pres.	intellege	intellegite		
		INFINITIVE		
Pres.	intellegere		intellegī	
Perf.	intellēxisse		intellēctus(-a, -um) esse	
Fut.	intellēctūrus(-a, -um) esse			
		PARTICIPLE		
Pres.	intellegēns(-tis)			
Perf.			intellēctus(-a, -um)	
Fut.	intellēctūrus(-a, -um)		intellegendus(-a, -um) (GERUNDIVE)	

GERUND intellegendī, -ō, -um, -ō SUPINE intellēctum, -ū

īrāscor, īrāscī, īrātus sum *be angry*

ACTIVE

INDICATIVE

Pres.	īrāscor		īrāscimur	
	īrāsceris(-re)		īrāsciminī	
	īrāscitur		īrāscuntur	
Impf.	īrāscēbar		īrāscēbāmur	
	īrāscēbāris(-re)		īrāscēbāminī	
	īrāscēbātur		īrāscēbantur	
Fut.	īrāscar		īrāscēmur	
	īrāscēris(-re)		īrāscēminī	
	īrāscētur		īrāscentur	
Perf.	īrātus	sum	īrātī	sumus
	(-a, -um)	es	(-ae, -a)	estis
		est		sunt
Plup.	īrātus	eram	īrātī	erāmus
	(-a, -um)	erās	(-ae, -a)	erātis
		erat		erant
Fut.	īrātus	erō	īrātī	erimus
Perf.	(-a, -um)	eris	(-ae, -a)	eritis
		erit		erunt

SUBJUNCTIVE

Pres.	īrāscar		īrāscāmur	
	īrāscāris(-re)		īrāscāminī	
	īrāscātur		īrāscantur	
Impf.	īrāscerer		īrāscerēmur	
	īrāscerēris(-re)		īrāscerēminī	
	īrāscerētur		īrāscerentur	
Perf.	īrātus	sim	īrātī	sīmus
	(-a, -um)	sīs	(-ae, -a)	sītis
		sit		sint
Plup.	īrātus	essem	īrātī	essēmus
	(-a, -um)	essēs	(-ae, -a)	essētis
		esset		essent

IMPERATIVE

Pres.	īrāscere	īrāsciminī

INFINITIVE

Pres. īrāscī
Perf. īrātus(-a, -um) esse
Fut. īrātūrus(-a, -um) esse

PARTICIPLE

Pres. īrāscēns(-tis)
Perf. īrātus(-a, -um)
Fut. īrātūrus(-a, -um)

GERUND īrāscendī, -ō, -um, -ō SUPINE īrātum, -ū

iubeō

iubeō, iubēre, iussī, iūssum *order*

	ACTIVE		PASSIVE	
	INDICATIVE			
Pres.	iubeō	iubēmus	iubeor	iubēmur
	iubēs	iubētis	iubēris(-re)	iubēminī
	iubet	iubent	iubētur	iubentur
Impf.	iubēbam	iubēbāmus	iubēbar	iubēbāmur
	iubēbās	iubēbātis	iubēbāris(-re)	iubēbāminī
	iubēbat	iubēbant	iubēbātur	iubēbantur
Fut.	iubēbō	iubēbimus	iubēbor	iubēbimur
	iubēbis	iubēbitis	iubēberis(-re)	iubēbiminī
	iubēbit	iubēbunt	iubēbitur	iubēbuntur
Perf.	iussī	iussimus	iūssus sum	iūssī sumus
	iussistī	iussistis	(-a, -um) es	(-ae, -a) estis
	iussit	iussērunt(-re)	est	sunt
Plup.	iusseram	iusserāmus	iūssus eram	iūssī erāmus
	iusserās	iusserātis	(-a, -um) erās	(-ae, -a) erātis
	iusserat	iusserant	erat	erant
Fut. Perf.	iusserō	iusserimus	iūssus erō	iūssī erimus
	iusseris	iusseritis	(-a, -um) eris	(-ae, -a) eritis
	iusserit	iusserint	erit	erunt
	SUBJUNCTIVE			
Pres.	iubeam	iubeāmus	iubear	iubeāmur
	iubeās	iubeātis	iubeāris(-re)	iubeāminī
	iubeat	iubeant	iubeātur	iubeantur
Impf.	iubērem	iubērēmus	iubērer	iubērēmur
	iubērēs	iubērētis	iubērēris(-re)	iubērēminī
	iubēret	iubērent	iubērētur	iubērentur
Perf.	iusserim	iusserimus	iūssus sim	iūssī sīmus
	iusseris	iusseritis	(-a, -um) sīs	(-ae, -a) sītis
	iusserit	iusserint	sit	sint
Plup.	iussissem	iussissēmus	iūssus essem	iūssī essēmus
	iussissēs	iussissētis	(-a, -um) essēs	(-ae, -a) essētis
	iussisset	iussissent	esset	essent
	IMPERATIVE			
Pres.	iubē	iubēte		
	INFINITIVE			
Pres.	iubēre		iubērī	
Perf.	iussisse		iūssus(-a, -um) esse	
Fut.	iūssūrus(-a, -um) esse			
	PARTICIPLE			
Pres.	iubēns(-tis)			
Perf.			iūssus(-a, -um)	
Fut.	iūssūrus(-a, -um)		iubendus(-a, -um) (GERUNDIVE)	

GERUND iubendī, -ō, -um, -ō SUPINE iūssum, -ū

iūdicō, iūdicāre, iūdicāvī, iūdicātum *decide, judge*

	ACTIVE		PASSIVE	
		INDICATIVE		
Pres.	iūdicō	iūdicāmus	iūdicor	iūdicāmur
	iūdicās	iūdicātis	iūdicāris(-re)	iūdicāminī
	iūdicat	iūdicant	iūdicātur	iūdicantur
Impf.	iūdicābam	iūdicābāmus	iūdicābar	iūdicābāmur
	iūdicābās	iūdicābātis	iūdicābāris(-re)	iūdicābāminī
	iūdicābat	iūdicābant	iūdicābātur	iūdicābantur
Fut.	iūdicābō	iūdicābimus	iūdicābor	iūdicābimur
	iūdicābis	iūdicābitis	iūdicāberis(-re)	iūdicābiminī
	iūdicābit	iūdicābunt	iūdicābitur	iūdicābuntur
Perf.	iūdicāvī	iūdicāvimus	iūdicātus sum	iūdicātī sumus
	iūdicāvistī	iūdicāvistis	(-a, -um) es	(-ae, -a) estis
	iūdicāvit	iūdicāvērunt(-re)	est	sunt
Plup.	iūdicāveram	iūdicāverāmus	iūdicātus eram	iūdicātī erāmus
	iūdicāverās	iūdicāverātis	(-a, -um) erās	(-ae, -a) erātis
	iūdicāverat	iūdicāverant	erat	erant
Fut. Perf.	iūdicāverō	iūdicāverimus	iūdicātus erō	iūdicātī erimus
	iūdicāveris	iūdicāveritis	(-a, -um) eris	(-ae, -a) eritis
	iūdicāverit	iūdicāverint	erit	erunt
		SUBJUNCTIVE		
Pres.	iūdicem	iūdicēmus	iūdicer	iūdicēmur
	iūdicēs	iūdicētis	iūdicēris(-re)	iūdicēminī
	iūdicet	iūdicent	iūdicētur	iūdicentur
Impf.	iūdicārem	iūdicārēmus	iūdicārer	iūdicārēmur
	iūdicārēs	iūdicārētis	iūdicārēris(-re)	iūdicārēminī
	iūdicāret	iūdicārent	iūdicārētur	iūdicārentur
Perf.	iūdicāverim	iūdicāverimus	iūdicātus sim	iūdicātī sīmus
	iūdicāveris	iūdicāveritis	(-a, -um) sīs	(-ae, -a) sītis
	iūdicāverit	iūdicāverint	sit	sint
Plup.	iūdicāvissem	iūdicāvissēmus	iūdicātus essem	iūdicātī essēmus
	iūdicāvissēs	iūdicāvissētis	(-a, -um) essēs	(-ae, -a) essētis
	iūdicāvisset	iūdicāvissent	esset	essent
		IMPERATIVE		
Pres.	iūdicā	iūdicāte		
		INFINITIVE		
Pres.	iūdicāre		iūdicārī	
Perf.	iūdicāvisse		iūdicātus(-a, -um) esse	
Fut.	iūdicātūrus(-a, -um) esse			
		PARTICIPLE		
Pres.	iūdicāns(-tis)			
Perf.			iūdicātus(-a, -um)	
Fut.	iūdicātūrus(-a, -um)		iūdicandus(-a, -um) (GERUNDIVE)	

GERUND iūdicandī, -ō, -um, -ō SUPINE iūdicātum, -ū

iungō

iungō, iungere, iūnxī, iūnctum *join*

	ACTIVE		PASSIVE	
		INDICATIVE		
Pres.	iungō	iungimus	iungor	iungimur
	iungis	iungitis	iungeris(-re)	iungiminī
	iungit	iungunt	iungitur	iunguntur
Impf.	iungēbam	iungēbāmus	iungēbar	iungēbāmur
	iungēbās	iungēbātis	iungēbāris(-re)	iungēbāminī
	iungēbat	iungēbant	iungēbātur	iungēbantur
Fut.	iungam	iungēmus	iungar	iungēmur
	iungēs	iungētis	iungēris(-re)	iungēminī
	iunget	iungent	iungētur	iungentur
Perf.	iūnxī	iūnximus	iūnctus sum	iūnctī sumus
	iūnxistī	iūnxistis	(-a, -um) es	(-ae, -a) estis
	iūnxit	iūnxērunt(-re)	est	sunt
Plup.	iūnxeram	iūnxerāmus	iūnctus eram	iūnctī erāmus
	iūnxerās	iūnxerātis	(-a, -um) erās	(-ae, -a) erātis
	iūnxerat	iūnxerant	erat	erant
Fut. Perf.	iūnxerō	iūnxerimus	iūnctus erō	iūnctī erimus
	iūnxeris	iūnxeritis	(-a, -um) eris	(-ae, -a) eritis
	iūnxerit	iūnxerint	erit	erunt
		SUBJUNCTIVE		
Pres.	iungam	iungāmus	iungar	iungāmur
	iungās	iungātis	iungāris(-re)	iungāminī
	iungat	iungant	iungātur	iungantur
Impf.	iungerem	iungerēmus	iungerer	iungerēmur
	iungerēs	iungerētis	iungerēris(-re)	iungerēminī
	iungeret	iungerent	iungerētur	iungerentur
Perf.	iūnxerim	iūnxerimus	iūnctus sim	iūnctī sīmus
	iūnxeris	iūnxeritis	(-a, -um) sīs	(-ae, -a) sītis
	iūnxerit	iūnxerint	sit	sint
Plup.	iūnxissem	iūnxissēmus	iūnctus essem	iūnctī essēmus
	iūnxissēs	iūnxissētis	(-a, -um) essēs	(-ae, -a) essētis
	iūnxisset	iūnxissent	esset	essent
		IMPERATIVE		
Pres.	iunge	iungite		
		INFINITIVE		
Pres.	iungere		iungī	
Perf.	iūnxisse		iūnctus(-a, -um) esse	
Fut.	iūnctūrus(-a, -um) esse			
		PARTICIPLE		
Pres.	iungēns(-tis)			
Perf.			iūnctus(-a, -um)	
Fut.	iūnctūrus(-a, -um)		iungendus(-a, -um) (GERUNDIVE)	

GERUND iungendī, -ō, -um, -ō SUPINE iūnctum, -ū

iūrō, iūrāre, iūrāvī, iūrātum *swear*

	ACTIVE		PASSIVE	

INDICATIVE

Pres.	iūrō	iūrāmus	iūror	iūrāmur
	iūrās	iūrātis	iūrāris(-re)	iūrāminī
	iūrat	iūrant	iūrātur	iūrantur
Impf.	iūrābam	iūrābāmus	iūrābar	iūrābāmur
	iūrābās	iūrābātis	iūrābāris(-re)	iūrābāminī
	iūrābat	iūrābant	iūrābātur	iūrābantur
Fut.	iūrābō	iūrābimus	iūrābor	iūrābimur
	iūrābis	iūrābitis	iūrāberis(-re)	iūrābiminī
	iūrābit	iūrābunt	iūrābitur	iūrābuntur
Perf.	iūrāvī	iūrāvimus	iūrātus sum	iūrātī sumus
	iūrāvistī	iūrāvistis	(-a, -um) es	(-ae, -a) estis
	iūrāvit	iūrāvērunt(-re)	est	sunt
Plup.	iūrāveram	iūrāverāmus	iūrātus eram	iūrātī erāmus
	iūrāverās	iūrāverātis	(-a, -um) erās	(-ae, -a) erātis
	iūrāverat	iūrāverant	erat	erant
Fut. Perf.	iūrāverō	iūrāverimus	iūrātus erō	iūrātī erimus
	iūrāveris	iūrāveritis	(-a, -um) eris	(-ae, -a) eritis
	iūrāverit	iūrāverint	erit	erunt

SUBJUNCTIVE

Pres.	iūrem	iūrēmus	iūrer	iūrēmur
	iūrēs	iūrētis	iūrēris(-re)	iūrēminī
	iūret	iūrent	iūrētur	iūrentur
Impf.	iūrārem	iūrārēmus	iūrārer	iūrārēmur
	iūrārēs	iūrārētis	iūrārēris(-re)	iūrārēminī
	iūrāret	iūrārent	iūrārētur	iūrārentur
Perf.	iūrāverim	iūrāverimus	iūrātus sim	iūrātī sīmus
	iūrāveris	iūrāveritis	(-a, -um) sīs	(-ae, -a) sītis
	iūrāverit	iūrāverint	sit	sint
Plup.	iūrāvissem	iūrāvissēmus	iūrātus essem	iūrātī essēmus
	iūrāvissēs	iūrāvissētis	(-a, -um) essēs	(-ae, -a) essētis
	iūrāvisset	iūrāvissent	esset	essent

IMPERATIVE

Pres.	iūrā	iūrāte

INFINITIVE

Pres.	iūrāre	iūrārī
Perf.	iūrāvisse	iurātus(-a, -um) esse
Fut.	iūrātūrus(-a, -um) esse	

PARTICIPLE

Pres.	iūrāns(-tis)	
Perf.		iūrātus(-a, -um)
Fut.	iūrātūrus(-a, -um)	iūrandus(-a, -um) (GERUNDIVE)

GERUND iūrandī, -ō, -um, -ō SUPINE iūrātum, -ū

iuvō, iuvāre, iūvī, iūtum *please, aid*

	ACTIVE		PASSIVE			
			INDICATIVE			
Pres.	iuvō	iuvāmus	iuvor		iuvāmur	
	iuvās	iuvātis	iuvāris(-re)		iuvāminī	
	iuvat	iuvant	iuvātur		iuvantur	
Impf.	iuvābam	iuvābāmus	iuvābar		iuvābāmur	
	iuvābās	iuvābātis	iuvābāris(-re)		iuvābāminī	
	iuvābat	iuvābant	iuvābātur		iuvābantur	
Fut.	iuvābō	iuvābimus	iuvābor		iuvābimur	
	iuvābis	iuvābitis	iuvāberis(-re)		iuvābiminī	
	iuvābit	iuvābunt	iuvābitur		iuvābuntur	
Perf.	iūvī	iūvimus	iūtus	sum	iūtī	sumus
	iūvistī	iūvistis	(-a, -um)	es	(-ae, -a)	estis
	iūvit	iūvērunt(-re)		est		sunt
Plup.	iūveram	iūverāmus	iūtus	eram	iūtī	erāmus
	iūverās	iūverātis	(-a, -um)	erās	(-ae, -a)	erātis
	iūverat	iūverant		erat		erant
Fut. Perf.	iūverō	iūverimus	iūtus	erō	iūtī	erimus
	iūveris	iūveritis	(-a, -um)	eris	(-ae, -a)	eritis
	iūverit	iūverint		erit		erunt
			SUBJUNCTIVE			
Pres.	iuvem	iuvēmus	iuver		iuvēmur	
	iuvēs	iuvētis	iuvēris(-re)		iuvēminī	
	iuvet	iuvent	iuvētur		iuventur	
Impf.	iuvārem	iuvārēmus	iuvārer		iuvārēmur	
	iuvārēs	iuvārētis	iuvārēris(-re)		iuvārēminī	
	iuvāret	iuvārent	iuvārētur		iuvārentur	
Perf.	iūverim	iūverimus	iūtus	sim	iūtī	sīmus
	iūveris	iūveritis	(-a, -um)	sīs	(-ae, -a)	sītis
	iūverit	iūverint		sit		sint
Plup.	iūvissem	iūvissēmus	iūtus	essem	iūtī	essēmus
	iūvjssēs	iūvissētis	(-a, -um)	essēs	(-ae, -a)	essētis
	iūvisset	iūvisset		esset		essent
			IMPERATIVE			
Pres.	iuvā	iuvāte				
			INFINITIVE			
Pres.	iuvāre		iuvārī			
Perf.	iūvisse		iūtus(-a, -um) esse			
Fut.	iūtūrus(-a, -um) esse					
			PARTICIPLE			
Pres.	iuvāns(-tis)					
Perf.			iūtus(-a, -um)			
Fut.	iūtūrus(-a, -um)		iuvandus(-a, -um) (GERUNDIVE)			

GERUND iuvandī, -ō, -um, -ō SUPINE iūtum, -ū

ōrō, labōrāre, labōrāvī, labōrātum *work*

	ACTIVE		PASSIVE	
	INDICATIVE			
s.	labōrō	labōrāmus	———	———
	labōrās	labōrātis	———	———
	labōrat	labōrant	labōrātur	labōrantur
pf.	labōrābam	labōrābāmus	———	———
	labōrābās	labōrābātis	———	———
	labōrābat	labōrābant	labōrābātur	labōrābantur
t.	labōrābō	labōrābimus	———	———
	labōrābis	labōrābitis	———	———
	labōrābit	labōrābunt	labōrābitur	labōrābuntur
f.	labōrāvī	labōrāvimus	———	———
	labōrāvistī	labōrāvistis	———	———
	labōrāvit	labōrāvērunt(-re)	labōrātus(-a, -um) est	labōrātī(-ae, -a) sunt
p.	labōrāveram	labōrāverāmus	———	———
	labōrāverās	labōrāverātis	———	———
	labōrāverat	labōrāverant	labōrātus(-a, -um) erat	labōrātī(-ae, -a) erant
t.	labōrāverō	labōrāverimus	———	———
f.	labōrāveris	labōrāveritis	———	———
	labōrāverit	labōrāverint	labōrātus(-a, -um) erit	labōrātī(-ae, -a) erunt
	SUBJUNCTIVE			
s.	labōrem	labōrēmus	———	———
	labōrēs	labōrētis	———	———
	labōret	labōrent	labōrētur	labōrentur
pf.	labōrārem	labōrārēmus	———	———
	labōrārēs	labōrārētis	———	———
	labōrāret	labōrārent	labōrārētur	labōrārentur
f.	labōrāverim	labōrāverimus	———	———
	labōrāveris	labōrāveritis	———	———
	labōrāverit	labōrāverint	labōrātus(-a, -um) sit	labōrātī(-ae, -a) sint
p.	labōrāvissem	labōrāvissēmus	———	———
	labōrāvissēs	labōrāvissētis	———	———
	labōrāvisset	labōrāvissent	labōrātus(-a, -um) esset	labōrātī(-ae, -a) essent
	IMPERATIVE			
s.	labōrā	labōrāte		
	INFINITIVE			
s.	labōrāre		labōrārī	
f.	labōrāvisse		labōrātus(-a, -um) esse	
t.	labōrātūrus(-a, -um) esse			
	PARTICIPLE			
s.	labōrāns(-tis)			
f.			labōrātus(-a, -um)	
.	labōrātūrus(-a, -um)		labōrandus(-a, -um) (GERUNDIVE)	

GERUND labōrandī, -ō, -um, -ō SUPINE labōrātum, -ū

laudō, laudāre, laudāvī, laudātum *praise*

	ACTIVE		PASSIVE	
		INDICATIVE		
Pres.	laudō	laudāmus	laudor	laudāmur
	laudās	laudātis	laudāris(-re)	laudāminī
	laudat	laudant	laudātur	laudantur
Impf.	laudābam	laudābāmus	laudābar	laudābāmur
	laudābās	laudābātis	laudābāris(-re)	laudābāminī
	laudābat	laudābant	laudābātur	laudābantur
Fut.	laudābō	laudābimus	laudābor	laudābimur
	laudābis	laudābitis	laudāberis(-re)	laudābiminī
	laudābit	laudābunt	laudābitur	laudābuntur
Perf.	laudāvī	laudāvimus	laudātus sum	laudātī sumus
	laudāvistī	laudāvistis	(-a, -um) es	(-ae, -a) estis
	laudāvit	laudāvērunt	est	sunt
Plup.	laudāveram	laudāverāmus	laudātus eram	laudātī erāmus
	laudāverās	laudāverātis	(-a, -um) erās	(-ae, -a) erātis
	laudāverat	laudāverant	erat	erant
Fut. Perf.	laudāverō	laudāverimus	laudātus erō	laudātī erimus
	laudāveris	laudāveritis	(-a, -um) eris	(-ae, -a) eritis
	laudāverit	laudāverint	erit	erunt
		SUBJUNCTIVE		
Pres.	laudem	laudēmus	lauder	laudēmur
	laudēs	laudētis	laudēris(-re)	laudēminī
	laudet	laudent	laudētur	laudentur
Impf.	laudārem	laudārēmus	laudārer	laudārēmur
	laudārēs	laudārētis	laudārēris(-re)	laudārēminī
	laudāret	laudārent	laudārētur	laudārentur
Perf.	laudāverim	laudāverimus	laudātus sim	laudātī sīmus
	laudāveris	laudāveritis	(-a, -um) sīs	(-ae, -a) sītis
	laudāverit	laudāverint	sit	sint
Plup.	laudāvissem	laudāvissēmus	laudātus essem	laudātī essēmus
	laudāvissēs	laudāvissētis	(-a, -um) essēs	(-ae, -a) essētis
	laudāvisset	laudāvissent	esset	essent
		IMPERATIVE		
Pres.	laudā	laudāte		
		INFINITIVE		
Pres.	laudāre		laudārī	
Perf.	laudāvisse		laudātus(-a, -um) esse	
Fut.	laudātūrus(-a, -um) esse			
		PARTICIPLE		
Pres.	laudāns(-tis)			
Perf.			laudātus(-a, -um)	
Fut.	laudātūrus(-a, -um)		laudandus(-a, -um) (GERUNDIVE)	

GERUND laudandī, -ō, -um, -ō SUPINE laudātum, -ū

legō, legere, lēgī, lēctum *choose, read*

	ACTIVE		PASSIVE			
	INDICATIVE					
Pres.	legō	legimus	legor		legimur	
	legis	legitis	legeris(-re)		legiminī	
	legit	legunt	legitur		leguntur	
Impf.	legēbam	legēbāmus	legēbar		legēbāmur	
	legēbās	legēbātis	legēbāris(-re)		legēbāminī	
	legēbat	legēbant	legēbātur		legēbantur	
Fut.	legam	legēmus	legar		legēmur	
	legēs	legētis	legēris(-re)		legēminī	
	leget	legent	legētur		legentur	
Perf.	lēgī	lēgimus	lēctus	sum	lēctī	sumus
	lēgistī	lēgistis	(-a, -um)	es	(-ae, -a)	estis
	lēgit	lēgērunt(-re)		est		sunt
Plup.	lēgeram	lēgerāmus	lēctus	eram	lēctī	erāmus
	lēgerās	lēgerātis	(-a, -um)	erās	(-ae, -a)	erātis
	lēgerat	lēgerant		erat		erant
Fut. Perf.	lēgerō	lēgerimus	lēctus	erō	lēctī	erimus
	lēgeris	lēgeritis	(-a, -um)	eris	(-ae, -a)	eritis
	lēgerit	lēgerint		erit		erunt
	SUBJUNCTIVE					
Pres.	legam	legāmus	legar		legāmur	
	legās	legātis	legāris(-re)		legāminī	
	legat	legant	legātur		legantur	
Impf.	legerem	legerēmus	legerer		legerēmur	
	legerēs	legerētis	legerēris(-re)		legerēminī	
	legeret	legerent	legerētur		legerentur	
Perf.	lēgerim	lēgerimus	lēctus	sim	lēctī	sīmus
	lēgeris	lēgeritis	(-a, -um)	sīs	(-ae, -a)	sītis
	lēgerit	lēgerint		sit		sint
Plup.	lēgissem	lēgissēmus	lēctus	essem	lēctī	essēmus
	lēgissēs	lēgissētis	(-a, -um)	essēs	(-ae, -a)	essētis
	lēgisset	lēgissent		esset		essent
	IMPERATIVE					
Pres.	lege	legite				
	INFINITIVE					
Pres.	legere		legī			
Perf.	lēgisse		lēctus(-a, -um) esse			
Fut.	lēctūrus(-a, -um) esse					
	PARTICIPLE					
Pres.	legēns(-tis)					
Perf.			lēctus(-a, -um)			
Fut.	lēctūrus(-a, -um)		legendus(-a, -um) (GERUNDIVE)			

GERUND legendī, -ō, -um, -ō SUPINE lēctum, -ū

licet, licēre, licuit *is allowed, is permitted, may* (Impers.)

ACTIVE

INDICATIVE

Pres. ———
———
licet

Impf. ———
———
licēbat

Fut. ———
———
licēbit

Perf. ———
———
licuit *or* licitum est

Plup. ———
———
licuerat

Fut. Perf. ———
———
licuerit

SUBJUNCTIVE

Pres. ———
———
liceat

Impf. ———
———
licēret

Perf. ———
———
licuerit

Plup. ———
———
licuisset

IMPERATIVE

Pres.

INFINITIVE

Pres. licēre
Perf. licuisse
Fut. licitūrum esse

PARTICIPLE

Pres.
Perf.
Fut.

GERUND ——— **SUPINE** ———

loquor, loquī, locūtus sum *say, speak*

ACTIVE

INDICATIVE

Pres.	loquor		loquimur	
	loqueris(-re)		loquiminī	
	loquitur		loquuntur	
Impf.	loquēbar		loquēbāmur	
	loquēbāris(-re)		loquēbāminī	
	loquēbātur		loquēbantur	
Fut.	loquar		loquēmur	
	loquēris(-re)		loquēminī	
	loquētur		loquentur	
Perf.	locūtus	sum	locūtī	sumus
	(-a, -um)	es	(-ae, -a)	estis
		est		sunt
Plup.	locūtus	eram	locūtī	erāmus
	(-a, -um)	erās	(-ae, -a)	erātis
		erat		erant
Fut. Perf.	locūtus	erō	locūtī	erimus
	(-a, -um)	eris	(-ae, -a)	eritis
		erit		erunt

SUBJUNCTIVE

Pres.	loquar		loquāmur	
	loquāris(-re)		loquāminī	
	loquātur		loquantur	
Impf.	loquerer		loquerēmur	
	loquerēris(-re)		loquerēminī	
	loquerētur		loquerentur	
Perf.	locūtus	sim	locūtī	sīmus
	(-a, -um)	sīs	(-ae, -a)	sītis
		sit		sint
Plup.	locūtus	essem	locūtī	essēmus
	(-a, -um)	essēs	(-ae, -a)	essētis
		esset		essent

IMPERATIVE

Pres.	loquere	loquiminī

INFINITIVE

Pres.	loquī
Perf.	locūtus(-a, -um) esse
Fut.	locūtūrus(-a, -um) esse

PARTICIPLE

	Active	Passive
Pres.	loquēns(-tis)	
Perf.	locūtus(-a, -um)	
Fut.	locūtūrus(-a, -um)	loquendus(-a, -um) (GERUNDIVE)

GERUND loquendī, -ō, -um, -ō SUPINE locūtum, -ū

lūdō, lūdere, lūsī, lūsum *play*

	ACTIVE		PASSIVE			
			INDICATIVE			
Pres.	lūdō	lūdimus	lūdor		lūdimur	
	lūdis	lūditis	lūderis(-re)		lūdiminī	
	lūdit	lūdunt	lūditur		lūduntur	
Impf.	lūdēbam	lūdēbāmus	lūdēbar		lūdēbāmur	
	lūdēbās	lūdēbātis	lūdēbāris(-re)		lūdēbāminī	
	lūdēbat	lūdēbant	lūdēbātur		lūdēbantur	
Fut.	lūdam	lūdēmus	lūdar		lūdēmur	
	lūdēs	lūdētis	lūdēris(-re)		lūdēminī	
	lūdet	lūdent	lūdētur		lūdentur	
Perf.	lūsī	lūsimus	lūsus	sum	lūsī	sumus
	lūsistī	lūsistis	(-a, -um)	es	(-ae, -a)	estis
	lūsit	lūsērunt(-re)		est		sunt
Plup.	lūseram	lūserāmus	lūsus	eram	lūsī	erāmus
	lūserās	lūserātis	(-a, -um)	erās	(-ae, -a)	erātis
	lūserat	lūserant		erat		erant
Fut. Perf.	lūserō	lūserimus	lūsus	erō	lūsī	erimus
	lūseris	lūseritis	(-a, -um)	eris	(-ae, -a)	eritis
	lūserit	lūserint		erit		erunt
			SUBJUNCTIVE			
Pres.	lūdam	lūdāmus	lūdar		lūdāmur	
	lūdās	lūdātis	lūdāris(-re)		lūdāminī	
	lūdat	lūdant	lūdātur		lūdantur	
Impf.	lūderem	lūderēmus	lūderer		lūderēmur	
	lūderēs	lūderētis	lūderēris(-re)		lūderēminī	
	lūderet	lūderent	lūderētur		lūderentur	
Perf.	lūserim	lūserimus	lūsus	sim	lūsī	sīmus
	lūseris	lūseritis	(-a, -um)	sīs	(-ae, -a)	sītis
	lūserit	lūserint		sit		sint
Plup.	lūsissem	lūsissēmus	lūsus	essem	lūsī	essēmus
	lūsissēs	lūsissētis	(-a, -um)	essēs	(-ae, -a)	essētis
	lūsisset	lūsissent		esset		essent
			IMPERATIVE			
Pres.	lūde	lūdite				
			INFINITIVE			
Pres.	lūdere		lūdi			
Perf.	lūsisse		lūsus(-a, -um) esse			
Fut.	lūsūrus(-a, -um) esse					
			PARTICIPLE			
Pres.	lūdēns(-tis)					
Perf.			lūsus(-a, -um)			
Fut.	lūsūrus(-a, -um)		lūdendus(-a, -um) (GERUNDIVE)			

GERUND lūdendī, -ō, -um, -ō SUPINE lūsum, -ū

malō, malle, māluī *choose, prefer*

ACTIVE

INDICATIVE

Pres.	malō	mālumus
	māvīs	māvultis
	māvult	mālunt
Impf.	mālēbam	mālēbāmus
	mālēbās	mālēbātis
	mālēbat	mālēbant
Fut.	mālam	mālēmus
	mālēs	mālētis
	mālet	mālent
Perf.	māluī	māluimus
	māluistī	māluistis
	māluit	māluērunt(-re)
Plup.	mālueram	māluerāmus
	māluerās	māluerātis
	māluerat	māluerant
Fut. Perf.	māluerō	māluerimus
	mālueris	mālueritis
	māluerit	māluerint

SUBJUNCTIVE

Pres.	mālim	mālimus
	mālis	mālitis
	mālit	mālint
Impf.	māllem	māllēmus
	māllēs	māllētis
	māllet	māllent
Perf.	māluerim	māluerimus
	mālueris	mālueritis
	māluerit	māluerint
Plup.	māluissem	māluissēmus
	māluissēs	māluissētis
	māluisset	māluissent

IMPERATIVE

Pres.

INFINITIVE

Pres. mālle
Perf. māluisse
Fut. ———

PARTICIPLE

Pres.
Perf.
Fut.

GERUND ——— SUPINE ———

mandō, mandāre, mandāvī, mandātum *entrust, order*

	ACTIVE		PASSIVE	
		INDICATIVE		
Pres.	mandō	mandāmus	mandor	mandāmur
	mandās	mandātis	mandāris(-re)	mandāminī
	mandat	mandant	mandātur	mandantur
Impf.	mandābam	mandābāmus	mandābar	mandābāmur
	mandābās	mandābātis	mandābāris(-re)	mandābāminī
	mandābat	mandābant	mandābātur	mandābantur
Fut.	mandābō	mandābimus	mandābor	mandābimur
	mandābis	mandābitis	mandāberis(-re)	mandābiminī
	mandābit	mandābunt	mandābitur	mandābuntur
Perf.	mandāvī	mandāvimus	mandātus sum	mandātī sumus
	mandāvistī	mandāvistis	(-a, -um) es	(-ae, -a) estis
	mandāvit	mandāvērunt(-re)	est	sunt
Plup.	mandāveram	mandāverāmus	mandātus eram	mandātī erāmus
	mandāverās	mandāverātis	(-a, -um) erās	(-ae, -a) erātis
	mandāverat	mandāverant	erat	erant
Fut. Perf.	mandāverō	mandāverimus	mandātus erō	mandātī erimus
	mandāveris	mandāveritis	(-a, -um) eris	(-ae, -a) eritis
	mandāverit	mandāverint	erit	erunt
		SUBJUNCTIVE		
Pres.	mandem	mandēmus	mander	mandēmur
	mandēs	mandētis	mandēris(-re)	mandēminī
	mandet	mandent	mandētur	mandentur
Impf.	mandārem	mandārēmus	mandārer	mandārēmur
	mandārēs	mandārētis	mandārēris(-re)	mandārēminī
	mandāret	mandārent	mandārētur	mandārentur
Perf.	mandāverim	mandāverimus	mandātus sim	mandātī sīmus
	mandāveris	mandāveritis	(-a, -um) sīs	(-ae, -a) sītis
	mandāverit	mandāverint	sit	sint
Plup.	mandāvissem	mandāvissēmus	mandātus essem	mandātī essēmus
	mandāvissēs	mandāvissētis	(-a, -um) essēs	(-ae, -a) essētis
	mandāvisset	mandāvissent	esset	essent
		IMPERATIVE		
Pres.	mandā	mandāte		
		INFINITIVE		
Pres.	mandāre		mandārī	
Perf.	mandāvisse		mandātus(-a, -um) esse	
Fut.	mandātūrus(-a, -um) esse			
		PARTICIPLE		
Pres.	mandāns(-tis)			
Perf.			mandātus(-a, -um)	
Fut.	mandātūrus(-a, -um)		mandandus(-a, -um) (GERUNDIVE)	

GERUND mandandī, -ō, -um, -ō SUPINE mandātum, -ū

maneō, manēre, mānsī, mānsum *remain, stay*

	ACTIVE		PASSIVE
	INDICATIVE		
Pres.	maneō	manēmus	
	manēs	manētis	
	manet	manent	manētur (Impers.)
Impf.	manēbam	manēbāmus	
	manēbās	manēbātis	
	manēbat	manēbant	manēbātur (Impers.)
Fut.	manēbō	manēbimus	
	manēbis	manēbitis	
	manēbit	manēbunt	manēbitur (Impers.)
Perf.	mānsī	mānsimus	
	mānsistī	mānsistis	
	mānsit	mānsērunt(-re)	mānsum est (Impers.)
Plup.	mānseram	mānserāmus	
	mānserās	mānserātis	
	mānserat	mānserant	mānsum erat (Impers.)
Fut. Perf.	mānserō	mānserimus	
	mānseris	mānseritis	
	mānserit	mānserint	mānsum erit (Impers.)
	SUBJUNCTIVE		
Pres.	maneam	maneāmus	
	maneās	maneātis	
	maneat	maneant	maneātur (Impers.)
Impf.	manērem	manērēmus	
	manērēs	manērētis	
	manēret	manērent	manērētur (Impers.)
Perf.	mānserim	mānserimus	
	mānseris	mānseritis	
	mānserit	mānserint	mānsum sit (Impers.)
Plup.	mānsissem	mānsissēmus	
	mānsissēs	mānsissētis	
	mānsisset	mānsissent	mānsum esset (Impers.)
	IMPERATIVE		
Pres.	manē	manēte	
	INFINITIVE		
Pres.	manēre		manērī
Perf.	mānsisse		mānsum esse
Fut.	mānsūrus(-a, -um) esse		
	PARTICIPLE		
Pres.	manēns(-tis)		
Perf.	———		mānsus(-a, -um)
Fut.	mānsūrus(-a, -um)		

GERUND manendī, -ō, -um, -ō SUPINE mānsum, -ū

meminī, meminisse, *remember*

(Note: Perfect in form, Present in meaning)

ACTIVE

INDICATIVE

Pres.		
Impf.		
Fut.		
Perf.	meminī	meminimus
	meministī	meministis
	meminit	meminērunt(-re)
Plup.	memineram	meminerāmus
	meminerās	meminerātis
	meminerat	meminerant
Fut. Perf.	meminerō	meminerimus
	memineris	memineritis
	meminerit	meminerint

SUBJUNCTIVE

Pres.		
Impf.		
Perf.	meminerim	meminerimus
	memineris	memineritis
	meminerit	meminerint
Plup.	meminissem	meminissēmus
	meminissēs	meminissētis
	meminisset	meminissent

IMPERATIVE

Fut.	mementō	mementōte

INFINITIVE

Pres. ———

Perf. meminisse

Fut. ———

PARTICIPLE

Pres.

Perf.

Fut.

GERUND ——— SUPINE ———

metuō, metuere, metuī *fear, be afraid*

ACTIVE

INDICATIVE

Pres.	metuō	metuimus
	metuis	metuitis
	metuit	metuunt
Impf.	metuēbam	metuēbāmus
	metuēbās	metuēbātis
	metuēbat	metuēbant
Fut.	metuam	metuēmus
	metuēs	metuētis
	metuet	metuent
Perf.	metuī	metuimus
	metuistī	metuistis
	metuit	metuērunt(-re)
Plup.	metueram	metuerāmus
	metuerās	metuerātis
	metuerat	metuerant
Fut. Perf.	metuerō	metuerimus
	metueris	metueritis
	metuerit	metuerint

SUBJUNCTIVE

Pres.	metuam	metuāmus
	metuās	metuātis
	metuat	metuant
Impf.	metuerem	metuerēmus
	metuerēs	metuerētis
	metueret	metuerent
Perf.	metuerim	metuerimus
	metueris	metueritis
	metuerit	metuerint
Plup.	metuissem	metuissēmus
	metuissēs	metuissētis
	metuisset	metuissent

IMPERATIVE

Pres.	metue	metuite

INFINITIVE

Pres.	metuere
Perf.	metuisse
Fut.	———

PARTICIPLE

	Active	**Passive**
Pres.	metuēns(-tis)	
Perf.	———	
Fut.	———	metuendus(-a, -um) (GERUNDIVE)

GERUND metuendī, -ō, -um, -ō SUPINE ———

mīror, mīrārī, mīrātus sum *wonder, be amazed*

ACTIVE

INDICATIVE

	Singular		Plural	
Pres.	mīror		mīrāmur	
	mīrāris(-re)		mīrāminī	
	mīrātur		mīrantur	
Impf.	mīrābar		mīrābāmur	
	mīrābāris(-re)		mīrābāminī	
	mīrābātur		mīrābantur	
Fut.	mīrābor		mīrābimur	
	mīrāberis(-re)		mīrābiminī	
	mīrābitur		mīrabuntur	
Perf.	mīrātus	sum	mīrātī	sumus
	(-a, -um)	es	(-ae, -a)	estis
		est		sunt
Plup.	mīrātus	eram	mīrātī	erāmus
	(-a, -um)	erās	(-ae, -a)	erātis
		erat		erant
Fut. Perf.	mīrātus	erō	mīrātī	erimus
	(-a, -um)	eris	(-ae, -a)	eritis
		erit		erunt

SUBJUNCTIVE

	Singular		Plural	
Pres.	mīrer		mīrēmur	
	mīrēris(-re)		mīrēminī	
	mīrētur		mīrentur	
Impf.	mīrārer		mīrārēmur	
	mīrārēris(-re)		mīrārēminī	
	mīrārētur		mīrārentur	
Perf.	mīrātus	sim	mīrātī	sīmus
	(-a, -um)	sīs	(-ae, -a)	sītis
		sit		sint
Plup.	mīrātus	essem	mīrātī	essēmus
	(-a, -um)	essēs	(-ae, -a)	essētis
		esset		essent

IMPERATIVE

Pres. mīrāre mīrāminī

INFINITIVE

Pres. mīrārī
Perf. mīrātus(-a, -um) esse
Fut. mīrātūrus(-a, -um) esse

PARTICIPLE

	Active	Passive
Pres.	mīrāns(-tis)	
Perf.	mīrātus(-a, -um)	
Fut.	mīrātūrus(-a, -um)	mīrandus(-a, -um) (GERUNDIVE)

GERUND mīrandī, -ō, -um, -ō SUPINE mīrātum, -ū

misceō, miscēre, miscuī, mīxtum *confuse, mingle, mix*

	ACTIVE		PASSIVE	
	INDICATIVE			
Pres.	misceō	miscēmus	misceor	miscēmur
	miscēs	miscētis	miscēris(-re)	miscēminī
	miscet	miscent	miscētur	miscentur
Impf.	miscēbam	miscēbāmus	miscēbar	miscēbāmur
	miscēbās	miscēbātis	miscēbāris(-re)	miscēbāminī
	miscēbat	miscēbant	miscēbātur	miscēbantur
Fut.	miscēbō	miscēbimus	miscēbor	miscēbimur
	miscēbis	miscēbitis	miscēberis(-re)	miscēbiminī
	miscēbit	miscēbunt	miscēbitur	miscēbuntur
Perf.	miscuī	miscuimus	mīxtus sum	mīxtī sumus
	miscuistī	miscuistis	(-a, -um) es	(-ae, -a) estis
	miscuit	miscuērunt(-re)	est	sunt
Plup.	miscueram	miscuerāmus	mīxtus eram	mīxtī erāmus
	miscuerās	miscuerātis	(-a, -um) erās	(-ae, -a) erātis
	miscuerat	miscuerant	erat	erant
Fut. Perf.	miscuerō	miscuerimus	mīxtus erō	mīxtī erimus
	miscueris	miscueritis	(-a, -um) eris	(-ae, -a) eritis
	miscuerit	miscuerint	erit	erunt
	SUBJUNCTIVE			
Pres.	misceam	misceāmus	miscear	misceāmur
	misceās	misceātis	misceāris(-re)	misceāminī
	misceat	misceant	misceātur	misceantur
Impf.	miscērem	miscērēmus	miscērer	miscērēmur
	miscērēs	miscērētis	miscērēris(-re)	miscērēminī
	miscēret	miscērent	miscērētur	miscērentur
Perf.	miscuerim	miscuerimus	mīxtus sim	mīxtī sīmus
	miscueris	miscueritis	(-a, -um) sīs	(-ae, -a) sītis
	miscuerit	miscuerint	sit	sint
Plup.	miscuissem	miscuissēmus	mīxtus essem	mīxtī essēmus
	miscuissēs	miscuissētis	(-a, -um) essēs	(-ae, -a) essētis
	miscuisset	miscuissent	esset	essent
	IMPERATIVE			
Pres.	miscē	miscēte		
	INFINITIVE			
Pres.	miscēre		miscērī	
Perf.	miscuisse		mīxtus(-a, -um) esse	
Fut.	mīxtūrus(-a, -um) esse			
	PARTICIPLE			
Pres.	miscēns(-tis)			
Perf.			mīxtus(-a, -um)	
Fut.	mīxtūrus(-a, -um)		miscendus(-a, -um) (GERUNDIVE)	

GERUND miscendī, -ō, -um, -ō SUPINE mīxtum, -ū

mittō, mittere, mīsī, missum *send*

	ACTIVE		PASSIVE			
			INDICATIVE			
Pres.	mittō	mittimus	mittor		mittimur	
	mittis	mittitis	mitteris(-re)		mittiminī	
	mittit	mittunt	mittitur		mittuntur	
Impf.	mittēbam	mittēbāmus	mittēbar		mittēbāmur	
	mittēbās	mittēbātis	mittēbāris(-re)		mittēbāminī	
	mittēbat	mittēbant	mittēbātur		mittēbantur	
Fut.	mittam	mittēmus	mittar		mittēmur	
	mittēs	mittētis	mittēris(-re)		mittēminī	
	mittet	mittent	mittētur		mittentur	
Perf.	mīsī	mīsimus	missus	sum	missī	sumus
	mīsistī	mīsistis	(-a, -um)	es	(-ae, -a)	estis
	mīsit	mīsērunt(-re)		est		sunt
Plup.	mīseram	mīserāmus	missus	eram	missī	erāmus
	mīserās	mīserātis	(-a, -um)	erās	(-ae, -a)	erātis
	mīserat	mīserant		erat		erant
Fut. Perf.	mīserō	mīserimus	missus	erō	missī	erimus
	mīseris	mīseritis	(-a, -um)	eris	(-ae, -a)	eritis
	mīserit	mīserint		erit		erunt
			SUBJUNCTIVE			
Pres.	mittam	mittāmus	mittar		mittāmur	
	mittās	mittātis	mittāris(-re)		mittāminī	
	mittat	mittant	mittātur		mittantur	
Impf.	mitterem	mitterēmus	mitterer		mitterēmur	
	mitterēs	mitterētis	mitterēris(-re)		mitterēminī	
	mitteret	mitterent	mitterētur		mitterentur	
Perf.	mīserim	mīserimus	missus	sim	missī	sīmus
	mīseris	mīseritis	(-a, -um)	sīs	(-ae, -a)	sītis
	mīserit	mīserint		sit		sint
Plup.	mīsissem	mīsissēmus	missus	essem	missī	essēmus
	mīsissēs	mīsissētis	(-a, -um)	essēs	(-ae, -a)	essētis
	mīsisset	mīsissent		esset		essent
			IMPERATIVE			
Pres.	mitte	mittite				
			INFINITIVE			
Pres.	mittere		mittī			
Perf.	mīsisse		missus(-a, -um) esse			
Fut.	missūrus(-a, -um) esse					
			PARTICIPLE			
Pres.	mittēns(-tis)					
Perf.			missus(-a, -um)			
Fut.	missūrus(-a, -um)		mittendus(-a, -um) (GERUNDIVE)			

GERUND mittendī, -ō, -um, -ō SUPINE missum, -ū

moneō, monēre, monuī, monitum *advise, warn*

	ACTIVE		PASSIVE	
	INDICATIVE			
Pres.	moneō	monēmus	moneor	monēmur
	monēs	monētis	monēris(-re)	monēminī
	monet	monent	monētur	monentur
Impf.	monēbam	monēbāmus	monēbar	monēbāmur
	monēbās	monēbātis	monēbāris(-re)	monēbāminī
	monēbat	monēbant	monēbātur	monēbantur
Fut.	monēbō	monēbimus	monēbor	monēbimur
	monēbis	monēbitis	monēberis(-re)	monēbiminī
	monēbit	monēbunt	monēbitur	monēbuntur
Perf.	monuī	monuimus	monitus sum	monitī sumus
	monuistī	monuistis	(-a, -um) es	(-ae, -a) estis
	monuit	monuērunt(-re)	est	sunt
Plup.	monueram	monuerāmus	monitus eram	monitī erāmus
	monuerās	monuerātis	(-a, -um) erās	(-ae, -a) erātis
	monuerat	monuerant	erat	erant
Fut. Perf.	monuerō	monuerimus	monitus erō	monitī erimus
	monueris	monueritis	(-a, -um) eris	(-ae, -a) eritis
	monuerit	monuerint	erit	erunt
	SUBJUNCTIVE			
Pres.	moneam	moneāmus	monear	moneāmur
	moneās	moneātis	moneāris(-re)	moneāminī
	moneat	moneant	moneātur	moneantur
Impf.	monērem	monērēmus	monērer	monērēmur
	monērēs	monērētis	monērēris(-re)	monērēminī
	monēret	monērent	monērētur	monērentur
Perf.	monuerim	monuerimus	monitus sim	monitī sīmus
	monueris	monueritis	(-a, -um) sīs	(-ae, -a) sītis
	monuerit	monuerint	sit	sint
Plup.	monuissem	monuissēmus	monitus essem	monitī essēmus
	monuissēs	monuissētis	(-a, -um) essēs	(-ae, -a) essētis
	monuisset	monuissent	esset	essent
	IMPERATIVE			
Pres.	monē	monēte		
	INFINITIVE			
Pres.	monēre		monērī	
Perf.	monuisse		monitus(-a, -um) esse	
Fut.	monitūrus(-a, -um) esse			
	PARTICIPLE			
Pres.	monēns(-tis)			
Perf.			monitus(-a, -um)	
Fut.	monitūrus(-a, -um)		monendus(-a, -um) (GERUNDIVE)	

GERUND monendī, -ō, -um, -ō SUPINE monitum, -ū

morior, morī, mortuus sum *die*

ACTIVE

INDICATIVE

Pres.	morior	morimur
	moreris(-re)	moriminī
	moritur	moriuntur
Impf.	moriēbar	moriēbāmur
	moriēbāris(-re)	moriēbāminī
	moriēbātur	moriēbantur
Fut.	moriar	moriēmur
	moriēris	moriēminī
	moriētur	morientur
Perf.	mortuus sum	mortuī sumus
	(-a, -um) es	(-ae, -a) estis
	est	sunt
Plup.	mortuus eram	mortuī erāmus
	(-a, -um) erās	(-ae, -a) erātis
	erat	erant
Fut. Perf.	mortuus erō	mortuī erimus
	(-a, -um) eris	(-ae, -a) eritis
	erit	erunt

SUBJUNCTIVE

Pres.	moriar	moriāmur
	moriāris(-re)	moriāminī
	moriātur	moriantur
Impf.	morerer	morerēmur
	morerēris(-re)	morerēminī
	morerētur	morerentur
Perf.	mortuus sim	mortuī sīmus
	(-a, -um) sīs	(-ae, -a) sītis
	sit	sint
Plup.	mortuus essem	mortuī essēmus
	(-a, -um) essēs	(-ae, -a) essētis
	esset	essent

IMPERATIVE

Pres.	morere	moriminī

INFINITIVE

Pres.	morī
Perf.	mortuus(-a, -um) esse
Fut.	moritūrus(-a, -um) esse

PARTICIPLE

	Active	Passive
Pres.	moriēns(-tis)	
Perf.	mortuus(-a, -um)	
Fut.	moritūrus(-a, -um)	moriendus(-a, -um) (GERUNDIVE)

GERUND moriendī, -ō, -um, -ō SUPINE mortuum, -ū

moror, morārī, morātus sum *delay, linger*

ACTIVE

INDICATIVE

Pres.	moror	morāmur
	morāris(-re)	morāminī
	morātur	morantur
Impf.	morābar	morābāmur
	morābāris(-re)	morābāminī
	morābātur	morābantur
Fut.	morābor	morābimur
	morāberis(-re)	morābiminī
	morābitur	morābuntur
Perf.	morātus sum	morātī sumus
	(-a, -um) es	(-ae, -a) estis
	est	sunt
Plup.	morātus eram	morātī erāmus
	(-a, -um) erās	(-ae, -a) erātis
	erat	erant
Fut. Perf.	morātus erō	morātī erimus
	(-a, -um) eris	(-ae, -a) eritis
	erit	erunt

SUBJUNCTIVE

Pres.	morer	morēmur
	morēris(-re)	morēminī
	morētur	morentur
Impf.	morārer	morārēmur
	morārēris(-re)	morārēminī
	morārētur	morārentur
Perf.	morātus sim	morātī sīmus
	(-a, -um) sīs	(-ae, -a) sītis
	sit	sint
Plup.	morātus essem	morātī essēmus
	(-a, -um) essēs	(-ae, -a) essētis
	esset	essent

IMPERATIVE

Pres.	morāre	morāminī

INFINITIVE

Pres.	morārī
Perf.	morātus(-a, -um) esse
Fut.	morātūrus(-a, -um) esse

PARTICIPLE

	Active	Passive
Pres.	morāns(-tis)	
Perf.	morātus(-a, -um)	
Fut.	morātūrus(-a, -um)	morandus(-a, -um) (GERUNDIVE)

GERUND morandī, -ō, -um, -ō SUPINE morātum, -ū

moveō, movēre, mōvī, mōtum *move*

	ACTIVE		PASSIVE			
			INDICATIVE			
Pres.	moveō	movēmus	moveor		movēmur	
	movēs	movētis	movēris(-re)		movēminī	
	movet	movent	movētur		moventur	
Impf.	movēbam	movēbāmus	movēbar		movēbāmur	
	movēbās	movēbātis	movēbāris(-re)		movēbāminī	
	movēbat	movēbant	movēbātur		movēbantur	
Fut.	movēbō	movēbimus	movēbor		movēbimur	
	movēbis	movēbitis	movēberis(-re)		movēbiminī	
	movēbit	movēbunt	movēbitur		movēbuntur	
Perf.	mōvī	mōvimus	mōtus	sum	mōtī	sumus
	mōvistī	mōvistis	(-a, -um)	es	(-ae, -a)	estis
	mōvit	mōvērunt(-re)		est		sunt
Plup.	mōveram	mōverāmus	mōtus	eram	mōtī	erāmus
	mōverās	mōverātis	(-a, -um)	erās	(-ae, -a)	erātis
	mōverat	mōverant		erat		erant
Fut. Perf.	mōverō	mōverimus	mōtus	erō	mōtī	erimus
	mōveris	mōveritis	(-a, -um)	eris	(-ae, -a)	eritis
	mōverit	mōverint		erit		erunt
			SUBJUNCTIVE			
Pres.	moveam	moveāmus	movear		moveāmur	
	moveās	moveātis	moveāris(-re)		moveāminī	
	moveat	moveant	moveātur		moveantur	
Impf.	movērem	movērēmus	movērer		movērēmur	
	movērēs	movērētis	movērēris(-re)		movērēminī	
	movēret	movērent	movērētur		movērentur	
Perf.	mōverim	mōverimus	mōtus	sim	mōtī	sīmus
	mōveris	mōveritis	(-a, -um)	sīs	(-ae, -a)	sītis
	mōverit	mōverint		sit		sint
Plup.	mōvissem	mōvissēmus	mōtus	essem	mōtī	essēmus
	mōvissēs	mōvissētis	(-a, -um)	essēs	(-ae, -a)	essētis
	mōvisset	mōvissent		esset		essent
			IMPERATIVE			
Pres.	movē	movēte				
			INFINITIVE			
Pres.	movēre		movērī			
Perf.	mōvisse		mōtus(-a, -um) esse			
Fut.	mōtūrus(-a, -um) esse					
			PARTICIPLE			
Pres.	movēns(-tis)					
Perf.			mōtus(-a, -um)			
Fut.	mōtūrus(-a, -um)		movendus(-a, -um) (GERUNDIVE)			

GERUND movendī, -ō, -um, -ō SUPINE mōtum, -ū

mūtō, mūtāre, mūtāvī, mūtātum *change*

	ACTIVE		PASSIVE	
		INDICATIVE		
Pres.	mūtō	mūtāmus	mūtor	mūtāmur
	mūtās	mūtātis	mūtāris(-re)	mūtāminī
	mūtat	mūtant	mūtātur	mūtantur
Impf.	mūtābam	mūtābāmus	mūtābar	mūtābāmur
	mūtābās	mūtābātis	mūtābāris(-re)	mūtābāminī
	mūtābat	mūtābant	mūtābātur	mūtābantur
Fut.	mūtābō	mūtābimus	mūtābor	mūtābimur
	mūtābis	mūtābitis	mūtāberis(-re)	mūtābiminī
	mūtābit	mūtābunt	mūtābitur	mūtābuntur
Perf.	mūtāvī	mūtāvimus	mūtātus sum	mūtātī sumus
	mūtāvistī	mūtāvistis	(-a, -um) es	(-ae, -a) estis
	mūtāvit	mūtāvērunt(-re)	est	sunt
Plup.	mūtāveram	mūtāverāmus	mūtātus eram	mūtātī erāmus
	mūtāverās	mūtāverātis	(-a, -um) erās	(-ae, -a) erātis
	mūtāverat	mūtāverant	erat	erant
Fut. Perf.	mūtāverō	mūtāverimus	mūtātus erō	mūtātī erimus
	mūtāveris	mūtāveritis	(-a, -um) eris	(-ae, -a) eritis
	mūtāverit	mūtāverint	erit	erint
		SUBJUNCTIVE		
Pres.	mūtem	mūtēmus	mūter	mūtēmur
	mūtēs	mūtētis	mūtēris(-re)	mūtēminī
	mūtet	mūtent	mūtētur	mūtentur
Impf.	mūtārem	mūtārēmus	mūtārer	mūtārēmur
	mūtārēs	mūtārētis	mūtārēris(-re)	mūtārēminī
	mūtāret	mūtārent	mūtārētur	mūtārentur
Perf.	mūtāverim	mūtāverimus	mūtātus sim	mūtātī sīmus
	mūtāveris	mūtāveritis	(-a, -um) sīs	(-ae, -a) sītis
	mūtāverit	mūtāverint	sit	sint
Plup.	mūtāvissem	mūtāvissēmus	mūtātus essem	mūtātī essēmus
	mūtāvissēs	mūtāvissētis	(-a, -um) essēs	(-ae, -a) essētis
	mūtāvisset	mūtāvissent	esset	essent
		IMPERATIVE		
Pres.	mūtā	mūtāte		
		INFINITIVE		
Pres.	mūtāre		mūtārī	
Perf.	mūtāvisse		mūtātus(-a, -um) esse	
Fut.	mūtātūrus(-a, -um) esse			
		PARTICIPLE		
Pres.	mūtāns(-tis)			
Perf.			mūtātus(-a, -um)	
Fut.	mūtātūrus(-a, -um)		mūtandus(-a, -um) (GERUNDIVE)	

GERUND mūtandī, -ō, -um, -ō SUPINE mūtātum, -ū

nancīscor, nancīscī, nactus *or* nanctus sum *find*

ACTIVE

INDICATIVE

Pres.	nancīscor	nancīscimur
	nancīsceris(-re)	nancīsciminī
	nancīscitur	nancīscuntur
Impf.	nancīscēbar	nancīscēbāmur
	nancīscēbāris(-re)	nancīscēbāminī
	nancīscēbātur	nancīscēbantur
Fut.	nancīscar	nancīscēmur
	nancīscēris(-re)	nancīscēminī
	nancīscētur	nancīscentur
Perf.	nanctus (nactus) sum	nanctī (nactī) sumus
	(-a, -um) es	(-ae, -a) estis
	est	sunt
Plup.	nanctus (nactus) eram	nanctī (nactī) erāmus
	(-a, -um) erās	(-ae, -a) erātis
	erat	erant
Fut. Perf.	nanctus (nactus) erō	nanctī (nactī) erimus
	(-a, -um) eris	(-ae, -a) eritis
	erit	erunt

SUBJUNCTIVE

Pres.	nancīscar	nancīscāmur
	nancīscāris(-re)	nancīscāminī
	nancīscātur	nancīscantur
Impf.	nancīscerer	nancīscerēmur
	nancīscerēris(-re)	nancīscerēminī
	nancīscerētur	nancīscerentur
Perf.	nanctus (nactus) sim	nanctī (nactī) sīmus
	(-a, -um) sīs	(-ae, -a) sītis
	sit	sint
Plup.	nanctus (nactus) essem	nanctī (nactī) essēmus
	(-a, -um) essēs	(-ae, -a) essētis
	esset	essent

IMPERATIVE

Pres.	nancīscere	nancīsciminī

INFINITIVE

Pres. nancīscī
Perf. nanctus (nactus) (-a, -um) esse
Fut. nanctūrus(-a, -um) esse

PARTICIPLE

	Active	Passive
Pres.	nancīscēns(-tis)	
Perf.	nanctus (nactus) (-a, -um)	
Fut.	nanctūrus(-a, -um)	nancīscendus(-a, -um) (GERUNDIVE)

GERUND nancīscendī, -ō, -um, -ō SUPINE nanctum (nactum), -ū

nārrō, nārrāre, nārrāvī, nārrātum *relate, tell*

INDICATIVE

	ACTIVE		PASSIVE	
Pres.	nārrō	nārrāmus	(nārror)	(nārrāmur)
	nārrās	nārrātis	(nārrāris(-re))	(nārrāminī)
	nārrat	nārrant	nārrātur	nārrantur
Impf.	nārrābam	nārrābāmus	(nārrābar)	(nārrābāmur)
	nārrābās	nārrābātis	(nārrābāris(-re))	(nārrābāminī)
	nārrābat	nārrābant	nārrābātur	nārrābantur
Fut.	nārrābō	nārrābimus	(nārrābor)	(nārrābimur)
	nārrābis	nārrābitis	(nārrāberis(-re))	(nārrābiminī)
	nārrābit	nārrābunt	nārrābitur	nārrābuntur
Perf.	nārrāvī	nārrāvimus	nārrātus (sum)	nārrātī (sumus)
	nārrāvistī	nārrāvistis	(-a, -um) (es)	(-ae, -a) (estis)
	nārrāvit	nārrāvērunt(-re)	est	sunt
Plup.	nārrāveram	nārrāverāmus	nārrātus (eram)	nārrātī (erāmus)
	nārrāverās	nārrāverātis	(-a, -um) (erās)	(-ae, -a) (erātis)
	nārrāverat	nārrāverant	erat	erant
Fut. Perf.	nārrāverō	nārrāverimus	nārrātus (erō)	nārrātī (erimus)
	nārrāveris	nārrāveritis	(-a, -um) (eris)	(-ae, -a) (eritis)
	nārrāverit	nārrāverint	erit	erunt

SUBJUNCTIVE

	ACTIVE		PASSIVE	
Pres.	nārrem	nārrēmus	(nārrer)	(nārrēmur)
	nārrēs	nārrētis	(nārrēris(-re))	(nārrēminī)
	nārret	nārrent	nārrētur	nārrentur
Impf.	nārrārem	nārrārēmus	(nārrārer)	(nārrārēmur)
	nārrārēs	nārrārētis	(nārrārēris(-re))	(nārrārēminī)
	nārrāret	nārrārent	nārrārētur	nārrārentur
Perf.	nārrāverim	nārrāverimus	nārrātus (sim)	nārrātī (sīmus)
	nārrāveris	narrāveritis	(-a, -um) (sīs)	(-ae, -a) (sītis)
	nārrāverit	nārrāverint	sit	sint
Plup.	nārrāvissem	nārrāvissēmus	nārrātus (essem)	nārrātī (essēmus)
	nārrāvissēs	nārrāvissētis	(-a, -um) (essēs)	(-ae, -a) (essētis)
	nārrāvisset	nārrāvissent	esset	essent

IMPERATIVE

	ACTIVE	
Pres.	nārrā	nārrāte

INFINITIVE

	ACTIVE	PASSIVE
Pres.	nārrāre	nārrārī
Perf.	nārrāvisse	nārrātus(-a, -um) esse
Fut.	nārrātūrus(-a, -um) esse	

PARTICIPLE

	ACTIVE	PASSIVE
Pres.	nārrāns(-tis)	
Perf.		nārrātus(-a, -um)
Fut.	nārrātūrus(-a, -um)	nārrandus(-a, -um) (GERUNDIVE)

GERUND nārrandī, -ō, -um, -ō SUPINE nārrātum, -ū

nāscor, nāscī, nātus sum *be born*

ACTIVE

INDICATIVE

Pres.	nāscor		nāscimur	
	nāsceris(-re)		nāsciminī	
	nāscitur		nāscuntur	
Impf.	nāscēbar		nāscēbāmur	
	nāscēbāris(-re)		nāscēbāminī	
	nāscēbātur		nāscēbantur	
Fut.	nāscar		nāscēmur	
	nāscēris(-re)		nāscēminī	
	nāscētur		nāscentur	
Perf.	nātus	sum	nātī	sumus
	(-a, -um)	es	(-ae, -a)	estis
		est		sunt
Plup.	nātus	eram	nātī	erāmus
	(-a, -um)	erās	(-ae, -a)	erātis
		erat		erant
Fut. Perf.	nātus	erō	nātī	erimus
	(-a, -um)	eris	(-ae, -a)	eritis
		erit		erunt

SUBJUNCTIVE

Pres.	nāscar		nāscāmur	
	nāscāris(-re)		nāscāminī	
	nāscātur		nāscantur	
Impf.	nāscerer		nāscerēmur	
	nāscerēris(-re)		nāscerēminī	
	nāscerētur		nāscerentur	
Perf.	nātus	sim	nātī	sīmus
	(-a, -um)	sīs	(-ae, -a)	sītis
		sit		sint
Plup.	nātus	essem	nātī	essēmus
	(-a, -um)	essēs	(-ae, -a)	essētis
		esset		essent

IMPERATIVE

Pres.	nāscere	nāsciminī

INFINITIVE

Pres.	nāscī
Perf.	nātus(-a, -um) esse
Fut.	nātūrus(-a, -um) esse

PARTICIPLE

	Active	Passive
Pres.	nāscēns(-tis)	
Perf.	nātus(-a, -um)	
Fut.	nātūrus(-a, -um)	nāscendus(-a, -um) (GERUNDIVE)

GERUND nāscendī, -ō, -um, -ō SUPINE nātum, -ū

negō, negāre, negāvī, negātum *deny*

	ACTIVE		PASSIVE	
	INDICATIVE			
Pres.	negō	negāmus	negor	negāmur
	negās	negātis	negāris(-re)	negāminī
	negat	negant	negātur	negantur
Impf.	negābam	negābāmus	negābar	negābāmur
	negābās	negābātis	negābāris(-re)	negābāminī
	negābat	negābant	negābātur	negābantur
Fut.	negābō	negābimus	negābor	negābimur
	negābis	negābitis	negāberis(-re)	negābiminī
	negābit	negābunt	negābitur	negābuntur
Perf.	negāvī	negāvimus	negātus sum	negātī sumus
	negāvistī	negāvistis	(-a, -um) es	(-ae, -a) estis
	negāvit	negāvērunt(-re)	est	sunt
Plup.	negāveram	negāverāmus	negātus eram	negātī erāmus
	negāverās	negāverātis	(-a, -um) erās	(-ae, -a) erātis
	negāverat	negāverant	erat	erant
Fut. Perf.	negāverō	negāverimus	negātus erō	negātī erimus
	negāveris	negāveritis	(-a, -um) eris	(-ae, -a) eritis
	negāverit	negāverint	erit	erunt
	SUBJUNCTIVE			
Pres.	negem	negēmus	neger	negēmur
	negēs	negētis	negēris(-re)	negēminī
	neget	negent	negētur	negentur
Impf.	negārem	negārēmus	negārer	negārēmur
	negārēs	negārētis	negārēris(-re)	negārēminī
	negāret	negārent	negārētur	negārentur
Perf.	negāverim	negāverimus	negātus sim	negātī sīmus
	negāveris	negāveritis	(-a, -um) sīs	(-ae, -a) sītis
	negāverit	negāverint	sit	sint
Plup.	negāvissem	negāvissēmus	negātus essem	negātī essēmus
	negāvissēs	negāvissētis	(-a, -um) essēs	(-ae, -a) essētis
	negāvisset	negāvissent	esset	essent
	IMPERATIVE			
Pres.	negā	negāte		
	INFINITIVE			
Pres.	negāre		negārī	
Perf.	negāvisse		negātus(-a, -um) esse	
Fut.	negātūrus(-a, -um) esse			
	PARTICIPLE			
Pres.	negāns(-tis)			
Perf.			negātus(-a, -um)	
Fut.	negātūrus(-a, -um)		negandus(-a, -um) (GERUNDIVE)	

GERUND negandī, -ō, -um, -ō SUPINE negātum, -ū

noceō, nocēre, nocuī, nocitūrus *harm*

ACTIVE

INDICATIVE

Pres.	noceō	nocēmus
	nocēs	nocētis
	nocet	nocent
Impf.	nocēbam	nocēbāmus
	nocēbās	nocēbātis
	nocēbat	nocēbant
Fut.	nocēbō	nocēbimus
	nocēbis	nocēbitis
	nocēbit	nocēbunt
Perf.	nocuī	nocuimus
	nocuistī	nocuistis
	nocuit	nocuērunt(-re)
Plup.	nocueram	nocuerāmus
	nocuerās	nocuerātis
	nocuerat	nocuerant
Fut. Perf.	nocuerō	nocuerimus
	nocueris	nocueritis
	nocuerit	nocuerint

SUBJUNCTIVE

Pres.	noceam	noceāmus
	noceās	noceātis
	noceat	noceant
Impf.	nocērem	nocērēmus
	nocērēs	nocērētis
	nocēret	nocērent
Perf.	nocuerim	nocuerimus
	nocueris	nocueritis
	nocuerit	nocuerint
Plup.	nocuissem	nocuissēmus
	nocuissēs	nocuissētis
	nocuisset	nocuissent

IMPERATIVE

Pres.	nocē	nocēte

INFINITIVE

Pres.	nocēre
Perf.	nocuisse
Fut.	nocitūrus(-a, -um) esse

PARTICIPLE

	Active	Passive
Pres.	nocēns(-tis)	
Perf.	———	
Fut.	nocitūrus(-a, -um)	nocendus(-a, -um) (GERUNDIVE)

GERUND nocendī, -ō, -um, -ō SUPINE ———

nōlō, nōlle, nōluī — *be unwilling, not want*

ACTIVE

INDICATIVE

Pres.	nōlō	nōlumus
	nōn vīs	nōn vultis
	nōn vult	nōlunt
Impf.	nōlēbam	nōlēbāmus
	nōlēbās	nōlēbātis
	nōlēbat	nōlēbant
Fut.	nōlam	nōlēmus
	nōlēs	nōlētis
	nōlet	nōlent
Perf.	nōluī	nōluimus
	nōluistī	nōluistis
	nōluit	nōluērunt(-re)
Plup.	nōlueram	nōluerāmus
	nōluerās	nōluerātis
	nōluerat	nōluerant
Fut. Perf.	nōluerō	nōluerimus
	nōlueris	nōlueritis
	nōluerit	nōluerint

SUBJUNCTIVE

Pres.	nōlim	nōlimus
	nōlis	nōlitis
	nōlit	nōlint
Impf.	nōllem	nōllēmus
	nōllēs	nōllētis
	nōllet	nōllent
Perf.	nōluerim	nōluerimus
	nōlueris	nōlueritis
	nōluerit	nōluerint
Plup.	nōluissem	nōluissēmus
	nōluissēs	nōluissētis
	nōluisset	nōluissent

IMPERATIVE

Pres.	nōlī	nōlīte

INFINITIVE

Pres.	nōlle
Perf.	nōluisse
Fut.	———

PARTICIPLE

Pres.	nōlēns(-tis)

nōscō, nōscere, nōvī, nōtum *become acquainted, know*

	ACTIVE		PASSIVE	
	INDICATIVE			
Pres.	nōscō	nōscimus	nōscor	nōscimur
	nōscis	nōscitis	nōsceris(-re)	nōsciminī
	nōscit	nōscunt	nōscitur	nōscuntur
Impf.	nōscēbam	nōscēbāmus	nōscēbar	nōscēbāmur
	nōscēbās	nōscēbātis	nōscēbāris(-re)	nōscēbāminī
	nōscēbat	nōscēbant	nōscēbātur	nōscēbantur
Fut.	nōscam	nōscēmus	nōscar	nōscēmur
	nōscēs	nōscētis	nōscēris(-re)	nōscēminī
	nōscet	nōscent	nōscētur	nōscentur
Perf.	nōvī	nōvimus	nōtus sum	nōtī sumus
	nōvistī	nōvistis	(-a, -um) es	(-ae, -a) estis
	nōvit	nōvērunt(-re)	est	sunt
Plup.	nōveram	nōverāmus	nōtus eram	nōtī erāmus
	nōverās	nōverātis	(-a, -um) erās	(-ae, -a) erātis
	nōverat	nōverant	erat	erant
Fut. Perf.	nōverō	nōverimus	nōtus erō	nōtī erimus
	nōveris	nōveritis	(-a, -um) eris	(-ae, -a) eritis
	nōverit	nōverint	erit	erunt
	SUBJUNCTIVE			
Pres.	nōscam	nōscāmus	nōscar	nōscāmur
	nōscās	nōscātis	nōscāris(-re)	nōscāminī
	nōscat	nōscant	nōscātur	nōscantur
Impf.	nōscerem	nōscerēmus	nōscerer	nōscerēmur
	nōscerēs	nōscerētis	nōscerēris(-re)	nōscerēminī
	nōsceret	nōscerent	nōscerētur	nōscerentur
Perf.	nōverim	nōverimus	nōtus sim	nōtī sīmus
	nōveris	nōveritis	(-a, -um) sīs	(-ae, -a) sītis
	nōverit	nōverint	sit	sint
Plup.	nōvissem	nōvissēmus	nōtus essem	nōtī essēmus
	nōvissēs	nōvissētis	(-a, -um) essēs	(-ae, -a) essētis
	nōvisset	nōvissent	esset	essent
	IMPERATIVE			
Pres.	nōsce	nōscite		
	INFINITIVE			
Pres.	nōscere		nōscī	
Perf.	nōvisse		nōtus(-a, -um) esse	
Fut.	nōturus(-a, -um) esse			
	PARTICIPLE			
Pres.	nōscēns(-tis)			
Perf.			nōtus(-a, -um)	
Fut.	nōturus(-a, -um)		nōscendus(-a, -um) (GERUNDIVE)	

GERUND nōscendī, -ō, -um, -ō SUPINE nōtum, -ū

nūntiō, nūntiāre, nūntiāvī, nūntiātum *announce*

	ACTIVE		PASSIVE	
	INDICATIVE			
Pres.	nūntiō	nūntiāmus	nūntior	nūntiāmur
	nūntiās	nūntiātis	nūntiāris(-re)	nūntiāminī
	nūntiat	nūntiant	nūntiātur	nūntiantur
Impf.	nūntiābam	nūntiābāmus	nūntiābar	nūntiābāmur
	nūntiābās	nūntiābātis	nūntiābāris(-re)	nūntiābāminī
	nūntiābat	nūntiābant	nūntiābātur	nūntiābantur
Fut.	nūntiābō	nūntiābimus	nūntiābor	nūntiābimur
	nūntiābis	nūntiābitis	nūntiāberis(-re)	nūntiābiminī
	nūntiābit	nūntiābunt	nūntiābitur	nūntiābuntur
Perf.	nūntiāvī	nūntiāvimus	nūntiātus sum	nūntiātī sumus
	nūntiāvistī	nūntiāvistis	(-a, -um) es	(-ae, -a) estis
	nūntiāvit	nūntiāvērunt(-re)	est	sunt
Plup.	nūntiāveram	nūntiāverāmus	nūntiātus eram	nūntiātī erāmus
	nūntiāverās	nūntiāverātis	(-a, -um) erās	(-ae, -a) erātis
	nūntiāverat	nūntiāverant	erat	erant
Fut. Perf.	nūntiāverō	nūntiāverimus	nūntiātus erō	nūntiātī erimus
	nūntiāveris	nūntiāveritis	(-a, -um) eris	(-ae, -a) eritis
	nūntiāverit	nūntiāverint	erit	erunt
	SUBJUNCTIVE			
Pres.	nūntiem	nūntiēmus	nūntier	nūntiēmur
	nūntiēs	nūntiētis	nūntiēris(-re)	nūntiēminī
	nūntiet	nūntient	nūntiētur	nūntientur
Impf.	nūntiārem	nūntiārēmus	nūntiārer	nūntiārēmur
	nūntiārēs	nūntiārētis	nūntiārēris(-re)	nūntiārēminī
	nūntiāret	nūntiārent	nūntiārētur	nūntiārentur
Perf.	nūntiāverim	nūntiāverimus	nūntiātus sim	nūntiātī sīmus
	nūntiāveris	nūntiāveritis	(-a, -um) sīs	(-ae, -a) sītis
	nūntiāverit	nūntiāverint	sit	sint
Plup.	nūntiāvissem	nūntiāvissēmus	nūntiātus essem	nūntiātī essēmus
	nūntiāvissēs	nūntiāvissētis	(-a, -um) essēs	(-ae, -a) essētis
	nūntiāvisset	nūntiāvissent	esset	essent
	IMPERATIVE			
Pres.	nūntiā	nūntiāte		
	INFINITIVE			
Pres.	nūntiāre		nūntiārī	
Perf.	nūntiāvisse		nūntiātus(-a, -um) esse	
Fut.	nūntiātūrus(-a, -um) esse			
	PARTICIPLE			
Pres.	nūntiāns(-tis)			
Perf.			nūntiātus(-a, -um)	
Fut.	nūntiātūrus(-a, -um)		nūntiandus(-a, -um) (GERUNDIVE)	

GERUND nūntiandī, -ō, -um, -ō SUPINE nūntiātum, -ū

oblīvīscor, oblīvīscī, oblītus sum *forget*

ACTIVE

INDICATIVE

Pres.	oblīvīscor	oblīvīscimur
	oblīvīsceris(-re)	oblīvīsciminī
	oblīvīscitur	oblīvīscuntur
Impf.	oblīvīscēbar	oblīvīscēbāmur
	oblīvīscēbāris(-re)	oblīvīscēbāminī
	oblīvīscēbātur	oblīvīscēbantur
Fut.	oblīvīscar	oblīvīscēmur
	oblīvīscēris(-re)	oblīvīscēminī
	oblīvīscētur	oblīvīscentur
Perf.	oblītus sum	oblītī sumus
	(-a, -um) es	(-ae, -a) estis
	est	sunt
Plup.	oblītus eram	oblītī erāmus
	(-a, -um) erās	(-ae, -a) erātis
	erat	erant
Fut. Perf.	oblītus erō	oblītī erimus
	(-a, -um) eris	(-ae, -a) eritis
	erit	erunt

SUBJUNCTIVE

Pres.	oblīvīscar	oblīvīscāmur
	oblīvīscāris(-re)	oblīvīscāminī
	oblīvīscātur	oblīvīscantur
Impf.	oblīvīscerer	oblīvīscerēmur
	oblīvīscerēris(-re)	oblīvīscerēminī
	oblīvīscerētur	oblīvīscerentur
Perf.	oblītus sim	oblītī sīmus
	(-a, -um) sīs	(-ae, -a) sītis
	sit	sint
Plup.	oblītus essem	oblītī essēmus
	(-a, -um) essēs	(-ae, -a) essētis
	esset	essent

IMPERATIVE

Pres.	oblīvīscere	oblīvīsciminī

INFINITIVE

Pres.	oblīvīscī
Perf.	oblītus(-a, -um) esse
Fut.	oblītūrus(-a, -um) esse

PARTICIPLE

	Active	Passive
Pres.	oblīvīscēns(-tis)	
Perf.	oblītus(-a. -um)	
Fut.	oblītūrus(-a, -um)	oblīvīscendus(-a, -um) (GERUNDIVE)

GERUND oblīvīscendī, -ō, -um, -ō SUPINE oblītum, -ū

occīdō, occīdere, occīdī, occīsum *kill*

	ACTIVE		PASSIVE	
	INDICATIVE			
Pres.	occīdō	occīdimus	occīdor	occīdimur
	occīdis	occīditis	occīderis(-re)	occīdiminī
	occīdit	occīdunt	occīditur	occīduntur
Impf.	occīdēbam	occīdēbāmus	occīdēbar	occīdēbāmur
	occīdēbās	occīdēbātis	occīdēbāris(-re)	occīdēbāminī
	occīdēbat	occīdēbant	occīdēbātur	occīdēbantur
Fut.	occīdam	occīdēmus	occīdar	occīdēmur
	occīdēs	occīdētis	occīdēris(-re)	occīdēminī
	occīdet	occīdent	occīdētur	occīdentur
Perf.	occīdī	occīdimus	occīsus sum	occīsī sumus
	occīdistī	occīdistis	(-a, -um) es	(-ae, -a) estis
	occīdit	occīdērunt(-re)	est	sunt
Plup.	occīderam	occīderāmus	occīsus eram	occīsī erāmus
	occīderās	occīderātis	(-a, -um) erās	(-ae, -a) erātis
	occīderat	occīderant	erat	erant
Fut. Perf.	occīderō	occīderimus	occīsus erō	occīsī erimus
	occīderis	occīderitis	(-a, -um) eris	(-ae, -a) eritis
	occīderit	occīderint	erit	erunt
	SUBJUNCTIVE			
Pres.	occīdam	occīdāmus	occīdar	occīdāmur
	occīdās	occīdātis	occīdāris(-re)	occīdāminī
	occīdat	occīdant	occidātur	occīdantur
Impf.	occīderem	occīderēmus	occīderer	occīderēmur
	occīderēs	occīderētis	occīderēris(-re)	occīderēminī
	occīderet	occīderent	occīderētur	occīderentur
Perf.	occīderim	occīderimus	occīsus sim	occīsī sīmus
	occīderis	occīderitis	(-a, -um) sīs	(-ae, -a) sītis
	occīderit	occīderint	sit	sint
Plup.	occīdissem	occīdissēmus	occīsus essem	occīsī essēmus
	occīdissēs	occīdissētis	(-a, -um) essēs	(-ae, -a) essētis
	occīdisset	occīdissent	esset	essent
	IMPERATIVE			
Pres.	occīde	occīdite		
	INFINITIVE			
Pres.	occīdere		occīdī	
Perf.	occīdisse		occīsus(-a, -um) esse	
Fut.	occīsūrus(-a, -um) esse			
	PARTICIPLE			
Pres.	occīdēns(-tis)			
Perf.			occīsus(-a, -um)	
Fut.	occīsūrus(-a, -um)		occīdendus(-a, -um) (GERUNDIVE)	

GERUND occīdendī, -ō, -um, -ō SUPINE occīsum, -ū

occupō, occupāre, occupāvī, occupātum *seize*

	ACTIVE		PASSIVE	
	INDICATIVE			
Pres.	occupō	occupāmus	occupor	occupāmur
	occupās	occupātis	occupāris(-re)	occupāminī
	occupat	occupant	occupātur	occupant
Impf.	occupābam	occupābāmus	occupābar	occupābāmur
	occupābās	occupābātis	occupābāris(-re)	occupābāminī
	occupābat	occupābant	occupābātur	occupābantur
Fut.	occupābō	occupābimus	occupābor	occupābimur
	occupābis	occupābitis	occupāberis(-re)	occupābiminī
	occupābit	occupābunt	occupābitur	occupābuntur
Perf.	occupāvī	occupāvimus	occupātus sum	occupātī sumus
	occupāvistī	occupāvistis	(-a, -um) es	(-ae, -a) estis
	occupāvit	occupāvērunt(-re)	est	sunt
Plup.	occupāveram	occupāverāmus	occupātus eram	occupātī erāmus
	occupāverās	occupāverātis	(-a, -um) erās	(-ae, -a) erātis
	occupāverat	occupāverant	erat	erant
Fut. Perf.	occupāverō	occupāverimus	occupātus erō	occupātī erimus
	occupāveris	occupāveritis	(-a, -um) eris	(-ae, -a) eritis
	occupāverit	occupāverint	erit	erunt
	SUBJUNCTIVE			
Pres.	occupem	occupēmus	occuper	occupēmur
	occupēs	occupētis	occupēris(-re)	occupēminī
	occupet	occupent	occupētur	occupentur
Impf.	occupārem	occupārēmus	occupārer	occupārēmur
	occupārēs	occupārētis	occupārēris(-re)	occupārēminī
	occupāret	occupārent	occupārētur	occupārentur
Perf.	occupāverim	occupāverimus	occupātus sim	occupātī sīmus
	occupāveris	occupāveritis	(-a, -um) sīs	(-ae, -a) sītis
	occupāverit	occupāverint	sit	sint
Plup.	occupāvissem	occupāvissēmus	occupātus essem	occupātī essēmus
	occupāvissēs	occupāvissētis	(-a, -um) essēs	(-ae, -a) essētis
	occupāvisset	occupāvissent	esset	essent
	IMPERATIVE			
Pres.	occupā	occupāte		
	INFINITIVE			
Pres.	occupāre		occupārī	
Perf.	occupāvisse		occupātus(-a, -um) esse	
Fut.	occupātūrus(-a, -um) esse			
	PARTICIPLE			
Pres.	occupāns(-tis)			
Perf.			occupātus(-a, -um)	
Fut.	occupātūrus(-a, -um)		occupandus(-a, -um) (GERUNDIVE)	

GERUND occupāndī, -ō, -um, -ō SUPINE occupātum, -ū

ōdī, ōdisse — *hate (Perfect in form, Present in meaning)*

ACTIVE

INDICATIVE

Pres.

Impf.

Fut.

Perf.	ōdī	ōdimus
	ōdistī	ōdistis
	ōdit	ōdērunt(-re)
Plup.	ōderam	ōderāmus
	ōderās	ōderātis
	ōderat	ōderant
Fut. Perf.	ōderō	ōderimus
	ōderis	ōderitis
	ōderit	ōderint

SUBJUNCTIVE

Pres.

Impf.

Perf.	ōderim	ōderimus
	ōderis	ōderitis
	ōderit	ōderint
Plup.	ōdissem	ōdissēmus
	ōdissēs	ōdissētis
	ōdisset	ōdissent

IMPERATIVE

Pres.

INFINITIVE

Pres. ———
Perf. ōdisse
Fut. ———

PARTICIPLE

Pres.
Perf.
Fut.

GERUND ——— SUPINE ———

oportet, oportēre, oportuit *is fitting, ought* (Impers.)

ACTIVE

INDICATIVE

Pres. ———
———
oportet

Impf. ———
———
oportēbat

Fut. ———
———
oportēbit

Perf. ———
———
oportuit

Plup. ———
———
oportuerat

Fut. Perf. ———
———
oportuerit

SUBJUNCTIVE

Pres. ———
———
oporteat

Impf. ———
———
oportēret

Perf. ———
———
oportuerit

Plup. ———
———
oportuisset

IMPERATIVE

Pres.

INFINITIVE

Pres. oportēre
Perf. oportuisse
Fut. ———

PARTICIPLE

Pres.
Perf.
Fut.

GERUND ——— SUPINE ———

orior, orīrī, ortus sum *rise*

ACTIVE

INDICATIVE

Pres.	orior		orīmur	
	orīris(-re)		orīminī	
	orītur		oriuntur	
Impf.	oriēbar		oriēbāmur	
	oriēbāris(-re)		oriēbāminī	
	oriēbātur		oriēbantur	
Fut.	oriar		oriēmur	
	oriēris(-re)		oriēminī	
	oriētur		orientur	
Perf.	ortus	sum	ortī	sumus
	(-a, -um)	es	(-ae, -a)	estis
		est		sunt
Plup.	ortus	eram	ortī	erāmus
	(-a, -um)	erās	(-ae, -a)	erātis
		erat		erant
Fut. Perf.	ortus	erō	ortī	erimus
	(-a, -um)	eris	(-ae, -a)	eritis
		erit		erunt

SUBJUNCTIVE

Pres.	oriar		oriāmur	
	oriāris(-re)		oriāminī	
	oriātur		oriantur	
Impf.	orīrer		orīrēmur	
	orīrēris(-re)		orīrēminī	
	orīrētur		orīrentur	
Perf.	ortus	sim	ortī	sīmus
	(-a, -um)	sīs	(-ae, -a)	sītis
		sit		sint
Plup.	ortus	essem	ortī	essēmus
	(-a, -um)	essēs	(-ae, -a)	essētis
		esset		essent

IMPERATIVE

Pres.	orīre	orīminī

INFINITIVE

Pres. orīrī
Perf. ortus(-a, -um) esse
Fut. ortūrus(-a, -um) esse

PARTICIPLE

Pres. oriēns(-tis)
Perf. ortus(-a, -um)
Fut. ortūrus(-a, -um)

GERUND oriendī, -ō, -um, -ō SUPINE ortum, -ū

ōrō, ōrāre, ōrāvī, ōrātum *beg, plead*

	ACTIVE		PASSIVE			
	INDICATIVE					
Pres.	ōrō	ōrāmus	ōror		ōrāmur	
	ōrās	ōrātis	ōrāris(-re)		ōrāminī	
	ōrat	ōrant	ōrātur		ōrantur	
Impf.	ōrābam	ōrābāmus	ōrābar		ōrābāmur	
	ōrābās	ōrābātis	ōrābāris(-re)		ōrābāminī	
	ōrābat	ōrābant	ōrābātur		ōrābantur	
Fut.	ōrābō	ōrābimus	ōrābor		ōrābimur	
	ōrābis	ōrābitis	ōrāberis(-re)		ōrābiminī	
	ōrābit	ōrābunt	ōrābitur		ōrābuntur	
Perf.	ōrāvī	ōrāvimus	ōrātus	sum	ōrātī	sumus
	ōrāvistī	ōrāvistis	(-a, -um)	es	(-ae, -a)	estis
	ōrāvit	ōrāvērunt(-re)		est		sunt
Plup.	ōrāveram	ōrāverāmus	ōrātus	eram	ōrātī	erāmus
	ōrāverās	ōrāverātis	(-a, -um)	erās	(-ae, -a)	erātis
	ōrāverat	ōrāverant		erat		erant
Fut. Perf.	ōrāverō	ōrāverimus	ōrātus	erō	ōrātī	erimus
	ōrāveris	ōrāveritis	(-a, -um)	eris	(-ae, -a)	eritis
	ōrāverit	ōrāverint		erit		erunt
	SUBJUNCTIVE					
Pres.	ōrem	ōrēmus	ōrer		ōrēmur	
	ōrēs	ōrētis	ōrēris(-re)		ōrēminī	
	ōret	ōrent	ōrētur		ōrentur	
Impf.	ōrārem	ōrārēmus	ōrārer		ōrārēmur	
	ōrārēs	ōrārētis	ōrārēris(-re)		ōrārēminī	
	ōrāret	ōrārent	ōrārētur		ōrārentur	
Perf.	ōrāverim	ōrāverimus	ōrātus	sim	ōrātī	sīmus
	ōrāveris	ōrāveritis	(-a, -um)	sīs	(-ae, -a)	sītis
	ōrāverit	ōrāverint		sit		sint
Plup.	ōrāvissem	ōrāvissēmus	ōrātus	essem	ōrātī	essēmus
	ōrāvissēs	ōrāvissētis	(-a, -um)	essēs	(-ae, -a)	essētis
	ōrāvisset	ōrāvissent		esset		essent
	IMPERATIVE					
Pres.	ōrā	ōrāte				
	INFINITIVE					
Pres.	ōrāre		ōrārī			
Perf.	ōrāvisse		ōrātus(-a, -um) esse			
Fut.	ōrātūrus(-a, -um) esse					
	PARTICIPLE					
Pres.	ōrāns(-tis)					
Perf.			ōrātus(-a, -um)			
Fut.	ōrātūrus(-a, -um)		ōrandus(-a, -um) (GERUNDIVE)			

GERUND ōrandī, -ō, -um, -ō SUPINE ōrātum, -ū

paenitet, paenitēre, paenituit — *repent* (Impers.)

ACTIVE

INDICATIVE

Pres. ———
———
paenitet

Impf. ———
———
paenitēbat

Fut. ———
———
paenitēbit

Perf. ———
———
paenituit

Plup. ———
———
paenituerat

Fut. Perf. ———
———
paenituerit

SUBJUNCTIVE

Pres. ———
———
paeniteat

Impf. ———
———
paenitēret

Perf. ———
———
paenituerit

Plup. ———
———
paenituisset

IMPERATIVE

Pres.

INFINITIVE

Pres. paenitēre
Perf. paenituisse
Fut. ———

PARTICIPLE

Pres. paenitēns(-tis)
Perf. ———
Fut. ———

GERUND paenitendī, -ō, -um, -ō SUPINE ———

parcō, parcere, pepercī, parsum *spare*

	ACTIVE		PASSIVE
		INDICATIVE	
Pres.	parcō	parcimus	
	parcis	parcitis	
	parcit	parcunt	parcitur (Impers.)
Impf.	parcēbam	parcēbāmus	
	parcēbās	parcēbātis	
	parcēbat	parcēbant	parcēbātur (Impers.)
Fut.	parcam	parcēmus	
	parcēs	parcētis	
	parcet	parcent	parcētur (Impers.)
Perf.	pepercī	pepercimus	
	pepercistī	pepercistis	
	pepercit	pepercērunt(-re)	parsum est (Impers.)
Plup.	peperceram	pepercerāmus	
	pepercerās	pepercerātis	
	pepercerat	pepercerant	parsum erat (Impers.)
Fut.	pepercerō	pepercerimus	
Perf.	peperceris	peperceritis	
	pepercerit	pepercerint	parsum erit (Impers.)
		SUBJUNCTIVE	
Pres.	parcam	parcāmus	
	parcās	parcātis	
	parcat	parcant	parcātur (Impers.)
Impf.	parcerem	parcerēmus	
	parcerēs	parcerētis	
	parceret	parcerent	parcerētur (Impers.)
Perf.	pepercerim	pepercerimus	
	peperceris	peperceritis	
	pepercerit	pepercerint	parsum sit (Impers.)
Plup.	pepercissem	pepercissēmus	
	pepercissēs	pepercissētis	
	pepercisset	pepercissent	parsum esset (Impers.)
		IMPERATIVE	
Pres.	parce	parcite	
		INFINITIVE	
Pres.	parcere		parcī
Perf.	pepercisse		parsum esse
Fut.	parsūrus(-a, -um) esse		
		PARTICIPLE	
Pres.	parcēns		
Perf.			———
Fut.	parsūrus(-a, -um)		parcendus(-a, -um) (GERUNDIVE)

GERUND parcendī, -ō, -um, -ō SUPINE parsum, -ū

pāreō, pārēre, pāruī *obey*

ACTIVE

INDICATIVE

Pres.	pāreō	pārēmus
	pārēs	pārētis
	pāret	pārent
Impf.	pārēbam	pārēbāmus
	pārēbās	pārēbātis
	pārēbat	pārēbant
Fut.	pārēbō	pārēbimus
	pārēbis	pārēbitis
	pārēbit	pārēbunt
Perf.	pāruī	pāruimus
	pāruistī	pāruistis
	pāruit	pāruērunt(-re)
Plup.	pārueram	pāruerāmus
	pāruerās	pāruerātis
	pāruerat	pāruerant
Fut. Perf.	pāruerō	pāruerimus
	pārueris	pārueritis
	pāruerit	pāruerint

SUBJUNCTIVE

Pres.	pāream	pāreāmus
	pāreās	pāreātis
	pāreat	pāreant
Impf.	pārērem	pārērēmus
	pārērēs	pārērētis
	pāréret	pārērent
Perf.	pāruerim	pāruerimus
	pārueris	pārueritis
	pāruerit	pāruerint
Plup.	pāruissem	pāruissēmus
	pāruissēs	pāruissētis
	pāruisset	pāruissent

IMPERATIVE

Pres.	pārē	pārēte

INFINITIVE

Pres. pārēre
Perf. pāruisse
Fut. ———

PARTICIPLE

Pres. pārēns(-tis)
Perf. ———
Fut. ———

GERUND pārendī, -ō, -um, -ō

pariō, parere, peperī, partum *give birth*

	ACTIVE		PASSIVE			
			INDICATIVE			
Pres.	pariō	parimus	parior		parimur	
	paris	paritis	pareris(-re)		pariminī	
	parit	pariunt	paritur		pariuntur	
Impf.	pariēbam	pariēbāmus	pariēbar		pariēbāmur	
	pariēbās	pariēbātis	pariēbāris(-re)		pariēbāminī	
	pariēbat	pariēbant	pariēbātur		pariēbantur	
Fut.	pariam	pariēmus	pariar		pariēmur	
	pariēs	pariētis	pariēris(-re)		pariēminī	
	pariet	parient	pariētur		parientur	
Perf.	peperī	peperimus	partus	sum	partī	sumus
	peperistī	peperistis	(-a, -um)	es	(-ae, -a)	estis
	peperit	peperērunt(-re)		est		sunt
Plup.	pepereram	pepererāmus	partus	eram	partī	erāmus
	pepererās	pepererātis	(-a, -um)	erās	(-ae, -a)	erātis
	pepererat	pepererant		erat		erant
Fut. Perf.	pepererō	pepererimus	partus	erō	partī	erimus
	pepereris	pepereritis	(-a, -um)	eris	(-ae, -a)	eritis
	pepererit	pepererint		erit		erunt
			SUBJUNCTIVE			
Pres.	pariam	pariāmus	pariar		pariāmur	
	pariās	pariātis	pariāris(-re)		pariāminī	
	pariat	pariant	pariātur		pariantur	
Impf.	parerem	parerēmus	parerer		parerēmur	
	parerēs	parerētis	parerēris(-re)		parerēminī	
	pareret	parerent	parerētur		parerentur	
Perf.	pepererim	pepererimus	partus	sim	partī	sīmus
	pepereris	pepereritis	(-a, -um)	sīs	(-ae, -a)	sītis
	pepererit	pepererint		sit		sint
Plup.	peperissem	peperissēmus	partus	essem	partī	essēmus
	peperissēs	peperissētis	(-a, -um)	essēs	(-ae, -a)	essētis
	peperisset	peperissent		esset		essent
			IMPERATIVE			
Pres.	pare	parite				
			INFINITIVE			
Pres.	parere		parī			
Perf.	peperisse		partus(-a, -um) esse			
Fut.	paritūrus(-a, -um) esse					
			PARTICIPLE			
Pres.	pariēns(-tis)					
Perf.			partus(-a, -um)			
Fut.	paritūrus(-a, -um)		pariendus(-a, -um) (GERUNDIVE)			

GERUND pariendī, -ō, -um, -ō SUPINE partum, -ū

parō, parāre, parāvī, parātum *prepare*

	ACTIVE		PASSIVE	
	INDICATIVE			
Pres.	parō	parāmus	paror	parāmur
	parās	parātis	parāris(-re)	parāminī
	parat	parant	parātur	parantur
Impf.	parābam	parābāmus	parābar	parābāmur
	parābās	parābātis	parābāris(-re)	parābāminī
	parābat	parābant	parābātur	parābantur
Fut.	parābō	parābimus	parābor	parābimur
	parābis	parābitis	parāberis(-re)	parābiminī
	parābit	parābunt	parābitur	parābuntur
Perf.	parāvī	parāvimus	parātus sum	parātī sumus
	parāvistī	parāvistis	(-a, -um) es	(-ae, -a) estis
	parāvit	parāvērunt(-re)	est	sunt
Plup.	parāveram	parāverāmus	parātus eram	parātī erāmus
	parāverās	parāverātis	(-a, -um) erās	(-ae, -a) erātis
	parāverat	parāverant	erat	erant
Fut. Perf.	parāverō	parāverimus	parātus erō	parātī erimus
	parāveris	parāveritis	(-a, -um) eris	(-ae, -a) eritis
	parāverit	parāverint	erit	erunt
	SUBJUNCTIVE			
Pres.	parem	parēmus	parer	parēmur
	parēs	parētis	parēris(-re)	parēminī
	paret	parent	parētur	parentur
Impf.	parārem	parārēmus	parārer	parārēmur
	parārēs	parārētis	parārēris(-re)	parārēminī
	parāret	parārent	parārētur	parārentur
Perf.	parāverim	parāverimus	parātus sim	parātī sīmus
	parāveris	parāveritis	(-a, -um) sīs	(-ae, -a) sītis
	parāverit	parāverint	sit	sint
Plup.	parāvissem	parāvissēmus	parātus essem	parātī essēmus
	parāvissēs	parāvissētis	(-a, -um) essēs	(-ae, -a) essētis
	parāvisset	parāvissent	esset	essent
	IMPERATIVE			
Pres.	parā	parāte		

INFINITIVE

	Active	Passive
Pres.	parāre	parārī
Perf.	parāvisse	parātus(-a, -um) esse
Fut.	parātūrus(-a, -um) esse	

PARTICIPLE

	Active	Passive
Pres.	parāns(-tis)	
Perf.		parātus(-a, -um)
Fut.	parātūrus(-a, -um)	parandus(-a, -um) (GERUNDIVE)

GERUND parandī, -ō, -um, -ō SUPINE parātum, -ū

pateō, patēre, patuī *lie open, extend*

ACTIVE

INDICATIVE

Pres.	pateō	patēmus
	patēs	patētis
	patet	patent
Impf.	patēbam	patēbāmus
	patēbās	patēbātis
	patēbat	patēbant
Fut.	patēbō	patēbimus
	patēbis	patēbitis
	patēbit	patēbunt
Perf.	patuī	patuimus
	patuistī	patuistis
	patuit	patuērunt(-re)
Plup.	patueram	patuerāmus
	patuerās	patuerātis
	patuerat	patuerant
Fut. Perf.	patuerō	patuerimus
	patueris	patueritis
	patuerit	patuerint

SUBJUNCTIVE

Pres.	pateam	pateāmus
	pateās	pateātis
	pateat	pateant
Impf.	patērem	patērēmus
	patērēs	patērētis
	patēret	patērent
Perf.	patuerim	patuerimus
	patueris	patueritis
	patuerit	patuerint
Plup.	patuissem	patuissēmus
	patuissēs	patuissētis
	patuisset	patuissent

IMPERATIVE

Pres.	patē	patēte

INFINITIVE

Pres. patēre
Perf. patuisse
Fut. ———

PARTICIPLE

Pres. patēns(-tis)
Perf. ———
Fut. ———

GERUND patendī, -ō, -um, -ō SUPINE ———

patior, patī, passus sum *allow, suffer*

ACTIVE

INDICATIVE

Pres.	patior		patimur	
	pateris(-re)		patiminī	
	patitur		patiuntur	
Impf.	patiēbar		patiēbāmur	
	patiēbāris(-re)		patiēbāminī	
	patiēbātur		patiēbantur	
Fut.	patiar		patiēmur	
	patiēris(-re)		patiēminī	
	patiētur		patientur	
Perf.	passus	sum	passī	sumus
	(-a, -um)	es	(-ae, -a)	estis
		est		sunt
Plup.	passus	eram	passī	erāmus
	(-a, -um)	erās	(-ae, -a)	erātis
		erat		erant
Fut.	passus	erō	passī	erimus
Perf.	(-a, -um)	eris	(-ae, -a)	eritis
		erit		erunt

SUBJUNCTIVE

Pres.	patiar		patiāmur	
	patiāris(-re)		patiāminī	
	patiātur		patiantur	
Impf.	paterer		paterēmur	
	paterēris(-re)		paterēminī	
	paterētur		paterentur	
Perf.	passus	sim	passī	sīmus
	(-a, -um)	sīs	(-ae, -a)	sītis
		sit		sint
Plup.	passus	essem	passī	essēmus
	(-a, -um)	essēs	(-ae, -a)	essētis
		esset		essent

IMPERATIVE

Pres.	patere	patiminī

INFINITIVE

Pres.	patī
Perf.	passus(-a, -um) esse
Fut.	passūrus(-a, -um) esse

PARTICIPLE

	Active	Passive
Pres.	patiēns(-tis)	
Perf.	passus(-a, -um)	
Fut.	passūrus(-a, -um)	patiendus(-a, -um) (GERUNDIVE)

GERUND patiendī, -ō, -um, -ō SUPINE passum, -ū

pellō, pellere, pepulī, pulsum *drive, rout*

	ACTIVE		PASSIVE			
			INDICATIVE			
Pres.	pellō	pellimus	pellor		pellimur	
	pellis	pellitis	pelleris(-re)		pelliminī	
	pellit	pellunt	pellitur		pelluntur	
Impf.	pellēbam	pellēbāmus	pellēbar		pellēbāmur	
	pellēbās	pellēbātis	pellēbāris(-re)		pellēbāminī	
	pellēbat	pellēbant	pellēbātur		pellēbantur	
Fut.	pellam	pellēmus	pellar		pellēmur	
	pellēs	pellētis	pellēris(-re)		pellēminī	
	pellet	pellent	pellētur		pellentur	
Perf.	pepulī	pepulimus	pulsus	sum	pulsī	sumus
	pepulistī	pepulistis	(-a, -um)	es	(-ae, -a)	estis
	pepulit	pepulērunt(-re)		est		sunt
Plup.	pepuleram	pepulerāmus	pulsus	eram	pulsī	erāmus
	pepulerās	pepulerātis	(-a, -um)	erās	(-ae, -a)	eratis
	pepulerat	pepulerant		erat		erant
Fut. Perf.	pepulerō	pepulerimus	pulsus	erō	pulsī	erimus
	pepuleris	pepuleritis	(-a, -um)	eris	(-ae, -a)	eritis
	pepulerit	pepulerint		erit		erunt
			SUBJUNCTIVE			
Pres.	pellam	pellāmus	pellar		pellāmur	
	pellās	pellātis	pellāris(-re)		pellāminī	
	pellat	pellant	pellātur		pellantur	
Impf.	pellerem	pellerēmus	pellerer		pellerēmur	
	pellerēs	pellerētis	pellerēris(-re)		pellerēminī	
	pelleret	pellerent	pellerētur		pellerentur	
Perf.	pepulerim	pepulerimus	pulsus	sim	pulsī	sīmus
	pepuleris	pepuleritis	(-a, -um)	sīs	(-ae, -a)	sītis
	pepulerit	pepulerint		sit		sint
Plup.	pepulissem	pepulissēmus	pulsus	essem	pulsī	essēmus
	pepulissēs	pepulissētis	(-a, -um)	essēs	(-ae, -a)	essētis
	pepulisset	pepulissent		esset		essent
			IMPERATIVE			
Pres.	pelle	pellite				
			INFINITIVE			
Pres.	pellere		pellī			
Perf.	pepulisse		pulsus(-a, -um) esse			
Fut.	pulsūrus(-a, -um) esse					
			PARTICIPLE			
Pres.	pellēns(-tis)					
Perf.			pulsus(-a, -um)			
Fut.	pulsūrus(-a, -um)		pellendus(-a, -um) (GERUNDIVE)			

GERUND pellendī, -ō, -um, -ō SUPINE pulsum, -ū

petō, petere, petīvī, petītum *ask for, seek*

	ACTIVE		PASSIVE			
			INDICATIVE			
Pres.	petō	petimus	petor		petimur	
	petis	petitis	peteris(-re)		petiminī	
	petit	petunt	petitur		petuntur	
Impf.	petēbam	petēbāmus	petēbar		petēbāmur	
	petēbās	petēbātis	petēbāris(-re)		petēbāminī	
	petēbat	petēbant	petēbātur		petēbantur	
Fut.	petam	petēmus	petar		petēmur	
	petēs	petētis	petēris(-re)		petēminī	
	petet	petent	petētur		petentur	
Perf.	petīvī	petīvimus	petītus	sum	petītī	sumus
	petīvistī	petīvistis	(-a, -um)	es	(-ae, -a)	estis
	petīvit	petīvērunt(-re)		est		sunt
Plup.	petīveram	petīverāmus	petītus	eram	petītī	erāmus
	petīverās	petīverātis	(-a, -um)	erās	(-ae, -a)	erātis
	petīverat	petīverant		erat		erant
Fut. Perf.	petīverō	petīverimus	petītus	erō	petītī	erimus
	petīveris	petīveritis	(-a, -um)	eris	(-ae, -a)	eritis
	petīverit	petīverint		erit		erunt
			SUBJUNCTIVE			
Pres.	petam	petāmus	petar		petāmur	
	petās	petātis	petāris(-re)		petāminī	
	petat	petant	petātur		petantur	
Impf.	peterem	peterēmus	peterer		peterēmur	
	peterēs	peterētis	peterēris(-re)		peterēminī	
	peteret	peterent	peterētur		peterentur	
Perf.	petīverim	petīverimus	petītus	sim	petītī	sīmus
	petīveris	petīveritis	(-a, -um)	sīs	(-ae, -a)	sītis
	petīverit	petīverint		sit		sint
Plup.	petīvissem	petīvissēmus	petītus	essem	petītī	essēmus
	petīvissēs	petīvissētis	(-a, -um)	essēs	(-ae, -a)	essētis
	petīvisset	petīvissent		esset		essent
			IMPERATIVE			
Pres.	pete	petite				
			INFINITIVE			
Pres.	petere		petī			
Perf.	petīvisse		petītus(-a, -um) esse			
Fut.	petītūrus(-a, -um) esse					
			PARTICIPLE			
Pres.	petēns(-tis)					
Perf.			petītus(-a, -um)			
Fut.	petītūrus(-a, -um)		petendus(-a, -um) (GERUNDIVE)			

GERUND petendī, -ō, -um, -ō SUPINE petītum, -ū

placeō

placeō, placēre, placuī, placitum *please*

	ACTIVE		PASSIVE	
	INDICATIVE			
Pres.	placeō	placēmus	placeor	placēmur
	placēs	placētis	placēris(-re)	placēminī
	placet	placent	placētur	placentur
Impf.	placēbam	placēbāmus	placēbar	placēbāmur
	placēbās	placēbātis	placēbāris(-re)	placēbāminī
	placēbat	placēbant	placēbātur	placēbantur
Fut.	placēbō	placēbimus	placēbor	placēbimur
	placēbis	placēbitis	placēberis(-re)	placēbiminī
	placēbit	placēbunt	placēbitur	placēbuntur
Perf.	placuī	placuimus	placitus sum	placitī sumus
	placuistī	placuistis	(-a, -um) es	(-ae, -a) estis
	placuit	placuērunt(-re)	est	sunt
Plup.	placueram	placuerāmus	placitus eram	placitī erāmus
	placuerās	placuerātis	(-a, -um) erās	(-ae, -a) erātis
	placuerat	placuerant	erat	erant
Fut. Perf.	placuerō	placuerimus	placitus erō	placitī erimus
	placueris	placueritis	(-a, -um) eris	(-ae, -a) eritis
	placuerit	placuerint	erit	erunt
	SUBJUNCTIVE			
Pres.	placeam	placeāmus	placear	placeāmur
	placeās	placeātis	placeāris(-re)	placeāminī
	placeat	placeant	placeātur	placeantur
Impf.	placērem	placērēmus	placērer	placērēmur
	placērēs	placērētis	placērēris(-re)	placērēminī
	placēret	placērent	placērētur	placērentur
Perf.	placuerim	placuerimus	placitus sim	placitī sīmus
	placueris	placueritis	(-a, -um) sīs	(-ae, -a) sītis
	placuerit	placuerint	sit	sint
Plup.	placuissem	placuissēmus	placitus essem	placitī essēmus
	placuissēs	placuissētis	(-a, -um) essēs	(-ae, -a) essētis
	placuisset	placuissent	esset	essent
	IMPERATIVE			
Pres.	placē	placēte		
	INFINITIVE			
Pres.	placēre		placērī	
Perf.	placuisse		placitus(-a, -um) esse	
Fut.	placitūrus(-a, -um) esse			
	PARTICIPLE			
Pres.	placēns(-tis)			
Perf.			placitus(-a, -um)	
Fut.	placitūrus(-a, -um)		placendus(-a, -um) (GERUNDIVE)	

GERUND placendī, -ō, -um, -ō SUPINE placitum, -ū

polliceor, pollicērī, pollicitus sum *promise*

ACTIVE

INDICATIVE

Pres.	polliceor	pollicēmur
	pollicēris(-re)	pollicēminī
	pollicētur	pollicentur
Impf.	pollicēbar	pollicēbāmur
	pollicēbāris(-re)	pollicēbāminī
	pollicēbātur	pollicēbantur
Fut.	pollicēbor	pollicēbimur
	pollicēberis(-re)	pollicēbiminī
	pollicēbitur	pollicēbuntur
Perf.	pollicitus sum	pollicitī sumus
	(-a, -um) es	(-ae, -a) estis
	est	sunt
Plup.	pollicitus eram	pollicitī erāmus
	(-a, -um) erās	(-ae, -a) erātis
	erat	erant
Fut. Perf.	pollicitus erō	pollicitī erimus
	(-a, -um) eris	(-ae, -a) eritis
	erit	erunt

SUBJUNCTIVE

Pres.	pollicear	polliceāmur
	polliceāris(-re)	polliceāminī
	polliceātur	polliceantur
Impf.	pollicērer	pollicērēmur
	pollicērēris(-re)	pollicērēminī
	pollicērētur	pollicērentur
Perf.	pollicitus sim	pollicitī sīmus
	(-a, -um) sīs	(-ae, -a) sītis
	sit	sint
Plup.	pollicitus essem	pollicitī essēmus
	(-a, -um) essēs	(-ae, -a) essētis
	esset	essent

IMPERATIVE

Pres.	pollicēre	pollicēminī

INFINITIVE

Pres.	pollicērī
Perf.	pollicitus(-a, -um) esse
Fut.	pollicitūrus(-a, -um) esse

PARTICIPLE

	Active	Passive
Pres.	pollicēns(-tis)	
Perf.	pollicitus(-a, -um)	
Fut.	pollicitūrus(-a, -um)	pollicendus(-a, -um) (GERUNDIVE)

GERUND pollicendī, -ō, -um, -ō SUPINE pollicitum, -ū

pōnō, pōnere, posuī, positum *put, place*

	ACTIVE		PASSIVE			
			INDICATIVE			
Pres.	pōnō	pōnimus	pōnor		pōnimur	
	pōnis	pōnitis	pōneris(-re)		pōniminī	
	pōnit	pōnunt	pōnitur		pōnuntur	
Impf.	pōnēbam	pōnēbāmus	pōnēbar		pōnēbāmur	
	pōnēbās	pōnēbātis	pōnēbāris(-re)		pōnēbāminī	
	pōnēbat	pōnēbant	pōnēbātur		pōnēbantur	
Fut.	pōnam	pōnēmus	pōnar		pōnēmur	
	pōnēs	pōnētis	pōnēris(-re)		pōnēminī	
	pōnet	pōnent	pōnētur		pōnentur	
Perf.	posuī	posuimus	positus	sum	positī	sumus
	posuistī	posuistis	(-a, -um)	es	(-ae, -a)	estis
	posuit	posuērunt(-re)		est		sunt
Plup.	posueram	posuerāmus	positus	eram	positī	erāmus
	posuerās	posuerātis	(-a, -um)	erās	(-ae, -a)	erātis
	posuerat	posuerant		erat		erant
Fut. Perf.	posuerō	posuerimus	positus	erō	positī	erimus
	posueris	posueritis	(-a, -um)	eris	(-ae, -a)	eritis
	posuerit	posuerint		erit		erunt
			SUBJUNCTIVE			
Pres.	pōnam	pōnāmus	pōnar		pōnāmur	
	pōnās	pōnātis	pōnāris(-re)		pōnāminī	
	pōnat	pōnant	pōnātur		pōnantur	
Impf.	pōnerem	pōnerēmus	pōnerer		pōnerēmur	
	pōnerēs	pōnerētis	pōnerēris(-re)		pōnerēminī	
	pōneret	pōnerent	pōnerētur		pōnerentur	
Perf.	posuerim	posuerimus	positus	sim	positī	sīmus
	posueris	posueritis	(-a, -um)	sīs	(-ae, -a)	sītis
	posuerit	posuerint		sit		sint
Plup.	posuissem	posuissēmus	positus	essem	positī	essēmus
	posuissēs	posuissētis	(-a, -um)	essēs	(-ae, -a)	essētis
	posuisset	posuissent		esset		essent
			IMPERATIVE			
Pres.	pōne	pōnite				
			INFINITIVE			
Pres.	pōnere		pōnī			
Perf.	posuisse		positus(-a, -um) esse			
Fut.	positūrus(-a, -um) esse					
			PARTICIPLE			
Pres.	pōnēns(-tis)					
Perf.			positus(-a, -um)			
Fut.	positūrus(-a, -um)		pōnendus(-a, -um) (GERUNDIVE)			

GERUND pōnendī, -ō, -um, -ō SUPINE positum, -ū

portō, portāre, portāvī, portātum *carry*

	ACTIVE		PASSIVE	
	INDICATIVE			
Pres.	portō	portāmus	portor	portāmur
	portās	portātis	portāris(-re)	portāminī
	portat	portant	portātur	portantur
Impf.	portābam	portābāmus	portābar	portābāmur
	portābās	portābātis	portābāris(-re)	portābāminī
	portābat	portābant	portābātur	portābantur
Fut.	portābō	portābimus	portābor	portābimur
	portābis	portābitis	portāberis(-re)	portābiminī
	portābit	portābunt	portābitur	portābuntur
Perf.	portāvī	portāvimus	portātus sum	portātī sumus
	portāvistī	portāvistis	(-a, -um) es	(-ae, -a) estis
	portāvit	portāvērunt(-re)	est	sunt
Plup.	portāveram	portāverāmus	portātus eram	portātī erāmus
	portāverās	portāverātis	(-a, -um) erās	(-ae, -a) erātis
	portāverat	portāverant	erat	erant
Fut. Perf.	portāverō	portāverimus	portātus erō	portātī erimus
	portāveris	portāveritis	(-a, -um) eris	(-ae, -a) eritis
	portāverit	portāverint	erit	erunt
	SUBJUNCTIVE			
Pres.	portem	portēmus	porter	portēmur
	portēs	portētis	portēris(-re)	portēminī
	portet	portent	portētur	portentur
Impf.	portārem	portārēmus	portārer	portārēmur
	portārēs	portārētis	portārēris(-re)	portārēminī
	portāret	portārent	portārētur	portārentur
Perf.	portāverim	portāverimus	portātus sim	portātī sīmus
	portāveris	portāveritis	(-a, -um) sīs	(-ae, -a) sītis
	portāverit	portāverint	sit	sint
Plup.	portāvissem	portāvissēmus	portātus essem	portātī essēmus
	portāvissēs	portāvissētis	(-a, -um) essēs	(-ae, -a) essētis
	portāvisset	portāvissent	esset	essent
	IMPERATIVE			
Pres.	portā	portāte		
	INFINITIVE			
Pres.	portāre		portārī	
Perf.	portāvisse		portātus(-a, -um) esse	
Fut.	portātūrus(-a, -um) esse			
	PARTICIPLE			
Pres.	portāns(-tis)			
Perf.			portātus(-a, -um)	
Fut.	portātūrus(-a, -um)		portandus(-a, -um) (GERUNDIVE)	

GERUND portandī, -ō, -um, -ō SUPINE portātum, -ū

possum, posse, potuī *be able, can*

ACTIVE

INDICATIVE

Pres.	possum	possumus
	potes	potestis
	potest	possunt
Impf.	poteram	poterāmus
	poterās	poterātis
	poterat	poterant
Fut.	poterō	poterimus
	poteris	poteritis
	poterit	poterunt
Perf.	potuī	potuimus
	potuistī	potuistis
	potuit	potuērunt(-re)
Plup.	potueram	potuerāmus
	potuerās	potuerātis
	potuerat	potuerant
Fut. Perf.	potuerō	potuerimus
	potueris	potueritis
	potuerit	potuerint

SUBJUNCTIVE

Pres.	possim	possīmus
	possīs	possītis
	possit	possint
Impf.	possem	possēmus
	possēs	possētis
	posset	possent
Perf.	potuerim	potuerimus
	potueris	potueritis
	potuerit	potuerint
Plup.	potuissem	potuissēmus
	potuissēs	potuissētis
	potuisset	potuissent

IMPERATIVE

Pres.

INFINITIVE

Pres. posse
Perf. potuisse
Fut. ———

PARTICIPLE

Pres. potēns(-tis)
Perf. ———
Fut. ———

GERUND ——— SUPINE ———

postulō, postulāre, postulāvī, postulātum — *demand*

	ACTIVE		PASSIVE	
		INDICATIVE		
Pres.	postulō	postulāmus	postulor	postulāmur
	postulās	postulātis	postulāris(-re)	postulāminī
	postulat	postulant	postulātur	postulantur
Impf.	postulābam	postulābāmus	postulābar	postulābāmur
	postulābās	postulābātis	postulābāris(-re)	postulābāminī
	postulābat	postulābant	postulābātur	postulābantur
Fut.	postulābō	postulābimus	postulābor	postulābimur
	postulābis	postulābitis	postulāberis(-re)	postulābiminī
	postulābit	postulābunt	postulābitur	postulābuntur
Perf.	postulāvī	postulāvimus	postulātus sum	postulātī sumus
	postulāvistī	postulāvistis	(-a, -um) es	(-ae, -a) estis
	postulāvit	postulāvērunt(-re)	est	sunt
Plup.	postulāveram	postulāverāmus	postulātus eram	postulātī erāmus
	postulāverās	postulāverātis	(-a, -um) erās	(-ae, -a) erātis
	postulāverat	postulāverant	erat	erant
Fut. Perf.	postulāverō	postulāverimus	postulātus erō	postulātī erimus
	postulāveris	postulāveritis	(-a, -um) eris	(-ae, -a) eritis
	postulāverit	postulāverint	erit	erunt
		SUBJUNCTIVE		
Pres.	postulem	postulēmus	postuler	postulēmur
	postulēs	postulētis	postulēris(-re)	postulēminī
	postulet	postulent	postulētur	postulentur
Impf.	postulārem	postulārēmus	postulārer	postulārēmur
	postulārēs	postulārētis	postulārēris(-re)	postulārēminī
	postulāret	postulārent	postulārētur	postulārentur
Perf.	postulāverim	postulāverimus	postulātus sim	postulātī sīmus
	postulāveris	postulāveritis	(-a, -um) sīs	(-ae, -a) sītis
	postulāverit	postulāverint	sit	sint
Plup.	postulāvissem	postulāvissēmus	postulātus essem	postulātī essēmus
	postulāvissēs	postulāvissētis	(-a, -um) essēs	(-ae, -a) essētis
	postulāvisset	postulāvissent	esset	essent
		IMPERATIVE		
Pres.	postulā	postulāte		
		INFINITIVE		
Pres.	postulāre		postulārī	
Perf.	postulāvisse		postulātus(-a, -um) esse	
Fut.	postulātūrus(-a, -um) esse			
		PARTICIPLE		
Pres.	postulāns(-tis)			
Perf.			postulātus(-a, -um)	
Fut.	postulātūrus(-a, -um)		postulandus(-a, -um) (GERUNDIVE)	

GERUND postulandī, -ō, -um, -ō SUPINE postulātum, -ū

potior, potīrī, potītus sum *acquire, take possession of*

ACTIVE

INDICATIVE

Pres.	potior	potīmur
	potīris(-re)	potīminī
	potītur	potiuntur
Impf.	potiēbar	potiēbāmur
	potiēbāris(-re)	potiēbāminī
	potiēbātur	potiēbantur
Fut.	potiar	potiēmur
	potiēris(-re)	potiēminī
	potiētur	potientur
Perf.	potītus sum	potītī sumus
	(-a, -um) es	(-ae, -a) estis
	est	sunt
Plup.	potītus eram	potītī erāmus
	(-a, -um) erās	(-ae, -a) erātis
	erat	erant
Fut. Perf.	potītus erō	potītī erimus
	(-a, -um) eris	(-ae, -a) eritis
	erit	erunt

SUBJUNCTIVE

Pres.	potiar	potiāmur
	potiāris(-re)	potiāminī
	potiātur	potiantur
Impf.	potīrer	potīrēmur
	potīrēris(-re)	potīrēminī
	potīrētur	potīrentur
Perf.	potītus sim	potītī sīmus
	(-a, -um) sīs	(-ae, -a) sītis
	sit	sint
Plup.	potītus essem	potītī essēmus
	(-a, -um) essēs	(-ae, -a) essētis
	esset	essent

IMPERATIVE

Pres. potīre potīminī

INFINITIVE

Pres. potīrī
Perf. potītus(-a, -um) esse
Fut. potītūrus(-a, -um) esse

PARTICIPLE

	Active	Passive
Pres.	potiēns(-tis)	
Perf.	potītus(-a, -um)	
Fut.	potītūrus(-a, -um)	potiendus(-a, -um) (GERUNDIVE)

GERUND potiendī, -ō, -um, -ō SUPINE potītum, -ū

praestō, praestāre, praestitī, praestitum — *excel*

	ACTIVE		PASSIVE
		INDICATIVE	
Pres.	praestō	praestāmus	
	praestās	praestātis	
	praestat	praestant	praestātur (Impers.)
Impf.	praestābam	praestābāmus	
	praestābās	praestābātis	
	praestābat	praestābant	praestābātur (Impers.)
Fut.	praestābō	praestābimus	
	praestābis	praestābitis	
	praestābit	praestābunt	praestābitur (Impers.)
Perf.	praestitī	praestitimus	
	praestitistī	praestitistis	
	praestitit	praestitērunt(-re)	praestitum est (Impers.)
Plup.	praestiteram	praestiterāmus	
	praestiterās	praestiterātis	
	praestiterat	praestiterant	praestitum erat (Impers.)
Fut. Perf.	praestiterō	praestiterimus	
	praestiteris	praestiteritis	
	praestiterit	praestiterint	praestitum erit (Impers.)
		SUBJUNCTIVE	
Pres.	praestem	praestēmus	
	praestēs	praestētis	
	praestet	praestent	praestētur (Impers.)
Impf.	praestārem	praestārēmus	
	praestārēs	praestārētis	
	praestāret	praestārent	praestārētur (Impers.)
Perf.	praestiterim	praestiterimus	
	praestiteris	praestiteritis	
	praestiterit	praestiterint	praestitum sit (Impers.)
Plup.	praestitissem	praestitissēmus	
	praestitissēs	praestitissētis	
	praestitisset	praestitissent	praestitum esset (Impers.)
		IMPERATIVE	
Pres.	praestā	praestāte	
		INFINITIVE	
Pres.	praestāre		praestārī
Perf.	praestitisse		praestitum esse
Fut.	praestātūrus(-a, -um) esse		
		PARTICIPLE	
Pres.	praestāns(-tis)		
Perf.			praestitus(-a, -um)
Fut.	praestātūrus(-a, -um)		praestandus(-a, -um) (GERUNDIVE)

GERUND praestandī, -ō, -um, -ō SUPINE praestitum, -ū

premō, premere, pressī, pressum *press, oppress*

	ACTIVE		PASSIVE	
		INDICATIVE		
Pres.	premō	premimus	premor	premimur
	premis	premitis	premeris(-re)	premiminī
	premit	premunt	premitur	premuntur
Impf.	premēbam	premēbāmus	premēbar	premēbāmur
	premēbās	premēbātis	premēbāris(-re)	premēbāminī
	premēbat	premēbant	premēbātur	premēbantur
Fut.	premam	premēmus	premar	premēmur
	premēs	premētis	premēris(-re)	premēminī
	premet	prement	premētur	prementur
Perf.	pressī	pressimus	pressus sum	pressī sumus
	pressistī	pressistis	(-a, -um) es	(-ae, -a) estis
	pressit	pressērunt(-re)	est	sunt
Plup.	presseram	presserāmus	pressus eram	pressī erāmus
	presserās	presserātis	(-a, -um) erās	(-ae, -a) erātis
	presserat	presserant	erat	erant
Fut. Perf.	presserō	presserimus	pressus erō	pressī erimus
	presseris	presseritis	(-a, -um) eris	(-ae, -a) eritis
	presserit	presserint	erit	erunt
		SUBJUNCTIVE		
Pres.	premam	premāmus	premar	premāmur
	premās	premātis	premāris(-re)	premāminī
	premat	premant	premātur	premantur
Impf.	premerem	premerēmus	premerer	premerēmur
	premerēs	premerētis	premerēris(-re)	premerēminī
	premeret	premerent	premerētur	premerentur
Perf.	presserim	presserimus	pressus sim	pressī sīmus
	presseris	presseritis	(-a, -um) sīs	(-ae, -a) sītis
	presserit	presserint	sit	sint
Plup.	pressissem	pressissēmus	pressus essem	pressī essēmus
	pressissēs	pressissētis	(-a, -um) essēs	(-ae, -a) essētis
	pressisset	pressissent	esset	essent
		IMPERATIVE		
Pres.	preme	premite		
		INFINITIVE		
Pres.	premere		premī	
Perf.	pressisse		pressus(-a, -um) esse	
Fut.	pressūrus(-a, -um) esse			
		PARTICIPLE		
Pres.	premēns(-tis)			
Perf.			pressus(-a, -um)	
Fut.	pressūrus(-a, -um)		premendus(-a, -um) (GERUNDIVE)	

GERUND premendī, -ō, -um, -ō SUPINE pressum, -ū

proficīscor, proficīscī, profectus sum — *set out*

ACTIVE

INDICATIVE

	Singular	Plural
Pres.	proficīscor	proficīscimur
	proficīsceris(-re)	proficīsciminī
	proficīscitur	proficīscuntur
Impf.	proficīscēbar	proficīscēbāmur
	proficīscēbāris(-re)	proficīscēbāminī
	proficīscēbātur	proficīscēbantur
Fut.	proficīscar	proficīscēmur
	proficīscēris(-re)	proficīscēminī
	proficīscētur	proficīscentur
Perf.	profectus sum	profectī sumus
	(-a, -um) es	(-ae, -a) estis
	est	sunt
Plup.	profectus eram	profectī erāmus
	(-a, -um) erās	(-ae, -a) erātis
	erat	erant
Fut. Perf.	profectus erō	profectī erimus
	(-a, -um) eris	(-ae, -a) eritis
	erit	erunt

SUBJUNCTIVE

	Singular	Plural
Pres.	proficīscar	proficīscāmur
	proficīscāris(-re)	proficīscāminī
	proficīscātur	proficīscantur
Impf.	proficīscerer	proficīscerēmur
	proficīscerēris(-re)	proficīscerēminī
	proficīscerētur	proficīscerentur
Perf.	profectus sim	profectī sīmus
	(-a, -um) sīs	(-ae, -a) sītis
	sit	sint
Plup.	profectus essem	profectī essēmus
	(-a, -um) essēs	(-ae, -a) essētis
	esset	essent

IMPERATIVE

	Singular	Plural
Pres.	proficīscere	proficīsciminī

INFINITIVE

Pres. proficīscī
Perf. profectus(-a, -um) esse
Fut. profectūrus(-a, -um) esse

PARTICIPLE

	Active	**Passive**
Pres.	proficīscēns(-tis)	
Perf.	profectus(-a, -um)	
Fut.	profectūrus(-a, -um)	proficīscendus(-a, -um) (GERUNDIVE)

GERUND proficīscendī, -ō, -um, -ō SUPINE profectum, -ū

properō, properāre, properāvī, properātum *hurry*

	ACTIVE		PASSIVE
	INDICATIVE		
Pres.	properō	properāmus	
	properās	properātis	
	properat	properant	properātur (Impers.)
Impf.	properābam	properābāmus	
	properābās	properābātis	
	properābat	properābant	properabātur (Impers.)
Fut.	properābō	properābimus	
	properābis	properābitis	
	properābit	properābunt	properābitur (Impers.)
Perf.	properāvī	properāvimus	
	properāvistī	properāvistis	
	properāvit	properāvērunt(-re)	properātum est (Impers.)
Plup.	properāveram	properāverāmus	
	properāverās	properāverātis	
	properāverat	properāverant	properātum erat (Impers.)
Fut. Perf.	properāverō	properāverimus	
	properāveris	properāveritis	
	properāverit	properāverint	properātum erit (Impers.)
	SUBJUNCTIVE		
Pres.	properem	properēmus	
	properēs	properētis	
	properet	properent	properētur (Impers.)
Impf.	properārem	properārēmus	
	properārēs	properārētis	
	properāret	properārent	properārētur (Impers.)
Perf.	properāverim	properāverimus	
	properāveris	properāveritis	
	properāverit	properāverint	properātum sit (Impers.)
Plup.	properāvissem	properāvissēmus	
	properāvissēs	properāvissētis	
	properāvisset	properāvissent	properātum esset (Impers.)
	IMPERATIVE		
Pres.	properā	properāte	
	INFINITIVE		
Pres.	properāre		properārī
Perf.	properāvisse		properātum esse
Fut.	properātūrus(-a, -um) esse		
	PARTICIPLE		
Pres.	properāns(-tis)		
Perf.			properātus(-a, -um)
Fut.	properātūrus(-a, -um)		properandus(-a, -um) (GERUNDIVE)

GERUND properandī, -ō, -um, -ō SUPINE properātum, -ū

pudet, pudēre, puduit

be ashamed (*it shames*) (Impers.)

ACTIVE

INDICATIVE

Pres. ———
———
pudet

Impf. ———
———
pudēbat

Fut. ———
———
pudēbit

Perf. ———
———
puduit

Plup. ———
———
puduerat

Fut. Perf. ———
———
puduerit

SUBJUNCTIVE

Pres. ———
———
pudeat

Impf. ———
———
pudēret

Perf. ———
———
puduerit

Plup. ———
———
puduisset

IMPERATIVE

Pres.

INFINITIVE

Pres. pudēre
Perf. puduisse
Fut. ———

PARTICIPLE

Active

Pres. pudēns(-tis)
Perf. ———
Fut. ———

Passive

pudendus(-a, -um) (GERUNDIVE)

GERUND pudendī, -ō, -um, -ō SUPINE ———

pūgnō, pūgnāre, pūgnāvī, pūgnātum *fight*

	ACTIVE		PASSIVE
	INDICATIVE		
Pres.	pūgnō	pūgnāmus	
	pūgnās	pūgnātis	
	pūgnat	pūgnant	pūgnātur (Impers.)
Impf.	pūgnābam	pūgnābāmus	
	pūgnābās	pūgnābātis	
	pūgnābat	pūgnābant	pūgnābātur (Impers.)
Fut.	pūgnābō	pūgnābimus	
	pūgnābis	pūgnābitis	
	pūgnābit	pūgnābunt	pūgnābitur (Impers.)
Perf.	pūgnāvī	pūgnāvimus	
	pūgnāvistī	pūgnāvistis	
	pūgnāvit	pūgnāvērunt(-re)	pūgnātum est (Impers.)
Plup.	pūgnāveram	pūgnāverāmus	
	pūgnāverās	pūgnāverātis	
	pūgnāverat	pūgnāverant	pūgnātum erat (Impers.)
Fut. Perf.	pūgnāverō	pūgnāverimus	
	pūgnāveris	pūgnāveritis	
	pūgnāverit	pūgnāverint	pūgnātum erit (Impers.)
	SUBJUNCTIVE		
Pres.	pūgnem	pūgnēmus	
	pūgnēs	pūgnētis	
	pūgnet	pūgnent	pūgnētur (Impers.)
Impf.	pūgnārem	pūgnārēmus	
	pūgnārēs	pūgnārētis	
	pūgnāret	pūgnārent	pūgnārētur (Impers.)
Perf.	pūgnāverim	pūgnāverimus	
	pūgnāveris	pūgnāveritis	
	pūgnāverit	pūgnāverint	pūgnātum sit (Impers.)
Plup.	pūgnāvissem	pūgnāvissēmus	
	pūgnāvissēs	pūgnāvissētis	
	pūgnāvisset	pūgnāvissent	pūgnātum esset (Impers.)
	IMPERATIVE		
Pres.	pūgnā	pūgnāte	
	INFINITIVE		
Pres.	pūgnāre		pūgnārī
Perf.	pūgnāvisse		pūgnātum esse
Fut.	pūgnātūrus(-a, -um) esse		
	PARTICIPLE		
Pres.	pūgnāns(-tis)		
Perf.			pūgnātus(-a, -um)
Fut.	pūgnātūrus(-a, -um)		pūgnandus(-a, -um) (GERUNDIVE)

GERUND pūgnandī, -ō, -um, -ō SUPINE pūgnātum, -ū

putō, putāre, putāvī, putātum *think*

	ACTIVE		PASSIVE	
	INDICATIVE			
Pres.	putō	putāmus	putor	putāmur
	putās	putātis	putāris(-re)	putāminī
	putat	putant	putātur	putantur
Impf.	putābam	putābāmus	putābar	putābāmur
	putābās	putābātis	putābāris(-re)	putābāminī
	putābat	putābant	putābātur	putābantur
Fut.	putābō	putābimus	putābor	putābimur
	putābis	putābitis	putāberis(-re)	putābiminī
	putābit	putābunt	putābitur	putābuntur
Perf.	putāvī	putāvimus	putātus sum	putātī sumus
	putāvistī	putāvistis	(-a, -um) es	(-ae, -a) estis
	putāvit	putāvērunt(-re)	est	sunt
Plup.	putāveram	putāverāmus	putātus eram	putātī erāmus
	putāverās	putāverātis	(-a, -um) erās	(-ae, -a) erātis
	putāverat	putāverant	erat	erant
Fut. Perf.	putāverō	putāverimus	putātus erō	putātī erimus
	putāveris	putāveritis	(-a, -um) eris	(-ae, -a) eritis
	putāverit	putāverint	erit	erunt
	SUBJUNCTIVE			
Pres.	putem	putēmus	puter	putēmur
	putēs	putētis	putēris(-re)	putēminī
	putet	putent	putētur	putentur
Impf.	putārem	putārēmus	putārer	putārēmur
	putārēs	putārētis	putārēris(-re)	putārēminī
	putāret	putārent	putārētur	putārentur
Perf.	putāverim	putāverimus	putātus sim	putātī sīmus
	putāveris	putāveritis	(-a, -um) sīs	(-ae, -a) sītis
	putāverit	putāverint	sit	sint
Plup.	putāvissem	putāvissēmus	putātus essem	putātī essēmus
	putāvissēs	putāvissētis	(-a, -um) essēs	(-ae, -a) essētis
	putāvisset	putāvissent	esset	essent
	IMPERATIVE			
Pres.	putā	putāte		
	INFINITIVE			
Pres.	putāre		putārī	
Perf.	putāvisse		putātus(-a, -um) esse	
Fut.	putātūrus(-a, -um) esse			
	PARTICIPLE			
Pres.	putāns(-tis)			
Perf.			putātus(-a, -um)	
Fut.	putātūrus(-a, -um)		putandus(-a, -um) (GERUNDIVE)	

GERUND putandī, -ō, -um, -ō SUPINE putātum, -ū

quaerō, quaerere, quaesīvī, quaesītum *ask, seek*

	ACTIVE		PASSIVE	
	INDICATIVE			
Pres.	quaerō	quaerimus	quaeror	quaerimur
	quaeris	quaeritis	quaereris(-re)	quaeriminī
	quaerit	quaerunt	quaeritur	quaeruntur
Impf.	quaerēbam	quaerēbāmus	quaerēbar	quaerēbāmur
	quaerēbās	quaerēbātis	quaerēbāris(-re)	quaerēbāminī
	quaerēbat	quaerēbant	quaerēbātur	quaerēbantur
Fut.	quaeram	quaerēmus	quaerar	quaerēmur
	quaerēs	quaerētis	quaerēris(-re)	quaerēminī
	quaeret	quaerent	quaerētur	quaerentur
Perf.	quaesīvī	quaesīvimus	quaesītus sum	quaesītī sumus
	quaesīvistī	quaesīvistis	(-a, -um) es	(-ae, -a) estis
	quaesīvit	quaesīvērunt(-re)	est	sunt
Plup.	quaesīveram	quaesīverāmus	quaesītus eram	quaesītī erāmus
	quaesīverās	quaesīverātis	(-a, -um) erās	(-ae, -a) erātis
	quaesīverat	quaesīverant	erat	erant
Fut. Perf.	quaesīverō	quaesīverimus	quaesītus erō	quaesītī erimus
	quaesīveris	quaesīveritis	(-a, -um) eris	(-ae, -a) eritis
	quaesīverit	quaesīverint	erit	erunt
	SUBJUNCTIVE			
Pres.	quaeram	quaerāmus	quaerar	quaerāmur
	quaerās	quaerātis	quaerāris(-re)	quaerāminī
	quaerat	quaerant	quaerātur	quaerantur
Impf.	quaererem	quaererēmus	quaererer	quaererēmur
	quaererēs	quaererētis	quaererēris(-re)	quaererēminī
	quaereret	quaererent	quaererētur	quaererentur
Perf.	quaesīverim	quaesīverimus	quaesītus sim	quaesītī sīmus
	quaesīveris	quaesīveritis	(-a, -um) sīs	(-ae, -a) sītis
	quaesīverit	quaesīverint	sit	sint
Plup.	quaesīvissem	quaesīvissēmus	quaesītus essem	quaesītī essēmus
	quaesīvissēs	quaesīvissētis	(-a, -um) essēs	(-ae, -a) essētis
	quaesīvisset	quaesīvissent	esset	essent
	IMPERATIVE			
Pres.	quaere	quaerite		
	INFINITIVE			
Pres.	quaerere		quaerī	
Perf.	quaesīvisse		quaesītus(-a, -um) esse	
Fut.	quaesītūrus(-a, -um) esse			
	PARTICIPLE			
Pres.	quaerēns(-tis)			
Perf.			quaesītus(-a, -um)	
Fut.	quaesītūrus(-a, -um)		quaerendus(-a, -um) (GERUNDIVE)	

GERUND quaerendī, -ō, -um, -ō SUPINE quaesītum, -ū

rapiō, rapere, rapuī, raptum *carry off, snatch*

	ACTIVE		PASSIVE			
			INDICATIVE			
Pres.	rapiō	rapimus	rapior		rapimur	
	rapis	rapitis	raperis(-re)		rapiminī	
	rapit	rapiunt	rapitur		rapiuntur	
Impf.	rapiēbam	rapiēbāmus	rapiēbar		rapiēbāmur	
	rapiēbās	rapiēbātis	rapiēbāris(-re)		rapiēbāminī	
	rapiēbat	rapiēbant	rapiēbātur		rapiēbantur	
Fut.	rapiam	rapiēmus	rapiar		rapiēmur	
	rapiēs	rapiētis	rapiēris(-re)		rapiēminī	
	rapiet	rapient	rapiētur		rapientur	
Perf.	rapuī	rapuimus	raptus	sum	raptī	sumus
	rapuistī	rapuistis	(-a, -um)	es	(-ae, -a)	estis
	rapuit	rapuērunt(-re)		est		sunt
Plup.	rapueram	rapuerāmus	raptus	eram	raptī	erāmus
	rapuerās	rapuerātis	(-a, -um)	erās	(-ae, -a)	erātis
	rapuerat	rapuerant		erat		erant
Fut. Perf.	rapuerō	rapuerimus	raptus	erō	raptī	erimus
	rapueris	rapueritis	(-a, -um)	eris	(-ae, -a)	eritis
	rapuerit	rapuerint		erit		erint
			SUBJUNCTIVE			
Pres.	rapiam	rapiāmus	rapiar		rapiāmur	
	rapiās	rapiātis	rapiāris(-re)		rapiāminī	
	rapiat	rapiant	rapiātur		rapiantur	
Impf.	raperem	raperēmus	raperer		raperēmur	
	raperēs	raperētis	raperēris(-re)		raperēminī	
	raperet	raperent	raperētur		raperentur	
Perf.	rapuerim	rapuerimus	raptus	sim	raptī	sīmus
	rapueris	rapueritis	(-a, -um)	sīs	(-ae, -a)	sītis
	rapuerit	rapuerint		sit		sint
Plup.	rapuissem	rapuissēmus	raptus	essem	raptī	essēmus
	rapuissēs	rapuissētis	(-a, -um)	essēs	(-ae, -a)	essētis
	rapuisset	rapuissent		esset		essent
			IMPERATIVE			
Pres.	rape	rapite				
			INFINITIVE			
Pres.	rapere		rapī			
Perf.	rapuisse		raptus(-a, -um) esse			
Fut.	raptūrus(-a, -um) esse					
			PARTICIPLE			
Pres.	rapiēns(-tis)					
Perf.			raptus(-a, -um)			
Fut.	raptūrus(-a, -um)		rapiendus(-a, -um) (GERUNDIVE)			

GERUND rapiendī, -ō, -um, -ō SUPINE raptum, -ū

regō, regere, rēxī, rēctum *rule, guide*

	ACTIVE		PASSIVE			
			INDICATIVE			
Pres.	regō	regimus	regor		regimur	
	regis	regitis	regeris(-re)		regiminī	
	regit	regunt	regitur		reguntur	
Impf.	regēbam	regēbāmus	regēbar		regēbāmur	
	regēbās	regēbātis	regēbāris(-re)		regēbāminī	
	regēbat	regēbant	regēbātur		regēbantur	
Fut.	regam	regēmus	regar		regēmur	
	regēs	regētis	regēris(-re)		regēminī	
	reget	regent	regētur		regentur	
Perf.	rēxī	rēximus	rēctus	sum	rēctī	sumus
	rēxistī	rēxistis	(-a, -um)	es	(-ae, -a)	estis
	rēxit	rēxērunt(-re)		est		sunt
Plup.	rēxeram	rēxerāmus	rēctus	eram	rēctī	erāmus
	rēxerās	rēxerātis	(-a, -um)	erās	(-ae, -a)	erātis
	rēxerat	rēxerant		erat		erant
Fut. Perf.	rēxerō	rēxerimus	rēctus	erō	rēctī	erimus
	rēxeris	rēxeritis	(-a, -um)	eris	(-ae, -a)	eritis
	rēxerit	rēxerint		erit		erunt
			SUBJUNCTIVE			
Pres.	regam	regāmus	regar		regāmur	
	regās	regātis	regāris(-re)		regāminī	
	regat	regant	regātur		regantur	
Impf.	regerem	regerēmus	regerer		regerēmur	
	regerēs	regerētis	regerēris(-re)		regerēminī	
	regeret	regerent	regerētur		regerentur	
Perf.	rēxerim	rēxerimus	rēctus	sim	rēctī	sīmus
	rēxeris	rēxeritis	(-a, -um)	sīs	(-ae, -a)	sītis
	rēxerit	rēxerint		sit		sint
Plup.	rēxissem	rēxissēmus	rēctus	essem	rēctī	essēmus
	rēxissēs	rēxissētis	(-a, -um)	essēs	(-ae, -a)	essētis
	rēxisset	rēxissent		esset		essent
			IMPERATIVE			
Pres.	rege	regite				
			INFINITIVE			
Pres.	regere		regī			
Perf.	rēxisse		rēctus(-a, -um) esse			
Fut.	rēctūrus(-a, -um) esse					
			PARTICIPLE			
Pres.	regēns(-tis)					
Perf.			rēctus(-a, -um)			
Fut.	rēctūrus(-a, -um)		regendus(-a, -um) (GERUNDIVE)			

GERUND regendī, -ō, -um, -ō SUPINE rēctum, -ū

relinquō, relinquere, relīquī, relictum *abandon, leave*

	ACTIVE		PASSIVE	
	INDICATIVE			
Pres.	relinquō relinquis relinquit	relinquimus relinquitis relinquunt	relinquor relinqueris(-re) relinquitur	relinquimur relinquiminī relinquuntur
Impf.	relinquēbam relinquēbās relinquēbat	relinquēbāmus relinquēbātis relinquēbant	relinquēbar relinquēbāris(-re) relinquēbātur	relinquēbāmur relinquēbāminī relinquēbantur
Fut.	relinquam relinquēs relinquet	relinquēmus relinquētis relinquent	relinquar relinquēris(-re) relinquētur	relinquēmur relinquēminī relinquentur
Perf.	relīquī relīquistī relīquit	relīquimus relīquistis relīquērunt(-re)	relictus sum (-a, -um) es est	relictī sumus (-ae, -a) estis sunt
Plup.	relīqueram relīquerās relīquerat	relīquerāmus relīquerātis relīquerant	relictus eram (-a, -um) erās erat	relictī erāmus (-ae, -a) erātis erant
Fut. Perf.	relīquerim relīqueris relīquerit	relīquerimus relīqueritis relīquerint	relictus erō (-a, -um) eris erit	relictī erimus (-ae, -a) eritis erunt
	SUBJUNCTIVE			
Pres.	relinquam relinquās relinquat	relinquāmus relinquātis relinquant	relinquar relinquāris(-re) relinquātur	relinquāmur relinquāminī relinquantur
Impf.	relinquerem relinquerēs relinqueret	relinquerēmus relinquerētis relinquerent	relinquerer relinquerēris(-re) relinquerētur	relinquerēmur relinquerēminī relinquerentur
Perf.	relīquerim relīqueris relīquerit	relīquerimus relīqueritis relīquerint	relictus sim (-a, -um) sīs sit	relictī sīmus (-ae, -a) sītis sint
Plup.	relīquissem relīquissēs relīquisset	relīquissēmus relīquissētis relīquissent	relictus essem (-a, -um) essēs esset	relictī essēmus (-ae, -a) essētis essent
	IMPERATIVE			
Pres.	relinque	relinquite		
	INFINITIVE			
Pres.	relinquere		relinquī	
Perf.	relīquisse		relictus(-a, -um) esse	
Fut.	relictūrus(-a, -um) esse			
	PARTICIPLE			
Pres.	relinquēns(-tis)			
Perf.			relictus(-a, -um)	
Fut.	relictūrus(-a, -um)		relinquendus(-a, -um) (GERUNDIVE)	

GERUND relinquendī, -ō, -um, -ō SUPINE relictum, -ū

resistō, resistere, restitī *resist*

ACTIVE

INDICATIVE

Pres.	resistō	resistimus
	resistis	resistitis
	resistit	resistunt
Impf.	resistēbam	resistēbāmus
	resistēbās	resistēbātis
	resistēbat	resistēbant
Fut.	resistam	resistēmus
	resistēs	resistētis
	resistet	resistent
Perf.	restitī	restitimus
	restitistī	restitistis
	restitit	restitērunt(-re)
Plup.	restiteram	restiterāmus
	restiterās	restiterātis
	restiterat	restiterant
Fut. Perf.	restiterō	restiterimus
	restiteris	restiteritis
	restiterit	restiterint

SUBJUNCTIVE

Pres.	resistam	resistāmus
	resistās	resistātis
	resistat	resistant
Impf.	resisterem	resisterēmus
	resisterēs	resisterētis
	resisteret	resisterent
Perf.	restiterim	restiterimus
	restiteris	restiteritis
	restiterit	restiterint
Plup.	restitissem	restitissēmus
	restitissēs	restitissētis
	restitisset	restitissent

IMPERATIVE

Pres.	resiste	resistite

INFINITIVE

Pres.	resistere
Perf.	restitisse
Fut.	———

PARTICIPLE

	Active	Passive
Pres.	resistēns(-tis)	
Perf.	———	
Fut.		resistendus(-a, -um) (GERUNDIVE)

GERUND resistendī, -ō, -um, -ō SUPINE ———

respondeō, respondēre, respondī, respōnsum *answer, reply*

	ACTIVE		PASSIVE	
	INDICATIVE			
Pres.	respondeō	respondēmus	respondeor	respondēmur
	respondēs	respondētis	respondēris(-re)	respondēminī
	respondet	respondent	respondētur	respondentur
Impf.	respondēbam	respondēbāmus	respondēbar	respondēbāmur
	respondēbās	respondēbātis	respondēbāris(-re)	respondēbāminī
	respondēbat	respondēbant	respondēbātur	respondēbantur
Fut.	respondēbō	respondēbimus	respondēbor	respondēbimur
	respondēbis	respondēbitis	respondēberis(-re)	respondēbiminī
	respondēbit	respondēbunt	respondēbitur	respondēbuntur
Perf.	respondī	respondimus	respōnsus sum	respōnsī sumus
	respondistī	respondistis	(-a, -um) es	(-ae, -a) estis
	respondit	respondērunt(-re)	est	sunt
Plup.	responderam	responderāmus	respōnsus eram	respōnsī erāmus
	responderās	respōnderātis	(-a, -um) erās	(-ae, -a) erātis
	responderat	responderant	erat	erant
Fut. Perf.	responderō	responderimus	respōnsus erō	respōnsī erimus
	responderis	responderitis	(-a, -um) eris	(-ae, -a) eritis
	responderit	responderint	erit	erunt
	SUBJUNCTIVE			
Pres.	respondeam	respondeāmus	respondear	respondeāmur
	respondeās	respondeātis	respondeāris(-re)	respondeāminī
	respondeat	respondeant	respondeātur	respondeantur
Impf.	respondērem	respondērēmus	respondērer	respondērēmur
	respondērēs	respondērētis	respondērēris(-re)	respondērēminī
	respondēret	respondērent	respondērētur	respondērentur
Perf.	responderim	responderimus	respōnsus sim	respōnsī sīmus
	responderis	responderitis	(-a, -um) sīs	(-ae, -a) sītis
	responderit	responderint	sit	sint
Plup.	respondissem	respondissēmus	respōnsus essem	respōnsī essēmus
	respondissēs	respondissētis	(-a, -um) essēs	(-ae, -a) essētis
	respondisset	respondissent	esset	essent
	IMPERATIVE			
Pres.	respondē	respondēte		
	INFINITIVE			
Pres.	respondēre		respondērī	
Perf.	respondisse		respōnsus(-a, -um) esse	
Fut.	respōnsūrus(-a, -um) esse			
	PARTICIPLE			
Pres.	respondēns(-tis)			
Perf.			respōnsus(-a, -um)	
Fut.	respōnsūrus(-a, -um)		respondendus(-a, -um) (GERUNDIVE)	

GERUND respondendī, -ō, -um, -ō SUPINE respōnsum, -ū

rogō, rogāre, rogāvī, rogātum *ask, beg*

	ACTIVE		PASSIVE	
		INDICATIVE		
Pres.	rogō	rogāmus	rogor	rogāmur
	rogās	rogātis	rogāris(-re)	rogāminī
	rogat	rogant	rogātur	rogantur
Impf.	rogābam	rogābāmus	rogābar	rogābāmur
	rogābās	rogābātis	rogābāris(-re)	rogābāminī
	rogābat	rogābant	rogābātur	togābantur
Fut.	rogābō	rogābimus	rogābor	rogābimur
	rogābis	rogābitis	rogāberis(-re)	rogābiminī
	rogābit	rogābunt	rogābitur	rogābuntur
Perf.	rogāvī	rogāvimus	rogātus sum	rogātī sumus
	rogāvistī	rogāvistis	(-a, -um) es	(-ae, -a) estis
	rogāvit	rogāvērunt(-re)	est	sunt
Plup.	rogāveram	rogāverāmus	rogātus eram	rogātī erāmus
	rogāverās	rogāverātis	(-a, -um) erās	(-ae, -a) erātis
	rogāverat	rogāverant	erat	erant
Fut. Perf.	rogāverō	rogāverimus	rogātus erō	rogātī erimus
	rogāveris	rogāveritis	(-a, -um) eris	(-ae, -a) eritis
	rogāverit	rogāverint	erit	erunt
		SUBJUNCTIVE		
Pres.	rogem	rogēmus	roger	rogēmur
	rogēs	rogētis	rogēris(-re)	rogēminī
	roget	rogent	rogētur	rogentur
Impf.	rogārem	rogārēmus	rogārer	rogārēmur
	rogārēs	rogārētis	rogārēris(-re)	rogārēminī
	rogāret	rogārent	rogārētur	rogārentur
Perf.	rogāverim	rogāverimus	rogātus sim	rogātī sīmus
	rogāveris	rogāveritis	(-a, -um) sīs	(-ae, -a) sītis
	rogāverit	rogāverint	sit	sint
Plup.	rogāvissem	rogāvissēmus	rogātus essem	rogātī essēmus
	rogāvissēs	rogāvissētis	(-a, -um) essēs	(-ae, -a) essētis
	rogāvisset	rogāvissent	esset	essent
		IMPERATIVE		
Pres.	rogā	rogāte		
		INFINITIVE		
Pres.	rogāre		rogārī	
Perf.	rogāvisse		rogātus(-a, -um) esse	
Fut.	rogātūrus(-a, -um) esse			
		PARTICIPLE		
Pres.	rogāns(-tis)			
Perf.			rogātus(-a, -um)	
Fut.	rogātūrus(-a, -um)		rogandus(-a, -um) (GERUNDIVE)	

GERUND rogandī, -ō, -um, -ō SUPINE rogātum, -ū

rumpō, rumpere, rūpī, ruptum *break, burst*

	ACTIVE		PASSIVE			
			INDICATIVE			
Pres.	rumpō	rumpimus	rumpor		rumpimur	
	rumpis	rumpitis	rumperis(-re)		rumpiminī	
	rumpit	rumpunt	rumpitur		rumpuntur	
Impf.	rumpēbam	rumpēbāmus	rumpēbar		rumpēbāmur	
	rumpēbās	rumpēbātis	rumpēbāris(-re)		rumpēbāminī	
	rumpēbat	rumpēbant	rumpēbātur		rumpēbantur	
Fut.	rumpam	rumpēmus	rumpar		rumpēmur	
	rumpēs	rumpētis	rumpēris(-re)		rumpēminī	
	rumpet	rumpent	rumpētur		rumpentur	
Perf.	rūpī	rūpimus	ruptus	sum	ruptī	sumus
	rūpistī	rūpistis	(-a, -um)	es	(-ae, -a)	estis
	rūpit	rūpērunt(-re)		est		sunt
Plup.	rūperam	rūperāmus	ruptus	eram	ruptī	erāmus
	rūperās	rūperātis	(-a, -um)	erās	(-ae, -a)	erātis
	rūperat	rūperant		erat		erant
Fut. Perf.	rūperō	rūperimus	ruptus	erō	ruptī	erimus
	rūperis	rūperitis	(-a, -um)	eris	(-ae, -a)	eritis
	rūperit	rūperint		erit		erunt
			SUBJUNCTIVE			
Pres.	rumpam	rumpāmus	rumpar		rumpāmur	
	rumpās	rumpātis	rumpāris(-re)		rumpāminī	
	rumpat	rumpant	rumpātur		rumpantur	
Impf.	rumperem	rumperēmus	rumperer		rumperēmur	
	rumperēs	rumperētis	rumperēris(-re)		rumperēminī	
	rumperet	rumperent	rumperētur		rumperentur	
Perf.	rūperim	rūperimus	ruptus	sim	ruptī	sīmus
	rūperis	rūperitis	(-a, -um)	sīs	(-ae, -a)	sītis
	rūperit	rūperint		sit		sint
Plup.	rūpissem	rūpissēmus	ruptus	essem	ruptī	essēmus
	rūpissēs	rūpissētis	(-a, -um)	essēs	(-ae, -a)	essētis
	rūpisset	rūpissent		esset		essent
			IMPERATIVE			
Pres.	rumpe	rumpite				
			INFINITIVE			
Pres.	rumpere		rumpī			
Perf.	rūpisse		ruptus(-a, -um) esse			
Fut.	ruptūrus(-a, -um) esse					
			PARTICIPLE			
Pres.	rumpēns(-tis)					
Perf.			ruptus(-a, -um)			
Fut.	ruptūrus(-a, -um)		rumpendus(-a, -um) (GERUNDIVE)			

GERUND rumpendī, -ō, -um, -ō SUPINE ruptum, -ū

sciō, scīre, scīvī, scītum *know*

	ACTIVE		PASSIVE			
			INDICATIVE			
Pres.	sciō	scīmus	scior		scīmur	
	scīs	scītis	scīris(-re)		scīminī	
	scit	sciunt	scītur		sciuntur	
Impf.	sciēbam	sciēbāmus	sciēbar		sciēbāmur	
	sciēbās	sciēbātis	sciēbāris(-re)		sciēbāminī	
	sciēbat	sciēbant	sciēbātur		sciēbantur	
Fut.	sciam	sciēmus	sciar		sciēmur	
	sciēs	sciētis	sciēris		sciēminī	
	sciet	scient	sciētur		scientur	
Perf.	scīvī	scīvimus	scītus	sum	scītī	sumus
	scīvistī	scīvistis	(-a, -um)	es	(-ae, -a)	estis
	scīvit	scīvērunt(-re)		est		sunt
Plup.	scīveram	scīverāmus	scītus	eram	scītī	erāmus
	scīverās	scīverātis	(-a, -um)	erās	(-ae, -a)	erātis
	scīverat	scīverant		erat		erant
Fut. Perf.	scīverō	scīverimus	scītus	erō	scītī	erimus
	scīveris	scīveritis	(-a, -um)	eris	(-ae, -a)	eritis
	scīverit	scīverint		erit		erunt
			SUBJUNCTIVE			
Pres.	sciam	sciāmus	sciar		sciāmur	
	sciās	sciātis	sciāris(-re)		sciāminī	
	sciat	sciant	sciātur		sciantur	
Impf.	scīrem	scīrēmus	scīrer		scīrēmur	
	scīrēs	scīrētis	scīrēris(-re)		scīrēminī	
	scīret	scīrent	scīrētur		scīrentur	
Perf.	scīverim	scīverimus	scītus	sim	scītī	sīmus
	scīveris	scīveritis	(-a, -um)	sīs	(-ae, -a)	sītis
	scīverit	scīverint		sit		sint
Plup.	scīvissem	scīvissēmus	scītus	essem	scītī	essēmus
	scīvissēs	scīvissētis	(-a, -um)	essēs	(-ae, -a)	essētis
	scīvisset	scīvissent		esset		essent
			IMPERATIVE			
Fut.	scītō	scītōte				
			INFINITIVE			
Pres.	scīre		scīrī			
Perf.	scīvisse		scītus(-a, -um) esse			
Fut.	scītūrus(-a, -um) esse					
			PARTICIPLE			
Pres.	sciēns(-tis)					
Perf.			scītus(-a, -um)			
Fut.	scītūrus(-a, -um)		sciendus(-a, -um) (GERUNDIVE)			

GERUND sciendī, -ō, -um, -ō SUPINE scītum, -ū

scrībō, scrībere, scrīpsī, scrīptum *write*

INDICATIVE

	ACTIVE		PASSIVE	
Pres.	scrībō	scrībimus	scrībor	scrībimur
	scrībis	scrībitis	scrīberis(-re)	scrībiminī
	scrībit	scrībunt	scrībitur	scrībuntur
Impf.	scrībēbam	scrībēbāmus	scrībēbar	scrībēbāmur
	scrībēbās	scrībēbātis	scrībēbāris(-re)	scrībēbāminī
	scrībēbat	scrībēbant	scrībēbātur	scrībēbantur
Fut.	scrībam	scrībēmus	scrībar	scrībēmur
	scrībēs	scrībētis	scrībēris(-re)	scrībēminī
	scrībet	scrībent	scrībētur	scrībentur
Perf.	scrīpsī	scrīpsimus	scrīptus sum	scrīptī sumus
	scrīpsistī	scrīpsistis	(-a, -um) es	(-ae, -a) estis
	scrīpsit	scrīpsērunt(-re)	est	sunt
Plup.	scrīpseram	scrīpserāmus	scrīptus eram	scrīptī srāmus
	scrīpserās	scrīpserātis	(-a, -um) erās	(-ae, -a) erātis
	scrīpserat	scrīpserant	erat	erant
Fut. Perf.	scrīpserō	scrīpserimus	scrīptus erō	scrīptī erimus
	scrīpseris	scrīpseritis	(-a, -um) eris	(-ae, -a) eritis
	scrīpserit	scrīpserint	erit	erunt

SUBJUNCTIVE

	ACTIVE		PASSIVE	
Pres.	scrībam	scrībāmus	scrībar	scrībāmur
	scrībās	scrībātis	scrībāris(-re)	scrībāminī
	scrībat	scrībant	scrībātur	scrībantur
Impf.	scrīberem	scrīberēmus	scrīberer	scrīberēmur
	scrīberēs	scrīberētis	scrīberēris(-re)	scrīberēminī
	scrīberet	scrīberent	scrīberētur	scrīberentur
Perf.	scrīpserim	scrīpserimus	scrīptus sim	scrīptī sīmus
	scrīpseris	scrīpseritis	(-a, -um) sīs	(-ae, -a) sītis
	scrīpserit	scrīpserint	sit	sint
Plup.	scrīpsissem	scrīpsissēmus	scrīptus essem	scrīptī essēmus
	scrīpsissēs	scrīpsissētis	(-a, -um) essēs	(-ae, -a) essētis
	scrīpsisset	scrīpsissent	esset	essent

IMPERATIVE

	ACTIVE	
Pres.	scrībe	scrībite

INFINITIVE

	ACTIVE	PASSIVE
Pres.	scrībere	scrībī
Perf.	scrīpsisse	scrīptus(-a, -um) esse
Fut.	scrīptūrus(-a, -um) esse	

PARTICLLPE

	ACTIVE	PASSIVE
Pres.	scrībēns(-tis)	
Perf.		scrīptus(-a, -um)
Fut.	scrīptūrus(-a, -um)	scrībendus(-a, -um) (GERUNDIVE)

GERUND scrībendī, -ō, -um, -ō SUPINE scrīptum, -ū

sedeō, sedēre, sēdī, sessūrus *sit*

ACTIVE

INDICATIVE

Pres.	sedeō	sedēmus
	sedēs	sedētis
	sedet	sedent
Impf.	sedēbam	sedēbāmus
	sedēbās	sedēbātis
	sedēbat	sedēbant
Fut.	sedēbō	sedēbimus
	sedēbis	sedēbitis
	sedēbit	sedēbunt
Perf.	sēdī	sēdimus
	sēdistī	sēdistis
	sēdit	sēdērunt(-re)
Plup.	sēderam	sēderāmus
	sēderās	sēderātis
	sēderat	sēderant
Fut. Perf.	sēderō	sēderimus
	sēderis	sēderitis
	sēderit	sēderint

SUBJUNCTIVE

Pres.	sedeam	sedeāmus
	sedeās	sedeātis
	sedeat	sedeant
Impf.	sedērem	sedērēmus
	sedērēs	sedērētis
	sedēret	sedērent
Perf.	sēderim	sēderimus
	sēderis	sēderitis
	sēderit	sēderint
Plup.	sēdissem	sēdissēmus
	sēdissēs	sēdissētis
	sēdisset	sēdissent

IMPERATIVE

Pres.	sedē	sedēte

INFINITIVE

Pres.	sedēre
Perf.	sēdisse
Fut.	sessūrus(-a, -um) esse

PARTICIPLE

	Active	Passive
Pres.	sedēns(-tis)	
Perf.	———	
Fut.	sessūrus(-a, -um)	sedendus(-a, -um) (GERUNDIVE)

GERUND sedendī, -ō, -um, -ō SUPINE ———

sentiō, sentīre, sēnsī, sēnsum *feel, perceive*

	ACTIVE		PASSIVE			
	INDICATIVE					
Pres.	sentiō	sentīmus	sentior		sentīmur	
	sentīs	sentītis	sentīris(-re)		sentīminī	
	sentit	sentiunt	sentītur		sentiuntur	
Impf.	sentiēbam	sentiēbāmus	sentiēbar		sentiēbāmur	
	sentiēbās	sentiēbātis	sentiēbāris(-re)		sentiēbāminī	
	sentiēbat	sentiēbant	sentiēbātur		sentiēbantur	
Fut.	sentiam	sentiēmus	sentiar		sentiēmur	
	sentiēs	sentiētis	sentiēris(-re)		sentiēminī	
	sentiet	sentient	sentiētur		sentientur	
Perf.	sēnsī	sēnsimus	sēnsus	sum	sēnsī	sumus
	sēnsistī	sēnsistis	(-a, -um)	es	(-ae, -a)	estis
	sēnsit	sēnsērunt(-re)		est		sunt
Plup.	sēnseram	sēnserāmus	sēnsus	eram	sēnsī	erāmus
	sēnserās	sēnserātis	(-a, -um)	erās	(-ae, -a)	erātis
	sēnserat	sēnserant		erat		erant
Fut. Perf.	sēnserō	sēnserimus	sēnsus	erō	sēnsī	erimus
	sēnseris	sēnseritis	(-a, -um)	eris	(-ae, -a)	eritis
	sēnserit	sēnserint		erit		erunt
	SUBJUNCTIVE					
Pres.	sentiam	sentiāmus	sentiar		sentiāmur	
	sentiās	sentiātis	sentiāris(-re)		sentiāminī	
	sentiat	sentiant	sentiātur		sentiantur	
Impf.	sentīrem	sentīrēmus	sentīrer		sentīrēmur	
	sentīrēs	sentīrētis	sentīrēris(-re)		sentīrēminī	
	sentīret	sentīrent	sentīrētur		sentīrentur	
Perf.	sēnserim	sēnserimus	sēnsus	sim	sēnsī	sīmus
	sēnseris	sēnseritis	(-a, -um)	sīs	(-ae, -a)	sītis
	sēnserit	sēnserint		sit		sint
Plup.	sēnsissem	sēnsissēmus	sēnsus	essem	sēnsī	essēmus
	sēnsissēs	sēnsissētis	(-a, -um)	essēs	(-ae, -a)	essētis
	sēnsisset	sēnsissent		esset		essent
	IMPERATIVE					
Pres.	sentī	sentīte				
	INFINITIVE					
Pres.	sentīre		sentīrī			
Perf.	sēnsisse		sēnsus(-a, -um) esse			
Fut.	sēnsūrus(-a, -um) esse					
	PARTICIPLE					
Pres.	sentiēns(-tis)					
Perf.			sēnsus(-a, -um)			
Fut.	sēnsūrus(-a, -um)		sentiendus(-a, -um) (GERUNDIVE)			

GERUND sentiendī, -ō, -um, -ō SUPINE sēnsum, -ū

sequor, sequī, secūtus sum *follow*

ACTIVE

INDICATIVE

	Singular		Plural	
Pres.	sequor		sequimur	
	sequeris(-re)		sequiminī	
	sequitur		sequuntur	
Impf.	sequēbar		sequēbāmur	
	sequēbāris(-re)		sequēbāminī	
	sequēbātur		sequēbantur	
Fut.	sequar		sequēmur	
	sequēris(-re)		sequēminī	
	sequētur		sequentur	
Perf.	secūtus	sum	secūtī	sumus
	(-a, -um)	es	(-ae, -a)	estis
		est		sunt
Plup.	secūtus	eram	secūtī	erāmus
	(-a, -um)	erās	(-ae, -a)	erātis
		erat		erant
Fut. Perf.	secūtus	erō	secūtī	erimus
	(-a, -um)	eris	(-ae, -a)	eritis
		erit		erunt

SUBJUNCTIVE

	Singular		Plural	
Pres.	sequar		sequāmur	
	sequāris(-re)		sequāminī	
	sequātur		sequantur	
Impf.	sequerer		sequerēmur	
	sequerēris(-re)		sequerēminī	
	sequerētur		sequerentur	
Perf.	secūtus	sim	secūtī	sīmus
	(-a, -um)	sīs	(-ae, -a)	sītis
		sit		sint
Plup.	secūtus	essem	secūtī	essēmus
	(-a, -um)	essēs	(-ae, -a)	essētis
		esset		essent

IMPERATIVE

Pres. sequere — sequiminī

INFINITIVE

Pres. sequī
Perf. secūtus(-a, -um) esse
Fut. secūtūrus(-a, -um) esse

PARTICIPLE

	Active	Passive
Pres.	sequēns(-tis)	
Perf.	secūtus(-a, -um)	
Fut.	secūtūrus(-a, -um)	sequendus(-a, -um) (GERUNDIVE)

GERUND sequendī, -ō, -um, -ō SUPINE secūtum, -ū

serviō, servīre, servīvī, servītum *serve*

	ACTIVE		PASSIVE	
		INDICATIVE		
Pres.	serviō	servīmus	servior	servīmur
	servīs	servītis	servīris(-re)	servīminī
	servit	serviunt	servītur	serviuntur
Impf.	serviēbam	serviēbāmus	serviēbar	serviēbāmur
	serviēbās	serviēbātis	serviēbāris(-re)	serviēbāminī
	serviēbat	serviēbant	serviēbātur	serviēbantur
Fut.	serviam	serviēmus	serviar	serviēmur
	serviēs	serviētis	serviēris(-re)	serviēminī
	serviet	servient	serviētur	servientur
Perf.	servīvī	servīvimus	servītus sum	servītī sumus
	servīvistī	servīvistis	(-a, -um) es	(-ae, -a) estis
	servīvit	servīvērunt(-re)	est	sunt
Plup.	servīveram	servīverāmus	servītus eram	servītī erāmus
	servīverās	servīverātis	(-a, -um) erās	(-ae, -a) erātis
	servīverat	servīverant	erat	erant
Fut. Perf.	servīverō	servīverimus	servītus erō	servītī erimus
	servīveris	servīveritis	(-a, -um) eris	(-ae, -a) eritis
	servīverit	servīverint	erit	erunt
		SUBJUNCTIVE		
Pres.	serviam	serviāmus	serviar	serviāmur
	serviās	serviātis	serviāris(-re)	serviāminī
	serviat	serviant	serviātur	serviantur
Impf.	servīrem	servīrēmus	servīrer	servīrēmur
	servīrēs	servīrētis	servīrēris(-re)	servīrēminī
	servīret	servīrent	servīrētur	servīrentur
Perf.	servīverim	servīverimus	servītus sim	servītī sīmus
	servīveris	servīveritis	(-a, -um) sīs	(-ae, -a) sītis
	servīverit	servīverint	sit	sint
Plup.	servīvissem	servīvissēmus	servītus essem	servītī essēmus
	servīvissēs	servīvissētis	(-a, -um) essēs	(-ae, -a) essētis
	servīvisset	servīvissent	esset	essent
		IMPERATIVE		
Pres.	servī	servīte		
		INFINITIVE		
Pres.	servīre		servīrī	
Perf.	servīvisse		servītus(-a, -um) esse	
Fut.	servītūrus(-a, -um) esse			
		PARTICIPLE		
Pres.	serviēns(-tis)			
Perf.			servītus(-a, -um)	
Fut.	servītūrus(-a, -um)		serviendus(-a, -um) (GERUNDIVE)	

GERUND serviendī, -ō, -um, -ō SUPINE servītum, -ū

servō, servāre, servāvī, servātum *save, keep*

	ACTIVE		PASSIVE			
			INDICATIVE			
Pres.	servō	servāmus	servor		servāmur	
	servās	servātis	servāris(-re)		servāminī	
	servat	servant	servātur		servāntur	
Impf.	servābam	servābāmus	servābar		servābāmur	
	servābās	servābātis	servābāris(-re)		servābāminī	
	servābat	servābant	servābātur		servābantur	
Fut.	servābō	servābimus	servābor		servābimur	
	servābis	servābitis	servāberis(-re)		servābiminī	
	servābit	servābunt	servābitur		servābuntur	
Perf.	servāvī	servāvimus	servātus	sum	servātī	sumus
	servāvistī	servāvistis	(-a, -um)	es	(-ae, -a)	estis
	servāvit	servāvērunt(-re)		est		sunt
Plup.	servāveram	servāverāmus	servātus	eram	servātī	erāmus
	servāverās	servāverātis	(-a, -um)	erās	(-ae, -a)	erātis
	servāverat	servāverant		erat		erant
Fut. Perf.	servāverō	servāverimus	servātus	erō	servātī	erimus
	servāveris	servāveritis	(-a, -um)	eris	(-ae, -a)	eritis
	servāverit	servāverint		erit		erunt
			SUBJUNCTIVE			
Pres.	servem	servēmus	server		servēmur	
	servēs	servētis	servēris(-re)		servēminī	
	servet	servent	servētur		serventur	
Impf.	servārem	servārēmus	servārer		servārēmur	
	servārēs	servārētis	servārēris(-re)		servārēminī	
	servāret	servārent	servārētur		servārentur	
Perf.	servāverim	servāverimus	servātus	sim	servātī	sīmus
	servāveris	savāveritis	(-a, -um)	sīs	(-ae, -a)	sītis
	servāverit	servāverint		sit		sint
Plup.	servāvissem	servāvissēmus	servātus	essem	servātī	essēmus
	servāvissēs	servāvissētis	(-a, -um)	essēs	(-ae, -a)	essētis
	servāvisset	servāvissent		esset		essent
			IMPERATIVE			
Pres.	servā	servāte				
			INFINITIVE			
Pres.	servāre		servārī			
Perf.	servāvisse		servātus(-a, -um) esse			
Fut.	servātūrus(-a, -um) esse					
			PARTICIPLE			
Pres.	servāns(-tis)					
Perf.			servātus(-a, -um)			
Fut.	servātūrus(-a, -um)		servandus(-a, -um) (GERUNDIVE)			

GERUND servandī, -ō, -um, -ō SUPINE servātum, -ū

sinō, sinere, sīvī, situm *let, permit*

	ACTIVE		PASSIVE			
			INDICATIVE			
Pres.	sinō	sinimus	sinor		sinimur	
	sinis	sinitis	sineris(-re)		siniminī	
	sinit	sinunt	sinitur		sinuntur	
Impf.	sinēbam	sinēbāmus	sinēbar		sinēbāmur	
	sinēbās	sinēbātis	sinēbāris(-re)		sinēbāminī	
	sinēbat	sinēbant	sinēbātur		sinēbantur	
Fut.	sinam	sinēmus	sinar		sinēmur	
	sinēs	sinētis	sinēris(-re)		sinēminī	
	sinet	sinent	sinētur		sinentur	
Perf.	sīvī	sīvimus	situs	sum	sitī	sumus
	sīvistī	sīvistis	(-a, -um)	es	(-ae, -a)	estis
	sīvit	sīvērunt(-re)		est		sunt
Plup.	sīveram	sīverāmus	situs	eram	sitī	erāmus
	sīverās	sīverātis	(-a, -um)	erās	(-ae, -a)	erātis
	sīverat	sīverant		erat		erant
Fut. Perf.	sīverō	sīverimus	situs	erō	sitī	erimus
	sīveris	sīveritis	(-a, -um)	eris	(-ae, -a)	eritis
	sīverit	sīverint		erit		erunt
			SUBJUNCTIVE			
Pres.	sinam	sināmus	sinar		sināmur	
	sinās	sinātis	sināris(-re)		sināminī	
	sinat	sinant	sinātur		sinantur	
Impf.	sinerem	sinerēmus	sinerer		sinerēmur	
	sinerēs	sinerētis	sinerēris(-re)		sinerēminī	
	sineret	sinerent	sinerētur		sinerentur	
Perf.	sīverim	sīverimus	situs	sim	sitī	sīmus
	sīveris	sīveritis	(-a, -um)	sīs	(-ae, -a)	sītis
	sīverit	sīverint		sit		sint
Plup.	sīvissem	sīvissēmus	situs	essem	sitī	essēmus
	sīvissēs	sīvissētis	(-a, -um)	essēs	(-ae, -a)	essētis
	sīvisset	sīvissent		esset		essent
			IMPERATIVE			
Pres.	sine	sinite				
			INFINITIVE			
Pres.	sinere		sinī			
Perf.	sīvisse		situs(-a, -um) esse			
Fut.	sitūrus(-a, -um) esse					
			PARTICIPLE			
Pres.	sinēns(-tis)					
Perf.			situs(-a, -um)			
Fut.	sitūrus(-a, -um)		sinendus(-a, -um) (GERUNDIVE)			

GERUND sinendī, -ō, -um, -ō SUPINE situm, -ū

soleō, solēre, solitus sum | *be accustomed*

ACTIVE

INDICATIVE

Pres.	soleō		solēmus	
	solēs		solētis	
	solet		solent	
Impf.	solēbam		solēbāmus	
	solēbās		solēbātis	
	solēbat		solēbant	
Fut.	solēbō		solēbimus	
	solēbis		solēbitis	
	solēbit		solēbunt	
Perf.	solitus	sum	solitī	sumus
	(-a, -um)	es	(-ae, -a)	estis
		est		sunt
Plup.	solitus	eram	solitī	erāmus
	(-a, -um)	erās	(-ae, -a)	erātis
		erat		erant
Fut. Perf.	solitus	erō	solitī	erimus
	(-a, -um)	eris	(-ae, -a)	eritis
		erit		erunt

SUBJUNCTIVE

Pres.	soleam		soleāmus	
	soleās		soleātis	
	soleat		soleant	
Impf.	solērem		solērēmus	
	solērēs		solērētis	
	solēret		solērent	
Perf.	solitus	sim	solitī	sīmus
	(-a, -um)	sīs	(-ae, -a)	sītis
		sit		sint
Plup.	solitus	essem	solitī	essēmus
	(-a, -um)	essēs	(-ae, -a)	essētis
		esset		essent

IMPERATIVE

Pres. solē — solēte

INFINITIVE

Pres. solēre
Perf. solitus(-a, -um) esse
Fut. solitūrus(-a, -um) esse

PARTICIPLE

Pres. solēns(-tis)
Perf. solitus(-a, -um)
Fut. solitūrus(-a, -um)

GERUND solendī, -ō, -um, -ō SUPINE solitum, -ū

solvō, solvere, solvī, solūtus *loosen, set sail*

	ACTIVE		PASSIVE			
			INDICATIVE			
Pres.	solvō	solvimus	solvor		solvimur	
	solvis	solvitis	solveris(-re)		solviminī	
	solvit	solvunt	solvitur		solvuntur	
Impf.	solvēbam	solvēbāmus	solvēbar		solvēbāmur	
	solvēbās	solvēbātis	solvēbāris(-re)		solvēbāminī	
	solvēbat	solvēbant	solvēbātur		solvēbantur	
Fut.	solvam	solvēmus	solvar		solvēmur	
	solvēs	solvētis	solvēris(-re)		solvēminī	
	solvet	solvent	solvētur		solventur	
Perf.	solvī	solvimus	solūtus	sum	solūtī	sumus
	solvistī	solvistis	(-a, -um)	es	(-ae, -a)	estis
	solvit	solvērunt(-re)		est		sunt
Plup.	solveram	solverāmus	solūtus	eram	solūtī	erāmus
	solverās	solverātis	(-a, -um)	erās	(-ae, -a)	erātis
	solverat	solverant		erat		erant
Fut.	solverō	solverimus	solūtus	erō	solūtī	erimus
Perf.	solveris	solveritis	(-a, -um)	eris	(-ae, -a)	eritis
	solverit	solverint		erit		erunt
			SUBJUNCTIVE			
Pres.	solvam	solvāmus	solvar		solvāmur	
	solvās	solvātis	solvāris(-re)		solvāminī	
	solvat	solvant	solvātur		solvantur	
Impf.	solverem	solverēmus	solverer		solverēmur	
	solverēs	solverētis	solverēris(-re)		solverēminī	
	solveret	solverent	solverētur		solverentur	
Perf.	solverim	solverimus	solūtus	sim	solūtī	sīmus
	solveris	solveritis	(-a, -um)	sīs	(-ae, -a)	sītis
	solverit	solverint		sit		sint
Plup.	solvissem	solvissēmus	solūtus	essem	solūtī	essēmus
	solvissēs	solvissētis	(-a, -um)	essēs	(-ae, -a)	essētis
	solvisset	solvissent		esset		essent
			IMPERATIVE			
Pres.	solve	solvite				
			INFINITIVE			
Pres.	solvere		solvī			
Perf.	solvisse		solūtus(-a, -um) esse			
Fut.	solūtūrus(-a, -um) esse					
			PARTICIPLE			
Pres.	solvēns(-tis)					
Perf.			solūtus(-a, -um)			
Fut.	solūtūrus(-a, -um)		solvendus(-a, -um) (GERUNDIVE)			

GERUND solvendī, -ō, -um, -ō SUPINE solūtum, -ū

spectō, spectāre, spectāvī, spectātum *look at*

	ACTIVE		PASSIVE	
	INDICATIVE			
Pres.	spectō	spectāmus	spector	spectāmur
	spectās	spectātis	spectāris(-re)	spectāminī
	spectat	spectant	spectātur	spectantur
Impf.	spectābam	spectābāmus	spectābar	spectābāmur
	spectābās	spectābātis	spectābāris(-re)	spectābāminī
	spectābat	spectābant	spectābātur	spectābantur
Fut.	spectābō	spectābimus	spectābor	spectābimur
	spectābis	spectābitis	spectāberis(-re)	spectābiminī
	spectābit	spectābunt	spectābitur	spectābuntur
Perf.	spectāvī	spectāvimus	spectātus sum	spectātī sumus
	spectāvistī	spectāvistis	(-a, -um) es	(-ae, -a) estis
	spectāvit	spectāvērunt(-re)	est	sunt
Plup.	spectāveram	spectāverāmus	spectātus eram	spectātī erāmus
	spectāverās	spectāverātis	(-a, -um) erās	(-ae, -a) erātis
	spectāverat	spectāverant	erat	erant
Fut. Perf.	spectāverō	spectāverimus	spectātus erō	spectātī erimus
	spectāveris	spectāveritis	(-a, -um) eris	(-ae, -a) eritis
	spectāverit	spectāverint	erit	erunt
	SUBJUNCTIVE			
Pres.	spectem	spectēmus	specter	spectēmur
	spectēs	spectētis	spectēris(-re)	spectēminī
	spectet	spectent	spectētur	spectentur
Impf.	spectārem	spectārēmus	spectārer	spectārēmur
	spectārēs	spectārētis	spectārēris(-re)	spectārēminī
	spectāret	spectārent	spectārētur	spectārentur
Perf.	spectāverim	spectāverimus	spectātus sim	spectātī sīmus
	spectāveris	spectāveritis	(-a, -um) sīs	(-ae, -a) sītis
	spectāverit	spectāverint	sit	sint
Plup.	spectāvissem	spectāvissēmus	spectātus essem	spectātī essēmus
	spectāvissēs	spectāvissētis	(-a, -um) essēs	(-ae, -a) essētis
	spectāvisset	spectāvissent	esset	essent
	IMPERATIVE			
Pres.	spectā	spectāte		
	INFINITIVE			
Pres.	spectāre		spectārī	
Perf.	spectāvisse		spectātus(-a, -um) esse	
Fut.	spectātūrus(-a, -um) esse			
	PARTICIPLE			
Pres.	spectāns(-tis)			
Perf.			spectātus(-a, -um)	
Fut.	spectātūrus(-a, -um)		spectandus(-a, -um) (GERUNDIVE)	

GERUND spectandī, -ō, -um, -ō SUPINE spectātum, -ū

spērō, spērāre, spērāvī, spērātum *hope*

	ACTIVE		PASSIVE	
		INDICATIVE		
Pres.	spērō	spērāmus	———	———
	spērās	spērātis	———	———
	spērat	spērant	spērātur	spērantur
Impf.	spērābam	spērābāmus	———	———
	spērābās	spērābātis	———	———
	spērābat	spērābant	spērābātur	spērābantur
Fut.	spērābō	spērābimus	———	———
	spērābis	spērābitis	———	———
	spērābit	spērābunt	spērābitur	spērābuntur
Perf.	spērāvī	spērāvimus	———	———
	spērāvistī	spērāvistis	———	———
	spērāvit	spērāvērunt(-re)	spērātus(-a, -um) est	spērātī(-ae, -a) sunt
Plup.	spērāveram	spērāverāmus	———	———
	spērāverās	spērāverātis	———	———
	spērāverat	spērāverant	spērātus(-a, -um) erat	spērātī(-ae, -a) erant
Fut. Perf.	spērāverō	spērāverimus	———	———
	spērāveris	spērāveritis	———	———
	spērāverit	spērāverint	spērātus(-a, -um) erit	spērātī(-ae, -a) erunt
		SUBJUNCTIVE		
Pres.	spērem	spērēmus	———	———
	spērēs	spērētis	———	———
	spēret	spērent	spērētur	spērentur
Impf.	spērārem	spērārēmus	———	———
	spērārēs	spērārētis	———	———
	spērāret	spērārent	spērārētur	spērārentur
Perf.	spērāverim	spērāverimus	———	———
	spērāveris	spērāveritis	———	———
	spērāverit	spērāverint	spērātus(-a, -um) sit	spērātī(-ae, -a) sint
Plup.	spērāvissem	spērāvissēmus	———	———
	spērāvissēs	spērāvissētis	———	———
	spērāvisset	spērāvissent	spērātus(-a, -um) esset	spērātī(-ae, -a) essent
		IMPERATIVE		
Pres.	spērā	spērāte		
		INFINITIVE		
Pres.	spērāre		spērārī	
Perf.	spērāvisse		spērātus(-a, -um) esse	
Fut.	spērātūrus(-a, -um) esse			
		PARTICIPLE		
Pres.	spērāns(-tis)			
Perf.			spērātus(-a, -um)	
Fut.	spērātūrus(-a, -um)		spērandus(-a, -um) (GERUNDIVE)	

GERUND spērandī, -ō, -um, -ō SUPINE spērātum, -ū

statuō, statuere, statuī, statūtum *decide, station*

	ACTIVE		PASSIVE	
	INDICATIVE			
Pres.	statuō	statuimus	statuor	statuimur
	statuis	statuitis	statueris(-re)	statuiminī
	statuit	statuunt	statuitur	statuuntur
Impf.	statuēbam	statuēbāmus	statuēbar	statuēbāmur
	statuēbās	statuēbātis	statuēbāris(-re)	statuēbāminī
	statuēbat	statuēbant	statuēbātur	statuēbantur
Fut.	statuam	statuēmus	statuar	statuēmur
	statuēs	statuētis	statuēris(-re)	statuēminī
	statuet	statuent	statuētur	statuentur
Perf.	statuī	statuimus	statūtus sum	statūtī sumus
	statuistī	statuistis	(-a, -um) es	(-ae, -a) estis
	statuit	statuērunt(-re)	est	sunt
Plup.	statueram	statuerāmus	statūtus eram	statūtī erāmus
	statuerās	statuerātis	(-a, -um) erās	(-ae, -a) erātis
	statuerat	statuerant	erat	erant
Fut. Perf.	statuerō	statuerimus	statūtus erō	statūtī erimus
	statueris	statueritis	(-a, -um) eris	(-ae, -a) eritis
	statuerit	statuerint	erit	erunt
	SUBJUNCTIVE			
Pres.	statuam	statuāmus	statuar	statuāmur
	statuās	statuātis	statuāris(-re)	statuāminī
	statuat	statuant	statuātur	statuantur
Impf.	statuerem	statuerēmus	statuerer	statuerēmur
	statuerēs	statuerētis	statuerēris(-re)	statuerēminī
	statueret	statuerent	statuerētur	statuerentur
Perf.	statuerim	statuerimus	statūtus sim	statūtī sīmus
	statueris	statueritis	(-a, -um) sīs	(-ae, -a) sītis
	statuerit	statuerint	sit	sint
Plup.	statuissem	statuissēmus	statūtus essem	statūtī essēmus
	statuissēs	statuissētis	(-a, -um) essēs	(-ae, -a) essētis
	statuisset	statuissent	esset	essent
	IMPERATIVE			
Pres.	statue	statuite		
	INFINITIVE			
Pres.	statuere		statuī	
Perf.	statuisse		statūtus(-a, -um) esse	
Fut.	statūtūrus(-a, -um) esse			
	PARTICIPLE			
Pres.	statuēns(-tis)			
Perf.			statūtus(-a, -um)	
Fut.	statūtūrus(-a, -um)		statuendus(-a, -um) (GERUNDIVE)	

GERUND statuendī, -ō, -um, -ō SUPINE statūtum, -ū

stō, stāre, stetī, statūrus *stand*

ACTIVE

INDICATIVE

Pres.	stō	stāmus
	stās	stātis
	stat	stant
Impf.	stābam	stābāmus
	stābās	stābātis
	stābat	stābant
Fut.	stābō	stābimus
	stābis	stābitis
	stābit	stābunt
Perf.	stetī	stetimus
	stetistī	stetistis
	stetit	stetērunt(-re)
Plup.	steteram	steterāmus
	steterās	steterātis
	steterat	steterant
Fut. Perf.	steterō	steterimus
	steteris	steteritis
	steterit	steterint

SUBJUNCTIVE

Pres.	stem	stēmus
	stēs	stētis
	stet	stent
Impf.	stārem	stārēmus
	stārēs	stārētis
	stāret	stārent
Perf.	steterim	steterimus
	steteris	steteritis
	steterit	steterint
Plup.	stetissem	stetissēmus
	stetissēs	stetissētis
	stetisset	stetissent

IMPERATIVE

Pres.	stā	stāte

INFINITIVE

Pres. stāre
Perf. stetisse
Fut. statūrus(-a, -um) esse

PARTICIPLE

Pres. stāns(-tis)
Perf. ———
Fut. statūrus(-a, -um)

GERUND standī, -ō, -um, -ō SUPINE ———

studeō, studēre, studuī *be eager for, desire*

ACTIVE

INDICATIVE

Pres.	studeō	studēmus
	studēs	studētis
	studet	student
Impf.	studēbam	studēbāmus
	studēbās	studēbātis
	studēbat	studēbant
Fut.	studēbō	studēbimus
	studēbis	studēbitis
	studēbit	studēbunt
Perf.	studuī	studuimus
	studuistī	studuistis
	studuit	studuērunt(-re)
Plup.	studueram	studuerāmus
	studuerās	studuerātis
	studuerat	studuerant
Fut. Perf.	studuerō	studuerimus
	studueris	studueritis
	studuerit	studuerint

SUBJUNCTIVE

Pres.	studeam	studeāmus
	studeās	studeātis
	studeat	studeant
Impf.	studērem	studērēmus
	studērēs	studērētis
	studēret	studērent
Perf.	studuerim	studuerimus
	studueris	studueritis
	studuerit	studuerint
Plup.	studuissem	studuissēmus
	studuissēs	studuissētis
	studuisset	studuissent

IMPERATIVE

Pres.	studē	studēte

INFINITIVE

Pres.	studēre
Perf.	studuisse
Fut.	———

PARTICIPLE

Pres.	studēns(-tis)
Perf.	———
Fut.	———

GERUND studendī, -ō, -um, -ō SUPINE ———

suādeō, suādēre, suāsī, suāsum *advise*

	ACTIVE		PASSIVE	
	INDICATIVE			
Pres.	suādeō	suādēmus	suādeor	suādēmur
	suādēs	suādētis	suādēris(-re)	suādēminī
	suādet	suādent	suādētur	suādentur
Impf.	suādēbam	suādēbāmus	suādēbar	suādēbāmur
	suādēbās	suādēbātis	suādēbāris(-re)	suādēbāminī
	suādēbat	suādēbant	suādēbātur	suādēbantur
Fut.	suādēbō	suādēbimus	suādēbor	suādēbimur
	suādēbis	suādēbitis	suādēberis(-re)	suādēbiminī
	suādēbit	suādēbunt	suādēbitur	suādēbuntur
Perf.	suāsī	suāsimus	suāsus sum	suāsī sumus
	suāsistī	suāsistis	(-a, -um) es	(-ae, -a) estis
	suāsit	suāsērunt(-re)	est	sunt
Plup.	suāseram	suāserāmus	suāsus eram	suāsī erāmus
	suāserās	suāserātis	(-a, -um) erās	(-ae, -a) erātis
	suāserat	suāserant	erat	erant
Fut. Perf.	suāserō	suāserimus	suāsus erō	suāsī erimus
	suāseris	suāseritis	(-a, -um) eris	(-ae, -a) eritis
	suāserit	suāserint	erit	erunt
	SUBJUNCTIVE			
Pres.	suādeam	suādeāmus	suādear	suādeāmur
	suādeās	suādeātis	suādeāris(-re)	suādeāminī
	suādeat	suādeant	suādeātur	suādeantur
Impf.	suādērem	suādērēmus	suādērer	suādērēmur
	suādērēs	suādērētis	suādērēris(-re)	suādērēminī
	suādēret	suādērent	suādērētur	suādērentur
Perf.	suāserim	suāserimus	suāsus sim	suāsī sīmus
	suāseris	suāseritis	(-a, -um) sīs	(-ae, -a) sītis
	suāserit	suāserint	sit	sint
Plup.	suāsissem	suāsissēmus	suāsus essem	suāsī essēmus
	suāsissēs	suāsissētis	(-a, -um) essēs	(-ae, -a) essētis
	suāsisset	suāsissent	esset	essent
	IMPERATIVE			
Pres.	suādē	suādēte		
	INFINITIVE			
Pres.	suādēre		suādērī	
Perf.	suāsisse		suāsus(-a, -um) esse	
Fut.	suāsūrus(-a, -um) esse			
	PARTICIPLE			
Pres.	suādēns(-tis)			
Perf.			suāsus(-a, -um)	
Fut.	suāsūrus(-a, -um)		suādendus(-a, -um) (GERUNDIVE)	

GERUND suādendī, -ō, -um, -ō SUPINE suāsum, -ū

sum, esse, fuī, futūrus *be*

ACTIVE

INDICATIVE

Pres.	sum	sumus
	es	estis
	est	sunt
Impf.	eram	erāmus
	erās	erātis
	erat	erant
Fut.	erō	erimus
	eris	eritis
	erit	erunt
Perf.	fuī	fuimus
	fuistī	fuistis
	fuit	fuērunt(-re)
Plup.	fueram	fuerāmus
	fuerās	fuerātis
	fuerat	fuerant
Fut. Perf.	fuerō	fuerimus
	fueris	fueritis
	fuerit	fuerint

SUBJUNCTIVE

Pres.	sim	sīmus
	sīs	sītis
	sit	sint
Impf.	essem	essēmus
	essēs	essētis
	esset	essent
Perf.	fuerim	fuerimus
	fueris	fueritis
	fuerit	fuerint
Plup.	fuissem	fuissēmus
	fuissēs	fuissētis
	fuisset	fuissent

IMPERATIVE

Fut.	estō	estōte

INFINITIVE

Pres. esse
Perf. fuisse
Fut. futūrus(-a, -um) esse

PARTICIPLE

Pres. ———
Perf. ———
Fut. futūrus(-a, -um)

GERUND ——— SUPINE ———

sūmō, sūmere, sūmpsī, sūmptum *take*

	ACTIVE		PASSIVE	
	INDICATIVE			
Pres.	sūmō	sūmimus	sūmor	sūmimur
	sūmis	sūmitis	sūmeris(-re)	sūmiminī
	sūmit	sūmunt	sūmitur	sūmuntur
Impf.	sūmēbam	sūmēbāmus	sūmēbar	sūmēbāmur
	sūmēbās	sūmēbātis	sūmēbāris(-re)	sūmēbāminī
	sūmēbat	sūmēbant	sūmēbātur	sūmēbantur
Fut.	sūmam	sūmēmus	sūmar	sūmēmur
	sūmēs	sūmētis	sūmēris(-re)	sūmēminī
	sūmet	sūment	sūmētur	sūmentur
Perf.	sūmpsī	sūmpsimus	sūmptus sum	sūmptī sumus
	sūmpsistī	sūmpsistis	(-a, -um) es	(-ae, -a) estis
	sūmpsit	sūmpsērunt(-re)	est	sunt
Plup.	sūmpseram	sūmpserāmus	sūmptus eram	sūmptī erāmus
	sūmpserās	sūmpserātis	(-a, -um) erās	(-ae, -a) erātis
	sūmpserat	sūmpserant	erat	erant
Fut. Perf.	sūmpserō	sūmpserimus	sūmptus erō	sūmptī erimus
	sūmpseris	sūmpseritis	(-a, -um) eris	(-ae, -a) eritis
	sūmpserit	sūmpserint	erit	erunt
	SUBJUNCTIVE			
Pres.	sūmam	sūmāmus	sūmar	sūmāmur
	sūmās	sūmātis	sūmāris(-re)	sūmāminī
	sūmat	sūmant	sūmātur	sūmantur
Impf.	sūmerem	sūmerēmus	sūmerer	sūmerēmur
	sūmerēs	sūmerētis	sūmerēris(-re)	sūmerēminī
	sūmeret	sūmerent	sūmerētur	sūmerentur
Perf.	sūmpserim	sūmpserimus	sūmptus sim	sūmptī sīmus
	sūmpseris	sūmpseritis	(-a, -um) sīs	(-ae, -a) sītis
	sūmpserit	sūmpserint	sit	sint
Plup.	sūmpsissem	sūmpsissēmus	sūmptus essem	sūmptī essēmus
	sūmpsissēs	sūmpsissētis	(-a, -um) essēs	(-ae, -a) essētis
	sūmpsisset	sūmpsissent	esset	essent
	IMPERATIVE			
Pres.	sūme	sūmite		
	INFINITIVE			
Pres.	sūmere		sūmī	
Perf.	sūmpsisse		sūmptus(-a, -um) esse	
Fut.	sūmptūrus(-a, -um) esse			
	PARTICIPLE			
Pres.	sūmēns(-tis)			
Perf.			sūmptus(-a, -um)	
Fut.	sūmptūrus(-a, -um)		sūmendus(-a, -um) (GERUNDIVE)	

GERUND sūmendī, -ō, -um, -ō SUPINE sūmptum, -ū

superō, superāre, superāvī, superātum *overcome, surpass*

	ACTIVE		PASSIVE	
	INDICATIVE			
Pres.	superō	superāmus	superor	superāmur
	superās	superātis	superāris(-re)	superāminī
	superat	superant	superātur	superantur
Impf.	superābam	superābāmus	superābar	superābāmur
	superābās	superābātis	superābāris(-re)	superābāminī
	superābat	superābant	superābātur	superābantur
Fut.	superābō	superābimus	superābor	superābimur
	superābis	superābitis	superāberis(-re)	superābiminī
	superābit	superābunt	superābitur	superābuntur
Perf.	superāvī	superāvimus	superātus sum	superātī sumus
	superāvistī	superāvistis	(-a, -um) es	(-ae, -a) estis
	superāvit	superāvērunt(-re)	est	sunt
Plup.	superāveram	superāverāmus	superātus eram	superātī erāmus
	superāverās	superāverātis	(-a, -um) erās	(-ae, -a) erātis
	superāverat	superāverant	erat	erant
Fut. Perf.	superāverō	superāverimus	superātus erō	superātī erimus
	superāveris	superāveritis	(-a, -um) eris	(-ae, -a) eritis
	superāverit	superāverint	erit	erunt
	SUBJUNCTIVE			
Pres.	superem	superēmus	superer	superēmur
	superēs	superētis	superēris(-re)	superēminī
	superet	superent	superētur	superentur
Impf.	superārem	superārēmus	superārer	superārēmur
	superārēs	superārētis	superārēris(-re)	superārēminī
	superāret	superārent	superārētur	superārentur
Perf.	superāverim	superāverimus	superātus sim	superātī sīmus
	superāveris	superāveritis	(-a, -um) sīs	(-ae, -a) sītis
	superāverit	superāverint	sit	sint
Plup.	superāvissem	superāvissēmus	superātus essem	superātī essēmus
	superāvissēs	superāvissētis	(-a, -um) essēs	(-ae, -a) essētis
	superāvisset	superāvissent	esset	essent
	IMPERATIVE			
Pres.	superā	superāte		
	INFINITIVE			
Pres.	superāre		superārī	
Perf.	superāvisse		superātus(-a, -um) esse	
Fut.	superātūrus(-a, -um) esse			
	PARTICIPLE			
Pres.	superāns(-tis)			
Perf.			superātus(-a, -um)	
Fut.	superātūrus(-a, -um)		superandus(-a, -um) (GERUNDIVE)	

GERUND superandī, -ō, -um, -ō SUPINE superātum, -ū

taceō, tacēre, tacuī, tacitum *be silent, keep still*

	ACTIVE		PASSIVE	
	INDICATIVE			
Pres.	taceō	tacēmus	———	———
	tacēs	tacētis	———	———
	tacet	tacent	tacētur	tacentur
Impf.	tacēbam	tacēbāmus	———	———
	tacēbās	tacēbātis	———	———
	tacēbat	tacēbant	tacēbātur	tacēbantur
Fut.	tacēbō	tacēbimus	———	———
	tacēbis	tacēbitis	———	———
	tacēbit	tacēbunt	tacēbitur	tacēbuntur
Perf.	tacuī	tacuimus	———	———
	tacuistī	tacuistis	———	———
	tacuit	tacuērunt(-re)	tacitus(-a, -um) est	tacitī(-ae, -a) sunt
Plup.	tacueram	tacuerāmus	———	———
	tacuerās	tacuerātis	———	———
	tacuerat	tacuerant	tacitus(-a, -um) erat	tacitī(-ae, -a) erant
Fut. Perf.	tacuerō	tacuerimus	———	———
	tacueris	tacueritis	———	———
	tacuerit	tacuerint	tacitus(-a, -um) erit	tacitī(-ae, -a) erunt
	SUBJUNCTIVE			
Pres.	taceam	taceāmus	———	———
	taceās	taceātis	———	———
	taceat	taceant	taceātur	taceantur
Impf.	tacērem	tacērēmus	———	———
	tacērēs	tacērētis	———	———
	tacēret	tacērent	tacērētur	tacērentur
Perf.	tacuerim	tacuerimus	———	———
	tacueris	tacueritis	———	———
	tacuerit	tacuerint	tacitus(-a, -um) sit	tacitī(-ae, -a) sint
Plup.	tacuissem	tacuissēmus	———	———
	tacuissēs	tacuissētis	———	———
	tacuisset	tacuissent	tacitus(-a, -um) esset	tacitī(-ae, -a) essent
	IMPERATIVE			
Pres.	tacē	tacēte		
	INFINITIVE			
Pres.	tacēre		tacērī	
Perf.	tacuisse		tacitus(-a, -um) esse	
Fut.	tacitūrus(-a, -um) esse			
	PARTICIPLE			
Pres.	tacēns(-tis)			
Perf.			tacitus(-a, -um)	
Fut.	tacitūrus(-a, -um)		tacendus(-a, -um) (GERUNDIVE)	

GERUND tacendī, -ō, -um, -ō SUPINE tacitum, -ū

tangō, tangere, tetigī, tāctum *touch*

	ACTIVE		PASSIVE	
		INDICATIVE		
Pres.	tangō	tangimus	tangor	tangimur
	tangis	tangitis	tangeris(-re)	tangiminī
	tangit	tangunt	tangitur	tanguntur
Impf.	tangēbam	tangēbāmus	tangēbar	tangēbāmur
	tangēbās	tangēbātis	tangēbāris(-re)	tangēbāminī
	tangēbat	tangēbant	tangēbātur	tangēbantur
Fut.	tangam	tangēmus	tangar	tangēmur
	tangēs	tangētis	tangēris(-re)	tangēminī
	tanget	tangent	tangētur	tangentur
Perf.	tetigī	tetigimus	tāctus sum	tāctī sumus
	tetigistī	tetigistis	(-a, -um) es	(-ae, -a) estis
	tetigit	tetigērunt(-re)	est	sunt
Plup.	tetigeram	tetigerāmus	tāctus eram	tāctī erāmus
	tetigerās	tetigerātis	(-a, -um) erās	(-ae, -a) erātis
	tetigerat	tetigerant	erat	erant
Fut. Perf.	tetigerō	tetigerimus	tāctus erō	tāctī erimus
	tetigeris	tetigeritis	(-a, -um) eris	(-ae, -a) eritis
	tetigerit	tetigerint	erit	erunt
		SUBJUNCTIVE		
Pres.	tangam	tangāmus	tangar	tangāmur
	tangās	tangātis	tangāris(-re)	tangāminī
	tangat	tangant	tangātur	tangantur
Impf.	tangerem	tangerēmus	tangerer	tangerēmur
	tangerēs	tangerētis	tangerēris(-re)	tangerēminī
	tangeret	tangerent	tangerētur	tangerentur
Perf.	tetigerim	tetigerimus	tāctus sim	tāctī sīmus
	tetigeris	tetigeritis	(-a, -um) sīs	(-ae, -a) sītis
	tetigerit	tetigerint	sit	sint
Plup.	tetigissem	tetigissēmus	tāctus essem	tāctī essēmus
	tetigissēs	tetigissētis	(-a, -um) essēs	(-ae, -a) essētis
	tetigisset	tetigissent	esset	essent
		IMPERATIVE		
Pres.	tange	tangite		
		INFINITIVE		
Pres.	tangere		tangī	
Perf.	tetigisse		tāctus(-a, -um) esse	
Fut.	tāctūrus(-a, -um) esse			
		PARTICIPLE		
Pres.	tangēns(-tis)			
Perf.			tāctus(-a, -um)	
Fut.	tāctūrus(-a, -um)		tangendus(-a, -um) (GERUNDIVE)	

GERUND tangendī, -ō, -um, -ō SUPINE tāctum, -ū

temptō, temptāre, temptāvī, temptātum — *try*

	ACTIVE		PASSIVE	
	INDICATIVE			
Pres.	temptō	temptāmus	temptor	temptāmur
	temptās	temptātis	temptāris(-re)	temptāminī
	temptat	temptant	temptātur	temptantur
Impf.	temptābam	tamptābāmus	temptābar	temptābāmur
	temptābās	temptābātis	temptābāris(-re)	temptābāminī
	temptābat	temptābant	temptābātur	temptābantur
Fut.	temptābō	temptābimus	temptābor	temptābimur
	temptābis	temptābitis	temptāberis(-re)	temptābiminī
	temptābit	temptābunt	temptābitur	temptābuntur
Perf.	temptāvī	temptāvimus	temptātus sum	temptātī sumus
	temptāvistī	temptāvistis	(-a, -um) es	(-ae, -a) estis
	temptāvit	temptāvērunt(-re)	est	sunt
Plup.	temptāveram	temptāverāmus	temptātus eram	temptātī erāmus
	temptāverās	temptāverātis	(-a, -um) erās	(-ae, -a) erātis
	temptāverat	temptāverant	erat	erant
Fut. Perf.	temptāverō	temptāverimus	temptātus erō	temptātī erimus
	temptāveris	temptāveritis	(-a, -um) eris	(-ae, -a) eritis
	temptāverit	temptāverint	erit	erunt
	SUBJUNCTIVE			
Pres.	temptem	temptēmus	tempter	temptēmur
	temptēs	temptētis	temptēris(-re)	temptēminī
	temptet	temptent	temptētur	temptentur
Impf.	temptārem	temptārēmus	temptārer	temptārēmur
	temptārēs	temptārētis	temptārēris(-re)	temptārēminī
	temptāret	temptārent	temptārētur	temptārentur
Perf.	temptāverim	temptāverimus	temptātus sim	temptātī sīmus
	temptāveris	temptāveritis	(-a, -um) sīs	(-ae, -a) sītis
	temptāverit	temptāverint	sit	sint
Plup.	temptāvissem	temptāvissēmus	temptātus essem	temptātī essēmus
	temptāvissēs	temptāvissētis	(-a, -um) essēs	(-ae, -a) essētis
	temptāvisset	temptāvissent	esset	essent
	IMPERATIVE			
Pres.	temptā	temptāte		
	INFINITIVE			
Pres.	temptāre		temptārī	
Perf.	temptāvisse		temptātus(-a, -um) esse	
Fut.	temptātūrus(-a, -um) esse			
	PARTICIPLE			
Pres.	temptāns(-tis)			
Perf.			temptātus(-a, -um)	
Fut.	temptātūrus(-a, -um)		temptandus(-a, -um) (GERUNDIVE)	

GERUND temptandī, -ō, -um, -ō SUPINE temptātum, -ū

teneō, tenēre, tenuī *hold, keep*

	ACTIVE		PASSIVE	
		INDICATIVE		
Pres.	teneō	tenēmus	teneor	tenēmur
	tenēs	tenētis	tenēris(-re)	tenēminī
	tenet	tenent	tenētur	tenentur
Impf.	tenēbam	tenēbāmus	tenēbar	tenēbāmur
	tenēbās	tenēbātis	tenēbāris(-re)	tenēbāminī
	tenēbat	tenēbant	tenēbātur	tenēbantur
Fut.	tenēbō	tenēbimus	tenēbor	tenēbimur
	tenēbis	tenēbitis	tenēberis(-re)	tenēbiminī
	tenēbit	tenēbunt	tenēbitur	tenēbuntur
Perf.	tenuī	tenuimus		
	tenuistī	tenuistis		
	tenuit	tenuērunt(-re)		
Plup.	tenueram	tenuerāmus		
	tenuerās	tenuerātis		
	tenuerat	tenuerant		
Fut. Perf.	tenuerō	tenuerimus		
	tenueris	tenueritis		
	tenuerit	tenuerint		
		SUBJUNCTIVE		
Pres.	teneam	teneāmus	tenear	teneāmur
	teneās	teneātis	teneāris(-re)	teneāminī
	teneat	teneant	teneātur	teneantur
Impf.	tenērem	tenērēmus	tenērer	tenērēmur
	tenērēs	tenērētis	tenērēris(-re)	tenērēminī
	tenēret	tenērent	tenērētur	tenērentur
Perf.	tenuerim	tenuerimus		
	tenueris	tenueritis		
	tenuerit	tenuerint		
Plup.	tenuissem	tenuissēmus		
	tenuissēs	tenuissētis		
	tenuisset	tenuissent		
		IMPERATIVE		
Pres.	tenē	tenēte		
		INFINITIVE		
Pres.	tenēre		tenērī	
Perf.	tenuisse			
Fut.				
		PARTICIPLE		
Pres.	tenēns(-tis)			
Perf.	———			
Fut.	———		tenendus(-a, -um) (GERUNDIVE)	

GERUND tenendī, -ō, -um, -ō SUPINE ———

terreō, terrēre, terruī, territum — *frighten*

	ACTIVE		PASSIVE	
	INDICATIVE			
Pres.	terreō	terrēmus	terreor	terrēmur
	terrēs	terrētis	terrēris(-re)	terrēminī
	terret	terrent	terrētur	terrentur
Impf.	terrēbam	terrēbāmus	terrēbar	terrēbāmur
	terrēbās	terrēbātis	terrēbāris(-re)	terrēbāminī
	terrēbat	terrēbant	terrēbātur	terrēbantur
Fut.	terrēbō	terrēbimus	terrēbor	terrēbimur
	terrēbis	terrēbitis	terrēberis(-re)	terrēbiminī
	terrēbit	terrēbunt	terrēbitur	terrēbuntur
Perf.	terruī	terruimus	territus sum	territī sumus
	terruistī	terruistis	(-a, -um) es	(-ae, -a) estis
	terruit	terruērunt(-re)	est	sunt
Plup.	terrueram	terruerāmus	territus eram	territī erāmus
	terruerās	terruerātis	(-a, -um) erās	(-ae, -a) erātis
	terruerat	terruerant	erat	erant
Fut. Perf.	terruerō	terruerimus	territus erō	territī erimus
	terrueris	terrueritis	(-a, -um) eris	(-ae, -a) eritis
	terruerit	terruerint	erit	erunt
	SUBJUNCTIVE			
Pres.	terream	terreāmus	terrear	terreāmur
	terreās	terreātis	terreāris(-re)	terreāminī
	terreat	terreant	terreātur	terreantur
Impf.	terrērem	terrērēmus	terrērer	terrērēmur
	terrērēs	terrērētis	terrērēris(-re)	terrērēminī
	terrēret	terrērent	terrērētur	terrērentur
Perf.	terruerim	terruerimus	territus sim	territī sīmus
	terrueris	terrueritis	(-a, -um) sīs	(-ae, -a) sītis
	terruerit	terruerint	sit	sint
Plup.	terruissem	terruissēmus	territus essem	territī essēmus
	terruissēs	terruissētis	(-a, -um) essēs	(-ae, -a) essētis
	terruisset	terruissent	esset	essent
	IMPERATIVE			
Pres.	terrē	terrēte		
	INFINITIVE			
Pres.	terrēre		terrērī	
Perf.	terruisse		territus(-a, -um) esse	
Fut.	territūrus(-a, -um) esse			
	PARTICIPLE			
Pres.	terrēns(-tis)			
Perf.			territus(-a, -um)	
Fut.	territūrus(-a, -um)		terrendus(-a, -um) (GERUNDIVE)	

GERUND terrendī, -ō, -um, -ō SUPINE territum, -ū

timeō, timēre, timuī *fear*

	ACTIVE		PASSIVE	
	INDICATIVE			
Pres.	timeō	timēmus	timeor	timēmur
	timēs	timētis	timēris(-re)	timēminī
	timet	timent	timētur	timentur
Impf.	timēbam	timēbāmus	timēbar	timēbāmur
	timēbās	timēbātis	timēbāris(-re)	timēbāminī
	timēbat	timēbant	timēbātur	timēbantur
Fut.	timēbō	timēbimus	timēbor	timēbimur
	timēbis	timēbitis	timēberis(-re)	timēbiminī
	timēbit	timēbunt	timēbitur	timēbuntur
Perf.	timuī	timuimus		
	timuistī	timuistis		
	timuit	timuērunt(-re)		
Plup.	timueram	timuerāmus		
	timuerās	timuerātis		
	timuerat	timuerant		
Fut. Perf.	timuerō	timuerimus		
	timueris	timueritis		
	timuerit	timuerint		
	SUBJUNCTIVE			
Pres.	timeam	timeāmus	timear	timeāmur
	timeās	timeātis	timeāris(-re)	timeāminī
	timeat	timeant	timeātur	timeantur
Impf.	timērem	timērēmus	timērer	timērēmur
	timērēs	timērētis	timērēris(-re)	timērēminī
	timēret	timērent	timērētur	timērentur
Perf.	timuerim	timuerimus		
	timueris	timueritis		
	timuerit	timuerint		
Plup.	timuissem	timuissēmus		
	timuissēs	timuissētis		
	timuisset	timuissent		
	IMPERATIVE			
Pres.	timē	timēte		
	INFINITIVE			
Pres.	timēre		timērī	
Perf.	timuisse		———	
Fut.	———			
	PARTICIPLE			
Pres.	timēns(-tis)			
Perf.	———			
Fut.	———		timendus(-a, -um) (GERUNDIVE)	

GERUND timendī, -ō, -um, -ō SUPINE ———

tollō, tollere, sustulī, sublātum *lift, raise*

	ACTIVE		PASSIVE	
		INDICATIVE		
Pres.	tollō	tollimus	tollor	tollimur
	tollis	tollitis	tolleris(-re)	tolliminī
	tollit	tollunt	tollitur	tolluntur
Impf.	tollēbam	tollēbāmus	tollēbar	tollēbāmur
	tollēbās	tollēbātis	tollēbāris(-re)	tollēbāminī
	tollēbat	tollēbant	tollēbātur	tollēbantur
Fut.	tollam	tollēmus	tollar	tollēmur
	tollēs	tollētis	tollēris(-re)	tollēminī
	tollet	tollent	tollētur	tollentur
Perf.	sustulī	sustulimus	sublātus sum	sublātī sumus
	sustulistī	sustulistis	(-a, -um) es	(-ae, -a) estis
	sustulit	sustulērunt(-re)	est	sunt
Plup.	sustuleram	sustulerāmus	sublātus eram	sublātī erāmus
	sustulerās	sustulerātis	(-a, -um) erās	(-ae, -a) erātis
	sustulerat	sustulerant	erat	erant
Fut. Perf.	sustulerō	sustulerimus	sublātus erō	sublātī erimus
	sustuleris	sustuleritis	(-a, -um) eris	(-ae, -a) eritis
	sustulerit	sustulerint	erit	erunt
		SUBJUNCTIVE		
Pres.	tollam	tollāmus	tollar	tollāmur
	tollās	tollātis	tollāris(-re)	tollāminī
	tollat	tollant	tollātur	tollantur
Impf.	tollerem	tollerēmus	tollerer	tollerēmur
	tollerēs	tollerētis	tollerēris(-re)	tollerēminī
	tolleret	tollerent	tollerētur	tollerentur
Perf.	sustulerim	sustulerimus	sublātus sim	sublātī sīmus
	sustuleris	sustuleritis	(-a, -um) sīs	(-ae, -a) sītis
	sustulerit	sustulerint	sit	sint
Plup.	sustulissem	sustulissēmus	sublātus essem	sublātī essēmus
	sustulissēs	sustulissētis	(-a, -um) essēs	(-ae, -a) essētis
	sustulisset	sustulissent	esset	essent
		IMPERATIVE		
Pres.	tolle	tollite		
		INFINITIVE		
Pres.	tollere		tollī	
Perf.	sustulisse		sublātus(-a, -um) esse	
Fut.	sublātūrus(-a, -um) esse			
		PARTICIPLE		
Pres.	tollēns(-tis)			
Perf.			sublātus(-a, -um)	
Fut.	sublātūrus(-a, -um)		tollendus(-a, -um) (GERUNDIVE)	

GERUND tollendī, -ō, -um, -ō SUPINE sublātum, -ū

trahō, trahere, trāxī, tractum *drag, draw*

	ACTIVE		PASSIVE	
	INDICATIVE			
Pres.	trahō	trahimus	trahor	trahimur
	trahis	trahitis	traheris(-re)	trahiminī
	trahit	trahunt	trahitur	trahuntur
Impf.	trahēbam	trahēbāmus	trahēbar	trahēbāmur
	trahēbās	trahēbātis	trahēbāris(-re)	trahēbāminī
	trahēbat	trahēbant	trahēbātur	trahēbantur
Fut.	traham	trahēmus	trahar	trahēmur
	trahēs	trahētis	trahēris(-re)	trahēminī
	trahet	trahent	trahētur	trahentur
Perf.	trāxī	trāximus	tractus sum	tractī sumus
	trāxistī	trāxistis	(-a, -um) es	(-ae, -a) estis
	trāxit	trāxērunt(-re)	est	sunt
Plup.	trāxeram	trāxerāmus	tractus eram	tractī erāmus
	trāxerās	trāxerātis	(-a, -um) erās	(-ae, -a) erātis
	trāxerat	trāxerant	erat	erant
Fut. Perf.	trāxerō	trāxerimus	tractus erō	tractī erimus
	trāxeris	trāxeritis	(-a, -um) eris	(-ae, -a) eritis
	trāxerit	trāxerint	erit	erint
	SUBJUNCTIVE			
Pres.	traham	trahāmus	trahar	trahāmur
	trahās	trahātis	trahāris(-re)	trahāminī
	trahat	trahant	trahātur	trahantur
Impf.	traherem	traherēmus	traherer	traherēmur
	traherēs	traherētis	traherēris(-re)	traherēminī
	traheret	traherent	traherētur	traherentur
Perf.	trāxerim	trāxerimus	tractus sim	tractī sīmus
	trāxeris	trāxeritis	(-a, -um) sīs	(-ae, -a) sītis
	trāxerit	trāxerint	sit	sint
Plup.	trāxissem	trāxissēmus	tractus essem	tractī essēmus
	trāxissēs	trāxissētis	(-a, -um) essēs	(-ae, -a) essētis
	trāxisset	trāxissent	esset	essent
	IMPERATIVE			
Pres.	trahe	trahite		
	INFINITIVE			
Pres.	trahere		trahī	
Perf.	trāxisse		tractus(-a, -um) esse	
Fut.	tractūrus(-a, -um) esse			
	PARTICIPLE			
Pres.	trahēns(-tis)			
Perf.			tractus(-a, -um)	
Fut.	tractūrus(-a, -um)		trahendus(-a, -um) (GERUNDIVE)	

GERUND trahendī, -ō, -um, -ō SUPINE tractum, -ū

ulcīscor, ulcīscī, ūltus sum *avenge, punish*

ACTIVE

INDICATIVE

Pres.	ulcīscor		ulcīscimur	
	ulcīsceris(-re)		ulcīsciminī	
	ulcīscitur		ulcīscuntur	
Impf.	ulcīscēbar		ulcīscēbāmur	
	ulcīscēbāris(-re)		ulcīscēbāminī	
	ulcīscēbātur		ulcīscēbantur	
Fut.	ulcīscar		ulcīscēmur	
	ulcīscēris(-re)		ulcīscēminī	
	ulcīscētur		ulcīscentur	
Perf.	ūltus	sum	ūltī	sumus
	(-a, -um)	es	(-ae, -a)	estis
		est		sunt
Plup.	ūltus	eram	ūltī	erāmus
	(-a, -um)	erās	(-ae, -a)	erātis
		erat		erant
Fut. Perf.	ūltus	erō	ūltī	erimus
	(-a, -um)	eris	(-ae, -a)	eritis
		erit		erunt

SUBJUNCTIVE

Pres.	ulcīscar		ulcīscāmur	
	ulcīscāris(-re)		ulcīscāminī	
	ulcīscātur		ulcīscantur	
Impf.	ulcīscerer		ulcīscēremur	
	ulcīscerēris(-re)		ulcīscēreminī	
	ulcīscerētur		ulcīscerentur	
Perf.	ūltus	sim	ūltī	sīmus
	(-a, -um)	sīs	(-ae, -a)	sītis
		sit		sint
Plup.	ūltus	essem	ūltī	essēmus
	(-a, -um)	essēs	(-ae, -a)	essētis
		esset		essent

IMPERATIVE

Pres. ulcīscere ulcīsciminī

INFINITIVE

Pres. ulcīscī
Perf. ūltus(-a, -um) esse
Fut. ūltūrus(-a, -um) esse

	Active	PARTICIPLE **Passive**
Pres.	ulcīscēns(-tis)	
Perf.	ūltus(-a, -um)	
Fut.	ūltūrus(-a, -um)	ulcīscendus(-a, -um) (GERUNDIVE)

GERUND ulcīscendī, -ō, -um, -ō SUPINE ūltum, -ū

ūtor, ūtī, ūsus sum *use*

ACTIVE

INDICATIVE

Pres.	ūtor		ūtimur	
	ūteris(-re)		ūtiminī	
	ūtitur		ūtuntur	
Impf.	ūtēbar		ūtēbāmur	
	ūtēbāris(-re)		ūtēbāminī	
	ūtēbātur		ūtēbantur	
Fut.	ūtar		ūtēmur	
	ūtēris(-re)		ūtēminī	
	ūtētur		ūtentur	
Perf.	ūsus	sum	ūsī	sumus
	(-a, -um)	es	(-ae, -a)	estis
		est		sunt
Plup.	ūsus	eram	ūsī	erāmus
	(-a, -um)	erās	(-ae, -a)	erātis
		erat		erant
Fut.	ūsus	erō	ūsī	erimus
Perf.	(-a, -um)	eris	(-ae, -a)	eritis
		erit		erunt

SUBJUNCTIVE

Pres.	ūtar		ūtāmur	
	ūtāris(-re)		ūtāminī	
	ūtātur		ūtantur	
Impf.	ūterer		ūterēmur	
	ūterēris(-re)		ūterēminī	
	ūterētur		ūterentur	
Perf.	ūsus	sim	ūsī	sīmus
	(-a, -um)	sīs	(-ae, -a)	sītis
		sit		sint
Plup.	ūsus	essem	ūsī	essēmus
	(-a, -um)	essēs	(-ae, -a)	essētis
		esset		essent

IMPERATIVE

Pres.	ūtere	ūtiminī

INFINITIVE

Pres.	ūtī
Perf.	ūsus(-a, -um) esse
Fut.	ūsūrus(-a, -um) esse

PARTICIPLE

	Active	Passive
Pres.	ūtēns(-tis)	
Perf.	ūsus(-a, -um)	
Fut.	ūsūrus(-a, -um)	ūtendus(-a, -um) (GERUNDIVE)

GERUND ūtendī, -ō, -um, -ō SUPINE ūsum, -ū

valeō, valēre, valuī, valitūrus *be well, be strong*

ACTIVE

INDICATIVE

Pres.	valeō	valēmus
	valēs	valētis
	valet	valent
Impf.	valēbam	valēbāmus
	valēbās	valēbātis
	valēbat	valēbant
Fut.	valēbō	valēbimus
	valēbis	valēbitis
	valēbit	valēbunt
Perf.	valuī	valuimus
	valuistī	valuistis
	valuit	valuērunt(-re)
Plup.	valueram	valuerāmus
	valuerās	valuerātis
	valuerat	valuerant
Fut. Perf.	valuerō	valuerimus
	valueris	valueritis
	valuerit	valuerint

SUBJUNCTIVE

Pres.	valeam	valeāmus
	valeās	valeātis
	valeat	valeant
Impf.	valērem	valērēmus
	valērēs	valērētis
	valēret	valērent
Perf.	valuerim	valuerimus
	valueris	valueritis
	valuerit	valuerint
Plup.	valuissem	valuissēmus
	valuissēs	valuissētis
	valuisset	valuissent

IMPERATIVE

Pres.	valē	valēte

INFINITIVE

Pres. valēre
Perf. valuisse
Fut. valitūrus(-a, -um) esse

PARTICIPLE

Pres. valēns(-tis)
Perf. ———
Fut. valitūrus(-a, -um)

GERUND valendī, -ō, -um, -ō SUPINE ———

vehō, vehere, vexī, vectum *bear, draw*

	ACTIVE		PASSIVE			
			INDICATIVE			
Pres.	vehō	vehimus	vehor		vehimur	
	vehis	vehitis	veheris(-re)		vehiminī	
	vehit	vehunt	vehitur		vehuntur	
Impf.	vehēbam	vehēbāmus	vehēbar		vehēbāmur	
	vehēbās	vehēbātis	vehēbāris(-re)		vehēbāminī	
	vehēbat	vehēbant	vehēbātur		vehēbantur	
Fut.	veham	vehēmus	vehar		vehēmur	
	vehēs	vehētis	vehēris(-re)		vehēminī	
	vehet	vehent	vehētur		vehentur	
Perf.	vexī	veximus	vectus	sum	vectī	sumus
	vexistī	vexistis	(-a, -um)	es	(-ae, -a)	estis
	vexit	vexērunt(-re)		est		sunt
Plup.	vexeram	vexerāmus	vectus	eram	vectī	erāmus
	vexerās	vexerātis	(-a, -um)	erās	(-ae, -a)	erātis
	vexerat	vexerant		erat		erant
Fut. Perf.	vexerō	vexerimus	vectus	erō	vectī	erimus
	vexeris	vexeritis	(-a, -um)	eris	(-ae, -a)	eritis
	vexerit	vexerint		erit		erunt
			SUBJUNCTIVE			
Pres.	veham	vehāmus	vehar		vehāmur	
	vehās	vehātis	vehāris(-re)		vehāminī	
	vehat	vehant	vehātur		vehantur	
Impf.	veherem	veherēmus	veherer		veherēmur	
	veherēs	veherētis	veherēris(-re)		veherēminī	
	veheret	veherent	veherētur		veherentur	
Perf.	vexerim	vexerimus	vectus	sim	vectī	sīmus
	vexeris	vexeritis	(-a, -um)	sīs	(-ae, -a)	sītis
	vexerit	vexerint		sit		sint
Plup.	vexissem	vexissēmus	vectus	essem	vectī	essēmus
	vexissēs	vexissētis	(-a, -um)	essēs	(-ae, -a)	essētis
	vexisset	vexissent		esset		essent
			IMPERATIVE			
Pres.	vehe	vehite				
			INFINITIVE			
Pres.	vehere		vehī			
Perf.	vexisse		vectus(-a, -um) esse			
Fut.	vectūrus(-a, -um) esse					
			PARTICIPLE			
Pres.	vehēns(-tis)					
Perf.			vectus(-a, -um)			
Fut.	vectūrus(-a, -um)		vehendus(-a, -um) (GERUNDIVE)			

GERUND vehendī, -ō, -um, -ō SUPINE vectum, -ū

veniō, venīre, vēnī, ventum *come*

	ACTIVE		PASSIVE
	INDICATIVE		
Pres.	veniō	venīmus	
	venīs	venītis	
	venit	veniunt	venitur (Impers.)
Impf.	veniēbam	veniēbāmus	
	veniēbās	veniēbātis	
	veniēbat	veniēbant	veniēbātur (Impers.)
Fut.	veniam	veniēmus	
	veniēs	veniētis	
	veniet	venient	veniētur (Impers.)
Perf.	vēnī	vēnimus	
	vēnistī	vēnistis	
	vēnit	vēnērunt(-re)	ventum est (Impers.)
Plup.	vēneram	vēnerāmus	
	vēnerās	vēnerātis	
	vēnerat	vēnerant	ventum erat (Impers.)
Fut. Perf.	vēnerō	vēnerimus	
	vēneris	vēneritis	
	vēnerit	vēnerint	ventum erit (Impers.)
	SUBJUNCTIVE		
Pres.	veniam	veniāmus	
	veniās	veniātis	
	veniat	veniant	veniātur (Impers.)
Impf.	venīrem	venīrēmus	
	venīrēs	venīrētis	
	venīret	venīrent	venīrētur (Impers.)
Perf.	vēnerim	vēnerimus	
	vēneris	vēneritis	
	vēnerit	vēnerint	ventum sit (Impers.)
Plup.	vēnissem	vēnissēmus	
	vēnissēs	vēnissētis	
	vēnisset	vēnissent	ventum esset (Impers.)
	IMPERATIVE		
Pres.	venī	venīte	
	INFINITIVE		
Pres.	venīre		venīrī
Perf.	vēnisse		ventum esse
Fut.	ventūrus(-a, -um) esse		
	PARTICIPLE		
Pres.	veniēns(-tis)		
Perf.			———
Fut.	ventūrus(-a, -um)		veniendus(-a, -um) (GERUNDIVE)

GERUND veniendī, -ō, -um, -ō SUPINE ventum, -ū

vereor, verērī, veritus sum *fear, respect*

ACTIVE

INDICATIVE

Pres.	vereor		verēmur	
	verēris(-re)		verēminī	
	verētur		verentur	
Impf.	verēbār		verēbāmur	
	verēbāris(-re)		verēbāminī	
	verēbātur		verēbantur	
Fut.	verēbor		verēbimur	
	verēberis(-re)		verēbiminī	
	verēbitur		verēbuntur	
Perf.	veritus	sum	veritī	sumus
	(-a, -um)	es	(-ae, -a)	estis
		est		sunt
Plup.	veritus	eram	veritī	erāmus
	(-a, -um)	erās	(-ae, -a)	erātis
		erat		erant
Fut. Perf.	veritus	erō	veritī	erimus
	(-a, -um)	eris	(-ae, -a)	eritis
		erit		erunt

SUBJUNCTIVE

Pres.	verear		vereāmur	
	vereāris(-re)		vereāminī	
	vereātur		vereantur	
Impf.	verērer		verērēmur	
	verērēris(-re)		verērēminī	
	verērētur		verērentur	
Perf.	veritus	sim	veritī	sīmus
	(-a, -um)	sīs	(-ae, -a)	sītis
		sit		sint
Plup.	veritus	essem	veritī	essēmus
	(-a, -um)	essēs	(-ae, -a)	essētis
		esset		essent

IMPERATIVE

Pres. verēre verēminī

INFINITIVE

Pres. verērī
Perf. veritus(-a, -um) esse
Fut. veritūrus(-a, -um) esse

PARTICIPLE

	Active	Passive
Pres.	verēns(-tis)	
Perf.	veritus(-a, -um)	
Fut.	veritūrus(-a, -um)	verendus(-a, -um) (GERUNDIVE)

GERUND verendī, -ō, -um, -ō SUPINE veritum, -ū

vertō, vertere, vertī, versum *turn*

	ACTIVE		PASSIVE			
			INDICATIVE			
Pres.	vertō	vertimus	vertor		vertimur	
	vertis	vertitis	verteris(-re)		vertiminī	
	vertit	vertunt	vertitur		vertuntur	
Impf.	vertēbam	vertēbāmus	vertēbar		vertēbāmur	
	vertēbās	vertēbātis	vertēbāris(-re)		vertēbāminī	
	vertēbat	vertēbant	vertēbātur		vertēbantur	
Fut.	vertam	vertēmus	vertar		vertēmur	
	vertēs	vertētis	vertēris(-re)		vertēminī	
	vertet	vertent	vertētur		vertentur	
Perf.	vertī	vertimus	versus	sum	versī	sumus
	vertistī	vertistis	(-a, -um)	es	(-ae, -a)	estis
	vertit	vertērunt(-re)		est		sunt
Plup.	verteram	verterāmus	versus	eram	versī	erāmus
	verterās	verterātis	(-a, -um)	erās	(-ae, -a)	erātis
	verterat	verterant		erat		erant
Fut. Perf.	verterō	verterimus	versus	erō	versī	erimus
	verteris	verteritis	(-a, -um)	eris	(-ae, -a)	eritis
	verterit	verterint		erit		erunt
			SUBJUNCTIVE			
Pres.	vertam	vertāmus	vertar		vertāmur	
	vertās	vertātis	vertāris(-re)		vertāminī	
	vertat	vertant	vertātur		vertantur	
Impf.	verterem	verterēmus	verterer		verterēmur	
	verterēs	verterētis	verterēris(-re)		verterēminī	
	verteret	verterent	verterētur		verterentur	
Perf.	verterim	verterimus	versus	sim	versī	sīmus
	verteris	verteritis	(-a, -um)	sīs	(-ae, -a)	sītis
	verterit	verterint		sit		sint
Plup.	vertissem	vertissēmus	versus	essem	versī	essēmus
	vertissēs	vertissētis	(-a, -um)	essēs	(-ae, -a)	essētis
	vertisset	vertissent		esset		essent
			IMPERATIVE			
Pres.	verte	vertite				
			INFINITIVE			
Pres.	vertere		vertī			
Perf.	vertisse		versus(-a, -um) esse			
Fut.	versūrus(-a, -um) esse					
			PARTICIPLE			
Pres.	vertēns(-tis)					
Perf.			versus(-a, -um)			
Fut.	versūrus(-a, -um)		vertendus(-a, -um) (GERUNDIVE)			

GERUND vertendī, -ō, -um, -ō SUPINE versum, -ū

vetō

vetō, vetāre, vetuī, vetitum *forbid*

	ACTIVE		PASSIVE	
	INDICATIVE			
Pres.	vetō	vetāmus	vetor	vetāmur
	vetās	vetātis	vetāris(-re)	vetāminī
	vetat	vetant	vetātur	vetantur
Impf.	vetābam	vetābāmus	vetābar	vetābāmur
	vetābās	vetābātis	vetābāris(-re)	vetābāminī
	vetābat	vetābant	vetābātur	vetābantur
Fut.	vetābō	vetābimus	vetābor	vetābimur
	vetābis	vetābitis	vetāberis(-re)	vetābiminī
	vetābit	vetābunt	vetābitur	vetābuntur
Perf.	vetuī	vetuimus	vetitus sum	vetitī sumus
	vetuistī	vetuistis	(-a, -um) es	(-ae, -a) estis
	vetuit	vetuērunt(-re)	est	sunt
Plup.	vetueram	vetuerāmus	vetitus eram	vetitī erāmus
	vetuerās	vetuerātis	(-a, -um) erās	(-ae, -a) erātis
	vetuerat	vetuerant	erat	erant
Fut. Perf.	vetuerō	vetuerimus	vetitus erō	vetitī erimus
	vetueris	vetueritis	(-a, -um) eris	(-ae, -a) eritis
	vetuerit	vetuerint	erit	erunt
	SUBJUNCTIVE			
Pres.	vetem	vetēmus	veter	vetēmur
	vetēs	vetētis	vetēris(-re)	vetēminī
	vetet	vetent	vetētur	vetentur
Impf.	vetārem	vetārēmus	vetārer	vetārēmur
	vetārēs	vetārētis	vetārēris(-re)	vetārēminī
	vetāret	vetārent	vetārētur	vetārentur
Perf.	vetuerim	vetuerimus	vetitus sim	vetitī sīmus
	vetueris	vetueritis	(-a, -um) sīs	(-ae, -a) sītis
	vetuerit	vetuerint	sit	sint
Plup.	vetuissem	vetuissēmus	vetitus essem	vetitī essēmus
	vetuissēs	vetuissētis	(-a, -um) essēs	(-ae, -a) essētis
	vetuisset	vetuissent	esset	essent
	IMPERATIVE			
Pres.	vetā	vetāte		
	INFINITIVE			
Pres.	vetāre		vetārī	
Perf.	vetuisse		vetitus(-a, -um) esse	
Fut.	vetitūrus(-a, -um) esse			
	PARTICIPLE			
Pres.	vetāns(-tis)			
Perf.			vetitus(-a, -um)	
Fut.	vetitūrus(-a, -um)		vetandus(-a, -um) (GERUNDIVE)	

GERUND vetandī, -ō, -um, -ō SUPINE vetitum, -ū

videō, vidēre, vīdī, vīsum *see, seem* (in Passive)

	ACTIVE		PASSIVE	
	INDICATIVE			
Pres.	videō	vidēmus	videor	vidēmur
	vidēs	vidētis	vidēris(-re)	vidēminī
	videt	vident	vidētur	videntur
Impf.	vidēbam	vidēbāmus	vidēbar	vidēbāmur
	vidēbās	vidēbātis	vidēbāris(-re)	vidēbāminī
	vidēbat	vidēbant	vidēbātur	vidēbantur
Fut.	vidēbō	vidēbimus	vidēbor	vidēbimur
	vidēbis	vidēbitis	vidēberis(-re)	vidēbiminī
	vidēbit	vidēbunt	vidēbitur	vidēbuntur
Perf.	vīdī	vīdimus	vīsus sum	vīsī sumus
	vīdistī	vīdistis	(-a, -um) es	(-ae, -a) estis
	vīdit	vīdērunt(-re)	est	sunt
Plup.	vīderam	vīderāmus	vīsus eram	vīsī erāmus
	vīderās	vīderātis	(-a, -um) erās	(-ae, -a) erātis
	vīderat	vīderant	erat	erant
Fut. Perf.	vīderō	vīderimus	vīsus erō	vīsī erimus
	vīderis	vīderitis	(-a, -um) eris	(-ae, -a) eritis
	vīderit	vīderint	erit	erunt
	SUBJUNCTIVE			
Pres.	videam	videāmus	videar	videāmur
	videās	videātis	videāris(-re)	videāminī
	videat	videant	videātur	videantur
Impf.	vidērem	vidērēmus	vidērer	vidērēmur
	vidērēs	vidērētis	vidērēris(-re)	vidērēminī
	vidēret	vidērent	vidērētur	vidērentur
Perf.	vīderim	vīderimus	vīsus sim	vīsī sīmus
	vīderis	vīderitis	(-a, -um) sīs	(-ae, -a) sītis
	vīderit	vīderint	sit	sint
Plup.	vīdissem	vīdissēmus	vīsus essem	vīsī essēmus
	vīdissēs	vīdissētis	(-a, -um) essēs	(-ae, -a) essētis
	vīdisset	vīdissent	esset	essent
	IMPERATIVE			
Pres.	vidē	vidēte		
	INFINITIVE			
Pres.	vidēre		vidērī	
Perf.	vīdisse		vīsus(-a, -um) esse	
Fut.	vīsūrus(-a, -um) esse			
	PARTICIPLE			
Pres.	vidēns(-tis)			
Perf.			vīsus(-a, -um)	
Fut.	vīsūrus(-a, -um)		videndus(-a, -um) (GERUNDIVE)	

GERUND videndī, -ō, -um, -ō SUPINE vīsum, -ū

vigilō, vigilāre, vigilāvī, vigilātum *keep awake, watch*

	ACTIVE		PASSIVE	
		INDICATIVE		
Pres.	vigilō	vigilāmus	vigilor	vigilāmur
	vigilās	vigilātis	vigilāris(-re)	vigilāminī
	vigilat	vigilant	vigilātur	vigilantur
Impf.	vigilābam	vigilābāmus	vigilābar	vigilābāmur
	vigilābās	vigilābātis	vigilābāris(-re)	vigilābāminī
	vigilābat	vigilābant	vigilābātur	vigilābantur
Fut.	vigilābō	vigilābimus	vigilābor	vigilābimur
	vigilābis	vigilābitis	vigilāberis(-re)	vigilābiminī
	vigilābit	vigilābunt	vigilābitur	vigilābuntur
Perf.	vigilāvī	vigilāvimus	vigilātus sum	vigilātī sumus
	vigilāvistī	vigilāvistis	(-a, -um) es	(-ae, -a) estis
	vigilāvit	vigilāvērunt(-re)	est	sunt
Plup.	vigilāveram	vigilāverāmus	vigilātus eram	vigilātī erāmus
	vigilāverās	vigilāverātis	(-a, -um) erās	(-ae, -a) erātis
	vigilāverat	vigilāverant	erat	erant
Fut. Perf.	vigilāverō	vigilāverimus	vigilātus erō	vigilātī erimus
	vigilāveris	vigilāveritis	(-a, -um) eris	(-ae, -a) eritis
	vigilāverit	vigilāverint	erit	erunt
		SUBJUNCTIVE		
Pres.	vigilem	vigilēmus	vigiler	vigilēmur
	vigilēs	vigilētis	vigilēris(-re)	vigilēminī
	vigilet	vigilent	vigilētur	vigilentur
Impf.	vigilārem	vigilārēmus	vigilārer	vigilārēmur
	vigilārēs	vigilārētis	vigilārēris(-re)	vigilārēminī
	vigilāret	vigilārent	vigilārētur	vigilārentur
Perf.	vigilāverim	vigilāverimus	vigilātus sim	vigilātī sīmus
	vigilāveris	vigilāveritis	(-a, -um) sīs	(-ae, -a) sītis
	vigilāverit	vigilāverint	sit	sint
Plup.	vigilāvissem	vigilāvissēmus	vigilātus essem	vigilātī essēmus
	vigilāvissēs	vigilāvissētis	(-a, -um) essēs	(-ae, -a) essētis
	vigilāvisset	vigilāvissent	esset	essent
		IMPERATIVE		
Pres.	vigilā	vigilāte		
		INFINITIVE		
Pres.	vigilāre		vigilārī	
Perf.	vigilāvisse		vigilātus(-a, -um) esse	
Fut.	vigilātūrus(-a, -um) esse			
		PARTICIPLE		
Pres.	vigilāns(-tis)			
Perf.			vigilātus(-a, -um)	
Fut.	vigilātūrus(-a, -um)		vigilandus(-a, -um) (GERUNDIVE)	

GERUND vigilandī, -ō, -um, -ō SUPINE vigilātum, -ū

vincō, vincere, vīcī, vīctum *conquer*

	ACTIVE		PASSIVE			
			INDICATIVE			
Pres.	vincō	vincimus	vincor		vincimur	
	vincis	vincitis	vinceris(-re)		vinciminī	
	vincit	vincunt	vincitur		vincuntur	
Impf.	vincēbam	vincēbāmus	vincēbar		vincēbāmur	
	vincēbās	vincēbātis	vincēbāris(-re)		vincēbāminī	
	vincēbat	vincēbant	vincēbātur		vincēbantur	
Fut.	vincam	vincēmus	vincar		vincēmur	
	vincēs	vincētis	vincēris(-re)		vincēminī	
	vincet	vincent	vincētur		vincentur	
Perf.	vīcī	vīcimus	vīctus	sum	vīctī	sumus
	vīcistī	vīcistis	(-a, -um)	es	(-ae, -a)	estis
	vīcit	vīcērunt(-re)		est		sunt
Plup.	vīceram	vīcerāmus	vīctus	eram	vīctī	erāmus
	vīcerās	vīcerātis	(-a, -um)	erās	(-ae, -a)	erātis
	vīcerat	vīcerant		erat		erant
Fut. Perf.	vīcerō	vīcerimus	vīctus	erō	vīctī	erimus
	vīceris	vīceritis	(-a, -um)	eris	(-ae, -a)	eritis
	vīcerit	vīcerint		erit		erunt
			SUBJUNCTIVE			
Pres.	vincam	vincāmus	vincar		vincāmur	
	vincās	vincātis	vincāris(-re)		vincāminī	
	vincat	vincant	vincātur		vincantur	
Impf.	vincerem	vincerēmus	vincerer		vincerēmur	
	vincerēs	vincerētis	vincerēris(-re)		vincerēminī	
	vinceret	vincerent	vincerētur		vincerentur	
Perf.	vīcerim	vīcerimus	vīctus	sim	vīctī	sīmus
	vīceris	vīceritis	(-a, -um)	sīs	(-ae, -a)	sītis
	vīcerit	vīcerint		sit		sint
Plup.	vīcissem	vīcissēmus	vīctus	essem	vīctī	essēmus
	vīcissēs	vīcissētis	(-a, -um)	essēs	(-ae, -a)	essētis
	vīcisset	vīcissent		esset		essent
			IMPERATIVE			
Pres.	vince	vincite				
			INFINITIVE			
Pres.	vincere		vincī			
Perf.	vīcisse		vīctus(-a, -um) esse			
Fut.	vīctūrus(-a, -um) esse					
			PARTICIPLE			
Pres.	vincēns(-tis)					
Perf.			vīctus(-a, -um)			
Fut.	vīctūrus(-a, -um)		vincendus(-a, -um) (GERUNDIVE)			

GERUND vincendī, -ō, -um, -ō SUPINE vīctum, -ū

vocō, vocāre, vocāvī, vocātum *call*

	ACTIVE		PASSIVE	
		INDICATIVE		
Pres.	vocō	vocāmus	vocor	vocāmur
	vocās	vocātis	vocāris(-re)	vocāminī
	vocat	vocant	vocātur	vocantur
Impf.	vocābam	vocābāmus	vocābar	vocābāmur
	vocābās	vocābātis	vocābāris(-re)	vocābāminī
	vocābat	vocābant	vocābātur	vocābantur
Fut.	vocābō	vocābimus	vocābor	vocābimur
	vocābis	vocābitis	vocāberis(-re)	vocābiminī
	vocābit	vocābunt	vocābitur	vocabuntur
Perf.	vocāvī	vocāvimus	vocātus sum	vocātī sumus
	vocāvistī	vocāvistis	(-a, -um) es	(-ae, -a) estis
	vocāvit	vocāvērunt(-re)	est	sunt
Plup.	vocāveram	vocāverāmus	vocātus eram	vocātī erāmus
	vocāverās	vocāverātis	(-a, -um) erās	(-ae, -a) erātis
	vocāverat	vocāverant	erat	erant
Fut. Perf.	vocāverō	vocāverimus	vocātus erō	vocātī erimus
	vocāveris	vocāveritis	(-a, -um) eris	(-ae, -a) eritis
	vocāverit	vocāverint	erit	erunt
		SUBJUNCTIVE		
Pres.	vocem	vocēmus	vocer	vocēmur
	vocēs	vocētis	vocēris(-re)	vocēminī
	vocet	vocent	vocētur	vocentur
Impf.	vocārem	vocārēmus	vocārer	vocārēmur
	vocārēs	vocārētis	vocārēris(-re)	vocārēminī
	vocāret	vocārent	vocārētur	vocārentur
Perf.	vocāverim	vocāverimus	vocātus sim	vocātī sīmus
	vocāveris	vocāveritis	(-a, -um) sīs	(-ae, -a) sītis
	vocāverit	vocāverint	sit	sint
Plup.	vocāvissem	vocāvissēmus	vocātus essem	vocātī essēmus
	vocāvissēs	vocāvissētis	(-a, -um) essēs	(-ae, -a) essētis
	vocāvisset	vocāvissent	esset	essent
		IMPERATIVE		
Pres.	vocā	vocāte		
		INFINITIVE		
Pres.	vocāre		vocārī	
Perf.	vocāvisse		vocātus(-a, -um) esse	
Fut.	vocātūrus(-a, -um) esse			
		PARTICIPLE		
Pres.	vocāns(-tis)			
Perf.			vocātus(-a, -um)	
Fut.	vocātūrus(-a, -um)		vocandus(-a, -um) (GERUNDIVE)	

GERUND vocandī, -ō, -um, -ō SUPINE vocātum, -ū

volō, velle, voluī *wish*

ACTIVE

INDICATIVE

Pres.	volō	volumus
	vīs	vultis
	vult	volunt
Impf.	volēbam	volēbāmus
	volēbās	volēbātis
	volēbat	volēbant
Fut.	volam	volēmus
	volēs	volētis
	volet	volent
Perf.	voluī	voluimus
	voluistī	voluistis
	voluit	voluērunt(-re)
Plup.	volueram	voluerāmus
	voluerās	voluerātis
	voluerat	voluerant
Fut. Perf.	voluerō	voluerimus
	volueris	volueritis
	voluerit	voluerint

SUBJUNCTIVE

Pres.	velim	velīmus
	velīs	velītis
	velit	velint
Impf.	vellem	vellēmus
	vellēs	vellētis
	vellet	vellent
Perf.	voluerim	voluerimus
	volueris	volueritis
	voluerit	voluerint
Plup.	voluissem	voluissēmus
	voluissēs	voluissētis
	voluisset	voluissent

IMPERATIVE

Pres.

INFINITIVE

Pres. velle
Perf. voluisse
Fut. ———

PARTICIPLE

Pres. volēns(-tis)
Perf. ———
Fut. ———

GERUND ——— SUPINE ———

ENGLISH-LATIN INDEX

A

abandon relinquō
abuse abūtor
accept accipiō
accomplish cōnficiō
accuse accūsō
accustom cōnsuecō
acquire potior
acquit absolvō
add addō
admit fateor
advance prōcēdō, prōgredior
advise moneō, suādeō
aid iuvō
alarm commoveō
allow patior, permittō
announce ēnūtiō, nūntiō
answer respondeō
approach accēdō, adeō
arm armō
arouse permoveō, incitō
arrange īnstruō
arrive perveniō
ask quaerō, rogō
ask for petō
attack aggredior, oppūgnō
attain adipīscor
attempt cōnor
avenge ulcīscor
avoid caveō

B

be sum
be able possum
be absent absum
be accustomed to soleō
be afraid metuō
be amazed mīror
be angry īrāscor
be ashamed (it shames) pudet
be away absum
be born nāscor
be eager for studeō
be in command praesum
be made fīō
be silent taceō
be strong valeō
be unwilling nōlō
be well valeō
be without careō
bear ferō, vehō
become fīō
become acquainted nōscō
becomes decet
beg ōrō, rogō
began coepī
begin incipiō
believe crēdō
beware caveō
blaze ārdeō
break rumpō
break in pieces frangō
bring ferō
bring about efficiō
bring back word renūntiō
bring down dēdūcō
bring in īnferō
bring together cōnferō
burn incendō
burst rumpō

C

call vocō
call together convocō
can possum
capture expūgnō
carry portō, ferō
carry trānsportō
carry off rapiō
carry on (war) gerō
change mūtō

send mittō
send ahead praemittō
send away āmittō, dīmittō
send back remittō
serve serviō
set fire to incendō
set forth expōnō, prōpōnō
set out proficīscor
set sail solvō
shatter frangō
shout clāmō
show dēmōnstrō, ostendō
shut claudō
sing canō
sit sedeō
sleep dormiō
snatch rapiō
spare parcō
speak dīcō, for, loquor
spend cōnsūmō
stand stō
station statuō
stay maneō
stick haereō
stop intermittō
struggle certō
subdue opprimō
suffer patior
summon adhibeō, convocō
surpass superō
surrender dēdō, trādō
surround circumdō, circumveniō
swear iūrō

T

take sūmō, capiō
take a stand cōnsistō
take away adimō, auferō
take back recipiō
take possession of potior
teach doceō
tell dīcō, nārrō
terrify perterreō
throw iaciō
throw down dēiciō
throw out ēiciō
think censeō, cōgitō, exīstimō, putō
touch tangō
train exerceō
try cōnor, temptō
turn vertō

U

understand intellegō
undertake suscipiō
unite coniungō
urge hortor
use ūtor
use up cōnsūmō

W

wage (war) gerō, īnferō
wait for exspectō
wander errō
want volō
warn moneō, admoneō
watch vigilō
wear gerō
wish cupiō, volō
withdraw concēdō, redeō, removeō
withstand sustineō
wonder mīror
work labōrō
write scrībō

Y

yield cēdō, concēdō

LATIN-ENGLISH INDEX

crēdō believe
crēscō grow larger, increase
cupiō desire, wish
currō run

D

dēbeō owe, ought
dēcernō decide, decree, resolve
decet is fitting, becomes
dēdō (like addō) devote, surrender
dēdūcō (like dūcō) bring down, launch
dēfendō defend
dēficiō (like cōnficiō) fail, revolt
dēiciō (like cōniciō) dislodge, throw down
dēmōnstrō show, point out
dēspērō (like spērō) despair
dīcō say, speak, tell
dīligō pick, choose, love
dīmittō (like mittō) let go, send away
discēdō (like cēdō) leave, depart
discō learn
dīvidō divide
dō give
doceō teach, explain
dormiō sleep
dubitō doubt, hesitate
dūcō lead

E

ēdūcō (like dūcō) lead out
efficiō (like cōnficiō) bring about, accomplish
ēgredior (like aggredior) go out, leave
ēiciō (like cōniciō) throw out
ēnūntiō (like nūntiō) declare, announce
eō go
errō wonder, make a mistake
esse *see* sum
ēvertō (like vertō) overturn
excēdō (like cēdō) go out, depart
exeō (like eō) go out
exerceō train
exīstimō think
expellō drive out
expōnō (like pōnō) put out, set forth
expūgnō (like pūgnō) capture
exspectō (like spectō) wait
exstinguō extinquish, quench

F

faciō make, do
fallō deceive, fail
fārī *see* for
fateor admit, confess
fātum *see* for
faveō favor
ferō bear, carry, bring
fīō (Passive of faciō) become, be made, happen
for speak
frangō shatter, break in pieces
fruor enjoy
fugiō flee
fuī *see* sum
futūrus *see* sum

G

gaudeō rejoice
gerō wear, carry on (war), wage (war)

H

habeō have
haereō cling, stick
hortor urge

I

iaceō lie (on the ground)
iaciō throw
īgnōscō (like nōscō) pardon
impediō hinder
impellō (like pellō) drive on, influence
imperō command, order
incendō set fire to, burn
incipiō (like accipiō) begin
incitō arouse

perspiciō (like cōnspiciō) notice, perceive
persuādeō (like suādeō) persuade
perterreō (like terreō) terrify
pertineō (like abstineō) reach, pertain
perveniō (like veniō) arrive
pellō drive, rout
petō seek, ask for
polliceor promise
placeō please
pōnō put, place
portō carry
posse *see* possum
possum be able, can
postulō demand
potior acquire, take possession of
potuī *see* possum
praeficiō (like cōnficiō) put in charge of
praemittō (like mittō) send ahead
praestō excel
praesum (like sum) be in command
praetereō (like eō) pass by
premō press, oppress
prōcēdō (like cēdō) advance
prōcurrō (like currō) run forward
prōdūcō (like dūcō) lead forth
proficīscor set out
prōgredior (like aggredior) advance, proceed
prohibeō (like adhibeō) prevent, hold back
properō hurry
prōpōnō (like pōnō) set forth, offer
pudet be ashamed, (it shames)
pūgnō fight
putō think

Q

quaerō seek, ask

R

rapiō carry off, snatch
recipiō (like accipiō) take back, receive
reddō give back, return
redeō (like eō) go back, return
redūcō (like dūcō) lead back
regō rule, guide
relinquō abandon, leave
remaneō remain
remittō (like mittō) send back
removeō (like moveō) move back, withdraw
renūntiō (like nūntiō) bring back word, report
repellō (like expellō) drive back
resistō resist
respondeō reply, answer
retineō (like abstineō) hold back, keep
rogō ask, beg
rumpō break, burst

S

sciō know
scrībō write
sedeō sit
sentiō feel, perceive
sequor follow
serviō serve
servō save, keep
sinō let, permit
soleō be accustomed
solvō loosen, set sail
spectō look at
spērō hope
statuō station, decide
stō stand
studeō be eager for, desire
suādeō advise
sublātum *see* tollō
subsequor (like sequor) follow closely
sum be
sūmō take
superō overcome, surpass
suscipiō (like accipiō) undertake
sustineō (like abstineō) hold up, withstand
sustulī *see* tollō.

T

taceō keep still, be silent
tangō touch
temptō try
teneō hold, keep
terreō frighten
timeō fear
tollō lift, raise
trādō (like addō) surrender, hand over
trādūcō (like dūcō) lead across
trahō draw, drag
trānseō (like eō) go across
trānsportō (like portō) carry across
tulī *see* ferō

U

ulcīscor avenge, punish
ūtor use

V

valeō be well, be strong
vehō bear, draw
veniō come
vereor fear, respect
vertō turn
vetō forbid
videō see, seem (in Passive)
vigilō keep awake, watch
vincō conquer
vocō call
volō want, wish

LIBRARY
OF
MOUNT ST. MARY'S
COLLEGE
EMMITSBURG, MARYLAND